SUR LES BERGES DU RICHELIEU

Un viol sans importance, roman, Sillery, Septentrion, 1998

La Souris et le Rat, roman, Gatineau, Vents d'Ouest, 2004

Un homme sans allégeance, roman, Montréal, Hurtubise, 2012 (réédition de *Un pays pour un autre*)

L'été de 1939, avant l'orage, roman, Montréal, Hurtubise HMH, 2006, format compact, 2008

La Rose et l'Irlande, roman, Montréal, Hurtubise HMH, 2007

Haute-Ville, Basse-Ville, roman, Montréal, Hurtubise HMH, 2009, format compact, 2012 (réédition de *Un viol sans importance*)

Père et mère tu honoreras, roman, Montréal, Hurtubise, 2016

Saga Le clan Picard

Les Portes de Québec, tome 1, *Faubourg Saint-Roch*, roman, Montréal, Hurtubise HMH, 2007, format compact, 2011

Les Portes de Québec, tome 2, *La Belle Époque*, roman, Montréal, Hurtubise HMH, 2008, format compact, 2011

Les Portes de Québec, tome 3, *Le prix du sang*, roman, Montréal, Hurtubise HMH, 2008, format compact, 2011

Les Portes de Québec, tome 4, *La mort bleue*, roman, Montréal, Hurtubise HMH, 2009, format compact, 2011

Les Folles Années, tome 1, *Les héritiers*, roman, Montréal, Hurtubise, 2010, format compact, 2011

Les Folles Années, tome 2, *Mathieu et l'affaire Aurore*, roman, Montréal, Hurtubise, 2010, format compact, 2011

Les Folles Années, tome 3, *Thalie et les âmes d'élite*, roman, Montréal, Hurtubise, 2011, format compact, 2011

Les Folles Années, tome 4, *Eugénie et l'enfant retrouvé*, roman, Montréal, Hurtubise, 2011, format compact, 2011

Les Années de plomb, tome 1, *La déchéance d'Édouard*, roman, Montréal, Hurtubise, 2013

Les Années de plomb, tome 2, *Jour de colère*, roman, Montréal, Hurtubise, 2014

Les Années de plomb, tome 3, *Le choix de Thalie*, roman, Montréal, Hurtubise, 2014

Les Années de plomb, tome 4, *Amours de guerre*, roman, Montréal, Hurtubise, 2014

Saga Félicité

Félicité, tome 1, *Le pasteur et la brebis*, roman, Montréal, Hurtubise, 2011, format compact, 2014

Félicité, tome 2, *La grande ville*, roman, Montréal, Hurtubise, 2012, format compact, 2014

Félicité, tome 3, *Le salaire du péché*, roman, Montréal, Hurtubise, 2012, format compact, 2014

Félicité, tome 4, *Une vie nouvelle*, roman, Montréal, Hurtubise, 2013, format compact, 2014

Saga 1967

1967, tome 1, *L'âme sœur*, roman, Montréal, Hurtubise, 2015

1967, tome 2, *Une ingénue à l'Expo*, roman, Montréal, Hurtubise, 2015

1967, tome 3, *L'impatience*, roman, Montréal, Hurtubise, 2015

Saga Sur les berges du Richelieu

Sur les berges du Richelieu, tome 1, *La tentation d'Aldée*, roman, Montréal, Hurtubise, 2016

Sur les berges du Richelieu, tome 2, *La faute de monsieur le curé*, roman, Montréal, Hurtubise, 2016

Jean-Pierre Charland

SUR LES BERGES
DU RICHELIEU

tome 3

Amours contrariées

Roman historique

Hurtubise

Catalogage avant publication de Bibliothèque et Archives nationales du Québec et Bibliothèque et Archives Canada

Charland, Jean-Pierre, 1954-

    Sur les berges du Richelieu : roman historique

    Sommaire : t. 3. Amours contrariées.

    Également publié en formats électroniques.

    ISBN 978-2-89723-966-4 (vol. 3)

    I. Charland, Jean-Pierre, 1954- . Amours contrariées. II. Titre.

PS8555.H415S97 2016   C843'.54   C2016-940903-1
PS9555.H415S97 2016

Les Éditions Hurtubise bénéficient du soutien financier du gouvernement du Québec par l'entremise du programme de crédit d'impôt pour l'édition de livres et de la Société de développement des entreprises culturelles du Québec (SODEC). L'éditeur remercie également le Conseil des arts du Canada de l'aide accordée à son programme de publication.

Financé par le gouvernement du Canada | Canadä

Conception graphique : René St-Amand
Illustration de la couverture : Xin Ran Liu
Maquette intérieure et mise en pages : Folio infographie

Copyright © 2017 Éditions Hurtubise inc.

ISBN : 978-2-89723-966-4 (version imprimée)
ISBN : 978-2-89723-967-1 (version numérique PDF)
ISBN : 978-2-89723-968-8 (version numérique ePub)

Dépôt légal : 1er trimestre 2017

Bibliothèque et Archives nationales du Québec
Bibliothèque et Archives Canada

Diffusion-distribution au Canada :
Distribution HMH
1815, avenue De Lorimier
Montréal (Québec) H2K 3W6
www.distributionhmh.com

Diffusion-distribution en France :
Librairie du Québec / DNM
30, rue Gay-Lussac
75005 Paris
www.librairieduquebec.fr

Imprimé au Canada
www.editionshurtubise.com

Les personnages

Chicoine, Donatien : Prêtre, vicaire de la paroisse Saint-Antoine.

Demers, Aldée : Jeune domestique issue d'une famille de cultivateurs, elle travaille chez le docteur Turgeon.

Deslauriers, Sophie : Fille illégitime du curé Grégoire et de Clotilde Donahue (née Serre).

Donahue, Clotilde (née Serre) : Mère illégitime de Sophie Deslauriers, maîtresse de l'abbé Grégoire.

Forain, Cédalie : Ménagère du curé Grégoire.

Grégoire, Alphonse : Curé de la paroisse Saint-Antoine, à Douceville. Pendant son exil aux États-Unis, il porte le nom de Deslauriers.

Marcil, Euphémie : Épouse de l'avocat Xavier Marcil, mère de Denise et d'Anselme.

Marcil, Xavier : Avocat et secrétaire de la municipalité de Douceville, époux d'Euphémie et père de Denise et d'Anselme.

Nantel, Floranette : Épouse du juge Nantel, mère de Jules.

Nantel, Jules : Fils du juge Nantel, collégien à Montréal, il s'intéresse à Corinne Turgeon.

Nantel, Siméon : Juge à la cour de Douceville, époux de Floranette et père de Jules.

Nolin, Graziella: Cuisinière engagée chez les Turgeon.

Pinsonneault, Félix: Fils du maire de Douceville, camarade de collège de Georges Turgeon.

Pinsonneault, Horace: Maire de Douceville, père de Félix.

Tremblay, Aline: Élève du couvent Notre-Dame, consœur de Corinne Turgeon. Fille de Rosaire et Georgette Tremblay.

Tremblay, Rosaire: Marchand de meubles, époux de Georgette et père d'Aline.

Turgeon, Corinne: Couventine âgée de seize ans, fille du docteur Turgeon.

Turgeon, Délia: Épouse du docteur Turgeon, âgée de bientôt quarante ans.

Turgeon, Évariste: Médecin âgé de quarante-cinq ans, tenté par la vie politique municipale.

Turgeon, Georges: Collégien âgé de dix-sept ans, fils du docteur Turgeon.

Vallières, Jean-Baptiste: Ébéniste à l'usine de machines à coudre Willcox & Gibbs, il fait les yeux doux à Aldée.

Personnage historique

Bruchési, Louis-Joseph-Napoléon-Paul (1855-1939): Archevêque du diocèse de Montréal de 1897 à 1939.

Chapitre 1

Après que l'abbé Grégoire et Clotilde furent montés dans le train en direction des États-Unis, Georges revint en silence vers la maison de la rue De Salaberry avec Sophie Deslauriers. La jeune fille retenait très difficilement ses larmes. Dans l'intimité, ce seraient les grandes eaux.

Le garçon lui ouvrit la porte et s'écarta pour la laisser entrer. Dans le couloir, il lui proposa :

— Tu devrais aller t'asseoir dans la cour. Je te rejoins dans un instant. Je peux t'apporter quelque chose à boire ? Un café, une boisson fraîche ?

— ... Non, je ne veux rien.

Le garçon hocha la tête, guère surpris. Alors qu'il s'engageait dans l'escalier afin de se rendre à la salle de bain, elle traversa le couloir pour aller dans la cuisine.

— Ah ! Mam'zelle, vous êtes pas à la messe ? l'interpella Graziella. Vous filez pas ?

Sophie le lui confirma d'un mouvement de la tête, puis sortit se réfugier sous les arbres.

— C'te p'tite-là a une vie bin compliquée, commenta la cuisinière à l'intention d'Aldée, sa jeune collègue. Pis les messes basses de son oncle dans le bureau du docteur, ça cache queque chose...

Quelques jours plus tôt, elle avait bien remarqué la visite discrète du curé Grégoire, accompagné d'une inconnue très élégante.

— Je n'ai aucune idée de ce qui se passe, avoua la bonne. Je me dis que si madame Turgeon, ou même mademoiselle Deslauriers, voulaient que je connaisse leurs secrets, elles m'auraient déjà fait des confidences.

Jamais Aldée n'était venue aussi près de dire à la cuisinière : « Je me mêle de mes affaires, et vous devriez en faire autant. » La vieille femme le comprit bien ainsi, au point de bougonner un peu pendant la minute suivante.

De son côté, Georges prenait bien son temps à l'étage, décidé à laisser passer la petite ondée de larmes avant de rejoindre l'invitée de la maison. Quand il redescendit, il alla directement vers la glacière pour attraper un pot de limonade.

— Voulez-vous que j'ajoute de la glace ? proposa Aldée.

— Non, ça ira. Je vous remercie.

Graziella s'était déjà remise du petit appel à la discrétion de sa collègue.

— Vous avez décidé de vous occuper de la p'tite, souligna-t-elle.

— Je n'allais pas la laisser courir dans les rues de la ville à dix heures du matin. On ne sait jamais, avec les quêteux et le bonhomme Sept Heures.

Quelle rebuffade ! Cette fois, la cuisinière demeurerait de mauvaise humeur jusqu'à l'heure du dîner au moins. Le garçon prit deux verres sur une tablette, puis rejoignit Sophie sous le grand érable. Quand celle-ci entendit la porte se refermer, elle passa en vitesse ses doigts gantés sous ses paupières pour faire disparaître toute trace de larmes.

— J'ai tout de même décidé de t'apporter un verre, lui dit Georges en versant la boisson.

— Merci. Tu es gentil.

Un demi-sourire lui signifia que sa reconnaissance s'étendait bien au-delà de cette délicate attention. Après un silence, elle lui demanda :

— Cette histoire de congé, tu en penses quoi ?

L'adolescente faisait allusion au désir de son oncle – non, de son père – de s'enfuir de la paroisse en invoquant des problèmes de santé.

— Papa dit que s'il faut enlever l'appendice de quelqu'un, mieux vaut le faire d'un coup, et ne pas en couper un petit bout chaque jour.

Devant les yeux écarquillés de son interlocutrice, il expliqua :

— Annoncer une absence à cause d'une maladie, pour présenter ensuite tout bonnement sa démission, cela signifie allonger le désagrément pour rien.

Sophie hocha la tête.

— Tu crois qu'il va défroquer.

Le ton affirmatif n'exigeait aucune réponse. Le mot « défroquer », qui pouvait également signifier « enlever son froc », sonnait bien curieusement dans les circonstances. L'utilisation du terme « démissionner » donnait un caractère moins scabreux à son initiative. De nouveau, Georges avait ainsi exprimé sa délicatesse.

Ensuite, le silence s'installa entre eux. Sophie avala un peu de la boisson froide, tout en esquissant un petit sourire à l'intention du jeune homme.

❋

Au moment d'entrer dans la sacristie, l'abbé Chicoine maîtrisait mal sa colère, et sa peur. Grégoire avait parlé de ses fautes à l'archevêque Paul Bruchési ! Comme si le curé lui-même ne dissimulait aucun péché ! Cette nièce logée au presbytère, puis cette Américaine venue de nulle part permettaient d'imaginer les pires turpitudes.

Tandis que l'abbé passait son aube, les servants de messe un peu dissipés eurent droit à des mots cinglants. Ceux-là disposaient pourtant de tout le temps nécessaire pour retrouver leur sérieux. Avant de célébrer la messe, le vicaire devait entendre la confession de quelques paroissiens désireux d'alléger leur âme. En parcourant l'allée de gauche jusqu'au fond du temple, son regard balaya l'assistance. Il vit une jeune fille fixer les yeux sur lui, puis les baisser vivement. Son visage lui rappelait quelque chose. En continuant son chemin, le souvenir des couventines lui revint. Ce ne fut qu'au moment d'entrer dans le confessionnal qu'il murmura : « Aline Tremblay ».

❖

Comme il le faisait souvent, Rosaire Tremblay était allé à la messe avec sa grande fille et le plus vieux de ses garçons. Son épouse fréquentait plus volontiers la basse messe, afin de prendre tout son temps ensuite pour préparer le dîner. Il remarqua le mouvement de recul de sa fille, sa peur évidente. L'envie lui vint de se mettre aux trousses du prêtre pour le rouer de coups. Qu'attendait l'évêque pour faire quelque chose ? Sa courte lettre n'avait eu aucun effet. Lui faudrait-il monter à Montréal pour dénoncer ce salaud de vive voix ?

❖

Usant du même stratagème employé lors de leur petite escapade à Saint-Lambert, Alphonse Grégoire était d'abord monté dans un wagon de deuxième classe. Au passage, certains de ses paroissiens le saluèrent. En plein été, quelques Canadiens français se décidaient à aller visiter des parents émigrés aux États-Unis.

La locomotive s'ébranla. Par la fenêtre, il contempla les arrière-cours de quelques maisons. Le passage sur le pont lui procurait toujours le même effet, une crampe au ventre. Après la traversée du village d'Iberville, des champs et des boisés défilèrent sous ses yeux.

Puis arriva le temps de la métamorphose. En se levant, il prit son sac de voyage placé dans le compartiment au-dessus des banquettes et marcha en direction des voitures de première classe. Dans les toilettes, il enleva sa soutane. Ce matin-là, il avait mis dessous une chemise blanche. Son bagage contenait une cravate et un veston de couleur noire. Vêtu ainsi, il passerait pour un voyageur de commerce endeuillé.

À l'avant du train, Clotilde l'accueillit avec un sourire malgré sa tenue sans attrait.

— Te voilà enfin. Depuis le départ de la gare, deux hommes sont venus me demander s'ils pouvaient occuper la place à côté de moi.

Son sourire disait toute sa satisfaction de recevoir encore ce genre d'attention. À bientôt quarante ans, elle demeurait séduisante.

— Voilà le danger de ces vêtements de couleur rouge. Tous les regards se posent sur toi.

Puisque Clotilde voyageait plutôt léger, la même robe très voyante découpait souvent sa silhouette.

— Hum! Je perçois un ton de reproche, monsieur le curé.

Effrayé, Grégoire regarda les passagers autour d'eux en fronçant les sourcils.

— Ne m'appelle pas comme ça!

Le ton trahissait un sentiment d'urgence.

— Ne t'inquiète pas, ce sont tous des Anglais.

— Tout de même, inutile de courir le risque d'être reconnu.

Comme s'il était un criminel en fuite, le regard de ses semblables lui faisait peur. Et aux yeux de tous ses concitoyens catholiques, son crime était réellement le pire de tous.

❋

Malgré sa colère, Euphémie Marcil s'efforçait de baisser le ton. Le résultat était plus effrayant encore. La voix devenait sourde, les traits de son visage presque douloureux.

— Tu ne peux pas rester ici, et moi aller à la messe avec les enfants.

— Je ne me sens pas bien.

Xavier Marcil était à demi affalé sur un sofa, dans sa petite demeure de la rue Saint-Louis. Bien sûr, comme la plupart du temps, il ne payait pas de mine.

— Si tu es malade, il ne fallait pas te lever ce matin.

Aux yeux de l'épouse, une maladie s'attaquait à un organe : le cœur, le foie, les reins, les poumons. Son mari ne pouvait mettre la responsabilité de son état sur aucun d'entre eux. Sa langueur ne se qualifiait pas. Il voulut protester, dire que les simagrées de la messe ne signifiaient rien à ses yeux, mais la présence de ses deux enfants, Anselme et Denise, plantés dans l'embrasure de la porte, le retint.

— Bon, je monte pour me changer, soupira-t-il, résolu.

— Tu n'as pas le temps. Le curé porte sans doute déjà son surplis et sa chasuble.

Euphémie ne se trompait pas, Donatien Chicoine en était là dans ses préparatifs. Après un moment d'hésitation, elle ajouta :

— Tu as certainement un veston et une cravate dans ton bureau, va les chercher.

Xavier se leva en esquissant une grimace. Au passage, il glissa la main dans les cheveux de son garçon. Celui-ci leva des yeux surpris, tellement le geste était inhabituel.

Une cravate attendait bien dans sa petite pièce de travail. Il la passa autour de son cou, puis endossa la veste accrochée à un clou.

Sa famille l'attendait dans la petite entrée.

— Comme ça, tu auras l'air plus négligé que les trois quarts des cultivateurs, commenta l'épouse.

La tentation vint à Xavier Marcil de proposer de nouveau de monter pour se vêtir de façon plus appropriée, ou même de retourner s'allonger dans le salon. Il se retint.

— Mais eux ne possèdent que leur habit de noces, alors que j'en ai trois ou quatre qui sont encore présentables.

La petite grimace d'Euphémie pouvait toujours passer pour un sourire moqueur; un observateur attentif y aurait plutôt vu un vestige de la colère du matin, devant son mari désireux de se prévaloir des prérogatives du mariage. Pour éviter un nouvel échange de mots aigre-doux, elle s'engagea la première sur le trottoir, offrant l'une de ses mains à chacun de ses enfants.

Xavier marcha derrière elle, les yeux rivés sur l'ondulation des hanches. Sa robe blanche toute simple flattait sa silhouette, son chapeau de paille au rebord très large la protégeait du soleil. Elle portait ses cheveux détachés, simplement retenus dans le dos par une boucle, un peu plus bas que les épaules. Ce type de coiffure aurait très bien convenu pendant la semaine, mais c'était un peu audacieux le dimanche.

Quand les servants de messe formèrent une ligne pour entrer dans le chœur de l'église Saint-Antoine, ils avaient retrouvé leur calme. Le ton hargneux de l'ecclésiastique avait suffi à réduire leur agitation. Une fois devant l'autel, un genou au sol, Chicoine oublia toutes ses préoccupations. Au moins pour un temps, quelques semaines sans doute, il arriverait à se prendre pour le curé de Douceville.

Pendant le prône, il revint tout naturellement à son sujet de prédilection : les mœurs scandaleuses de ce début de vingtième siècle. Tandis qu'il parlait, son regard parcourait la nef afin de localiser une connaissance. La future mariée était bien là, dans le banc familial. Une érection lui vint immédiatement.

À la fin de son sermon, parmi les autres nouvelles liées à la vie paroissiale, le vicaire annonça que l'union de Malvina Péladeau et Elzéar Morin aurait lieu le samedi 4 août. Puis, en prenant un ton très grave, il dit :

— J'ai le regret de vous annoncer que monsieur l'abbé Grégoire a dû quitter la paroisse afin de se reposer. J'agirai comme curé aussi longtemps que nécessaire.

Un murmure préoccupé parcourut l'assemblée des chrétiens. Après-coup, la formulation lui parut susceptible d'inquiéter ses ouailles, aussi il précisa :

— Jusqu'au retour de notre pasteur, ou jusqu'au moment où Sa Grandeur Monseigneur Paul Bruchési en décidera autrement.

Puis Chicoine descendit de la chaire afin de poursuivre la messe.

❀

Clotilde garda le silence jusqu'au moment de passer la frontière américaine, dans l'État de New York. Après avoir convaincu son compagnon de prendre la fuite avec elle, les difficultés concrètes de l'affaire se bousculaient dans sa tête.

Alphonse avait laissé échapper un long soupir de soulagement quelques minutes plus tôt. Les conséquences d'être découvert lui paraissaient moins graves, maintenant qu'ils avaient traversé la frontière. Après tout, ce scandale qui les concernait serait noyé dans l'ensemble des situations scabreuses coutumières dans le pays voisin.

Sa compagne exprimait de son côté une vague inquiétude :

— Tu as réfléchi à ton identité ? s'enquit-elle. Quoique ce ne soit pas très probable, quelqu'un pourrait te reconnaître et s'étonner de te voir vêtu en laïc.

Les Canadiens français s'avéraient nombreux dans la république américaine, l'un d'eux pouvait se souvenir d'un curé nommé Grégoire. Par ailleurs, maintenant qu'elle était de retour chez elle, Clotilde se préoccupait de sa propre réputation.

— Voilà l'avantage d'être prêtre ! J'ai des feuillets portant les coordonnées de ma paroisse. J'en ai utilisé un pour me concocter un extrait de naissance.

Le subterfuge risquait peu d'être éventé. Si quiconque reconnaissait chez ce civil les traits du curé Grégoire, il n'aurait qu'à faire croire à une ressemblance due au hasard.

— Je m'appelle maintenant Alphonse Deslauriers.

Elle laissa échapper un petit ricanement moqueur :

— Tant mieux, ainsi je ne risque pas de me tromper de prénom.

Puis après une pause, elle continua :

— Tu as choisi le même nom que Sophie.

— Ça me semble plus simple que de lui demander de se faire à une nouvelle identité. Si je veux assumer mon rôle de père, autant laisser voir la filiation.

Son rôle de père ! Voilà qu'elle touchait au but. Longtemps, Clotilde fixa le paysage qui défilait derrière la fenêtre, des larmes à la commissure des yeux. Son plaisir n'était pas total. En laissant l'adolescente à Douceville, elle s'était fait l'impression d'abandonner sa fille une nouvelle fois. Une autre inquiétude la tenaillait : cette famille, celle des Turgeon, lui volerait peut-être son affection. Dans le cas des religieuses, le risque n'existait pas, mais chez ce médecin…

❀

Chicoine avait si bien prêché la protection de la vertu et la lutte contre le matérialisme américain que les paroissiens se répandirent sur le parvis largement après onze heures, certains d'entre eux vaguement soucieux du salut de leur âme. En sortant, Délia plaça une main gantée à la hauteur de ses sourcils afin de protéger ses yeux du soleil.

— Je me demande bien ce que font nos jeunes, dit-elle à voix basse à l'intention de son époux.

— Sophie pleure doucement sur ses malheurs, et Georges tente de la consoler.

— Oui, sans doute. J'espère que ces deux-là ne courent pas vers d'autres blessures encore plus vives.

Un peu plus tôt dans la journée, Évariste rappelait à sa femme que Roméo et Juliette avaient quinze ans au moment de leur suicide commun. Puis un sourire vint sur ses lèvres. Son grand garçon était trop placide, trop raisonnable pour en venir à ces grands éclats.

Le médecin regarda une autre famille sortir de l'église par une porte latérale.

— Tu te souviens de Marcil, le secrétaire de la municipalité ? dit-il à Délia.

— Tu me l'as présenté à deux reprises déjà, alors oui, je le connais.

— Si je l'invite à dîner prochainement, tu sauras t'en occuper ?

Évidemment, dans ce cas, l'invitation viendrait de l'homme, mais tout le travail relevait de l'épouse. Au moins, le docteur Turgeon avait la délicatesse de demander son opinion à Délia avant de lui imposer une pareille corvée.

— T'ai-je déjà fait faux bond ? dit-elle en guise de réponse.

Évariste esquissa un sourire, puis lui effleura la taille d'un geste qu'il voulait discret. Même de la part d'un couple uni depuis près de vingt ans, les épanchements publics, qui plus est sur le parvis de l'église, faisaient froncer les sourcils.

Le médecin s'approcha de Xavier Marcil en tendant la main.

— Monsieur Marcil, comment vous portez-vous en ce beau dimanche ?

Marcil sursauta presque en entendant son nom, puis marmonna :

— Bien… bien, docteur Turgeon.

Le ton manquait toutefois terriblement de conviction. Les salutations s'étendirent aux épouses. Comme il convenait, les enfants se tenaient légèrement en retrait, afin de laisser les grandes personnes entre elles. Toutefois, Corinne partagea un sourire de connivence avec le garçon et la fille.

— Je me demandais si vous ne voudriez pas venir manger à la maison, un jour prochain.

Marcil échangea un regard avec sa femme. Celle-ci lui reprochait volontiers son manque de compétence – ou de désir – pour établir des relations et s'en servir pour améliorer ses affaires. Elle ne s'opposerait pas à ce qu'il accepte. Il répondit :

— Bien sûr, ce serait avec plaisir.

Malgré les derniers mots, son visage n'affichait pas un grand enthousiasme.

— Que diriez-vous de la semaine prochaine ? Dimanche midi ?

Délia ne s'attendait pas à un délai aussi court, mais elle conserva son sourire.

— Entendu, nous serons là.

— C'est donc un rendez-vous. Maintenant, je vous souhaite un bon dimanche.

De nouveau, les salutations s'étendirent aux autres membres de la famille. Quand les Turgeon se dirigèrent vers la rue De Salaberry, le médecin tenait sa femme et sa fille par le bras. Corinne commenta :

— C'est une jolie femme.

— En tant que mari fidèle, je m'interdis de remarquer ce genre de chose.

Délia lui pinça l'avant-bras, tout en formulant dans un souffle un commentaire peu flatteur sur les hommes en général. Sa fille regretta de n'avoir rien entendu de ces paroles de sagesse.

— Mais je crois que tu as raison. En plus, elle porte un prénom peu commun. Euphémie.

— On dirait un personnage de roman… français.

L'adolescente voulait dire : à la moralité pas tout à fait au diapason de la province de Québec.

— Plutôt une sainte des premiers temps de la chrétienté.

Si le vicaire Chicoine avait été là, le médecin aurait reçu des félicitations pour sa connaissance du panthéon chrétien. Pour avoir voulu préserver sa vertu, la pauvre sainte Euphémie avait été décapitée en l'an 305.

Quand Rosaire Tremblay sortit sur le parvis de l'église, un juron passa ses lèvres. Il contenait à peine sa colère. Marchant à ses côtés, Aline comprenait très bien le motif de sa mauvaise humeur.

— Maintenant, le vicaire devient le curé ?

— Si le curé ne revient pas, je suppose que ce sera le cas.

Machinalement, le père, la fille et l'un des fils s'orientèrent vers le commerce de la rue Richelieu.

— Je ne veux pas avoir affaire à lui.

— Comme tu as fini l'école, ce ne sera pas nécessaire.

— Je devrai quand même me confesser.

Cela représentait une conversation murmurée au moins une fois par mois.

— Il y aura une cloison entre vous.

Le confessionnal interdisait les mains baladeuses, pourtant cela ne la rassurait pas vraiment. La seule proximité de Chicoine, avec ses questions tortueuses, suffisait à la rendre nerveuse.

La famille Marcil revint à la maison un peu avant midi. Dans l'entrée, Euphémie demanda à voix basse :

— Pourquoi avoir accepté l'invitation du docteur Turgeon ?

Le ton laissait deviner une colère contenue. Au point où les enfants les quittèrent pour aller se réfugier dans la cuisine.

— Nous ne voyons jamais personne.

— Ça ne veut pas dire que je souhaite voir ces gens-là !

L'épouse les mettait spontanément dans une catégorie spécifique : celle des notables. Des gens qui réussissaient, quoi que ce terme signifie. Ou, plus simplement, des couples visiblement complices.

— Cet homme risque de devenir le maire de la ville, celui qui désignera le secrétaire du conseil. Crois-tu qu'une rebuffade aiderait ma carrière?

La répartie suffit à imposer le silence à l'épouse. Ce petit revenu, le couple ne pouvait s'en passer. La maîtresse de maison entra à son tour dans la cuisine, puis lâcha, en accrochant un tablier à son cou:

— Occupe-toi des enfants en attendant le repas.

— M'en occuper comment?

— Es-tu sérieux?

Xavier la regarda comme s'il n'avait rien compris de ce qu'elle lui avait dit.

— Tu as un fils, il possède une balle de baseball. Tu ne vois pas ce que tu pourrais faire avec lui?

Le père hocha la tête de haut en bas, sans gaieté.

— Remarque, si nous avions une bonne, je n'aurais pas à préparer un repas à la va-vite. Je m'occuperais des enfants, et toi, tu t'enfermerais dans ton bureau.

Pareil scénario lui faisait visiblement envie. Ces mots illustraient très bien la situation de leur couple. Euphémie lui reprochait simultanément la modestie de ses revenus et son absence auprès de ses enfants. Marcil ne ressentit même pas une pointe de colère. De fait, elle disait vrai. Les clients ne se bousculaient pas dans son officine, et son garçon et sa fille le regardaient parfois comme quelqu'un de qui il fallait se méfier.

— Bon, fit-il en se retournant. Anselme, va chercher cette balle. Denise, tu compteras les points.

Son fils hésita un moment, puis grimpa en vitesse les marches conduisant à l'étage. Le toit formait un angle aigu au-dessus des deux chambres des enfants. En conséquence, à moins de demeurer au milieu, un adulte ne pouvait se tenir debout à l'étage. Pour un gamin, cela ne posait aucun problème. Anselme fureta dans un coin, redescendit avec la balle.

Xavier et Denise étaient déjà dans la cour. Le petit terrain demeurait en friche. Une table et quelques chaises en bois se couvraient de gris depuis quelques années, des rosiers rustiques constituaient une barrière avec les voisins immédiats.

La fillette alla s'asseoir à l'ombre, le regard fixé sur son père et son frère.

— Alors, tu me la lances?

Le ton impatient du père mina plus encore la confiance du garçon. Le mouvement de son bras fut trop lent, le projectile monta haut dans les airs, pour tomber à mi-distance entre eux.

— Tu devrais y mettre un peu plus d'effort, critiqua Xavier en ramassant la balle.

Dans la cuisine, Euphémie les observait par la fenêtre. Laissée de côté, sa fillette affichait une mine très sombre, et Anselme ne valait guère mieux. La deuxième fois, son lancer fut encore plus maladroit.

Chapitre 2

Autour de la table des Turgeon, au moment du dîner, chacun respecta le silence de l'invitée de la maison. Cela donnait une drôle d'allure à la conversation : l'une demeurait obstinément muette pendant que les autres planifiaient joyeusement non seulement les activités de l'après-midi, mais celles de toute la semaine.

Tout au plus, chacun adressait de petits sourires à celle qui venait de se découvrir fille illégitime de monsieur le curé et d'une paroissienne séduite alors qu'elle était toute jeune. Au dessert, ce fut Corinne qui s'attacha à entraîner Sophie dans ses projets.

— Cet après-midi, viendras-tu faire du canot avec nous ?

Le silence dura un brin trop longtemps. La fille de la maison insista :

— Ça te changera les idées.

Cette façon de lui forcer la main frisait l'indélicatesse. Mais Délia comprenait les raisons de Corinne. Sa fille s'intéressait bien peu aux balades sur les eaux boueuses de la rivière Richelieu. La présence de Jules expliquait seule son engouement. Toutefois, les convenances exigeaient la présence de chaperons. Se conter fleurette devant un auditoire portait peu à conséquence.

De son côté, Sophie s'imaginait mal multipliant les sourires à l'égard du fils du juge, encore moins participant à l'échange de commentaires sur la douceur du temps et les aspirations professionnelles des garçons. Les filles n'en ayant aucune, il leur revenait de s'extasier sur celles de leurs compagnons.

Une nouvelle fois, ce fut Georges qui obtint son assentiment.

— Si tu préfères, nous pourrons tout bonnement nous trouver un banc à l'ombre.

Son sourire surtout la convainquit. Déjà, pour le remercier, elle décida d'accepter son bras s'il le lui offrait.

— D'accord, dit-elle.

Après avoir acquiescé, il lui fallait bien justifier sa première hésitation :

— Je me sens le cœur au bord des lèvres.

L'évocation de problèmes de digestion valait mieux que celle des péripéties de sa vie familiale. D'autant plus que les domestiques allaient et venaient entre la cuisine et la salle à manger.

Le repas se termina bientôt. Sophie plaida la nécessité de se changer pour disparaître une petite demi-heure. En se dirigeant vers le salon, Délia prit sa fille par le bras pour lui murmurer :

— Tu comprends qu'elle souhaite s'isoler…

— Crois-tu que rester dans sa chambre lui permettra de se sentir mieux ?

La mère dévisagea la jeune fille, puis hocha la tête. Dans les circonstances, personne ne savait quelle était la meilleure attitude à adopter. Corinne pouvait très bien avoir raison de s'entêter à encourager Sophie à sortir.

«J'ai un peu mal à la tête.» Pour Xavier Marcil, ces mots faisaient figure de sésame. Ils l'autorisaient à aller s'étendre en plein après-midi, afin de s'éloigner des autres. Bien sûr, ses migraines n'étaient pas feintes, mais il se connaissait suffisamment pour savoir qu'elles s'avéraient bien opportunes quand il souhaitait dissimuler sa mélancolie.

Dans la chambre conjugale, il resta quelques instants assis au bord du lit, devant la fenêtre. Les voilages lui permettaient de voir dehors, tout en restant dissimulé. Dans la cour, Euphémie avait repris le jeu avec Anselme. Même pour lancer une balle, la mère était meilleure que lui. Et son fils se montrait infiniment plus compétent avec elle. La tension diminuée d'un cran l'aidait à retrouver sa coordination.

— Maman, où est papa ?

La voix de Denise exprimait des sentiments mitigés : un soulagement, une inquiétude, une déception, un reproche.

— Tu le sais, il ne va pas bien.

— Il ne va jamais bien.

La fillette venait de résumer la situation en peu de mots. Quant au diagnostic, le docteur Turgeon avait parlé de mélancolie. Une maladie aussi imprécise que le vague à l'âme, ou le spleen des poètes du siècle dernier.

Xavier s'étendit sur le dos, ferma les yeux. Même ainsi, la lumière du jour le blessait. Il tendit le bras pour prendre un oreiller, le posa sur son visage. L'espace d'une seconde, il s'imagina exerçant une pression afin d'empêcher l'air d'atteindre ses poumons.

Ce serait inutile, personne n'en finissait de cette façon. Il devrait bientôt retourner dans la cuisine afin d'imbiber une serviette d'eau fraîche et la mettre sur son front. Même pour cela, l'énergie lui manquait.

❁

Le train ne roulait pas vite et s'arrêtait de longues périodes en rase campagne, le temps qu'un convoi passe dans l'autre sens. Aussi le trajet vers Boston, une distance d'environ trois cents milles, durait une dizaine d'heures. La position assise, même sur des bancs bien rembourrés en première classe, devenait intolérable à la longue. Heureusement, Alphonse et Clotilde purent se lever à quelques reprises pour marcher dans le couloir. Puis le wagon-restaurant leur permit de se sustenter. Tout de même, l'arrivée leur apparut comme un véritable soulagement.

Le prêtre en apprenait davantage sur leur destination. Clotilde n'habitait pas Boston à proprement parler, mais Medford, un peu au nord de la ville.

— Tu comprends, Boston est l'une des nombreuses cités de l'agglomération, la plus peuplée. Avec toutes les autres, cela forme comme une grande constellation.

— Non, je ne comprends pas vraiment.

— C'est comme Montréal, avec Verdun, Westmount, Hochelaga…

Cette fois, l'explication convint au curé, mais il avait la curieuse impression d'avoir été berné. Clotilde avait sans cesse parlé de Boston. Le couple s'arrêta finalement dans une petite gare de banlieue, pour prendre un autre train vers Medford. Galant, en descendant, Alphonse portait son sac et celui de sa compagne. Il voulut savoir :

— Nous allons loin, comme ça ? Je ne me sens pas en forme pour marcher pendant des heures.

— Cesse de ronchonner. Je suis une faible femme, et j'y arrive.

Toutefois, en arrivant dans la rue, elle leva un bras pour attirer l'attention d'un cocher. Les réverbères l'enveloppaient d'une lumière jaunâtre qui donnait une teinte surréelle à sa robe rouge.

— Tout de même, dit-elle en s'installant sur la banquette et en adressant un sourire moqueur à son compagnon, il est tard, et je suis pressée de retrouver mon lit.

Le cheval avança au pas. À cette heure, l'obscurité commençait à s'appesantir sur la ville. Pourtant, les trottoirs s'encombraient toujours de badauds. Quand la voiture s'engagea sur un pont, Clotilde commenta :

— La rivière Mystic. De l'autre côté, ce sera l'avenue Mystic, et nous verrons les grands arbres du parc Mystic.

— Original.

Elle s'adossa, visiblement heureuse de revenir dans ces endroits familiers. Alphonse comprenait qu'en comparaison, Douceville devait lui avoir paru bien ennuyeuse. Après un moment, Clotilde dit encore :

— Ça, c'est le collège Tufts. Il a été fondé il y a une cinquantaine d'années par les Christian Universalists. Je ne sais trop comment traduire cela. L'idée était d'avoir un établissement chrétien, mais non confessionnel.

— Voilà qui troublerait Monseigneur Bruchési !

— Bien des gens sont troublés, ici aussi. Chaque Église entend former les jeunes et les préserver de tous les autres dogmes.

— Tu connais cet endroit ?

Au même moment, sa compagne éleva le ton pour attirer l'attention du cocher, qui immobilisa sa voiture. Elle fouilla dans son sac tout en commandant :

— Occupe-toi des valises, je vais payer ce monsieur. Mais cela me donne l'impression de t'entretenir. Demain, tu changeras tes dollars canadiens.

Alphonse posa les deux sacs de voyage sur le trottoir, puis tendit la main pour aider sa compagne à descendre.

Alors que le fiacre s'éloignait, tous deux se tournèrent vers un immeuble à logements rigoureusement identique à ceux de droite, de gauche et d'en face. Le promoteur devait apprécier l'esthétique de l'uniformité.

— Te voilà chez moi.

— C'est immense ! s'exclama le curé.

— J'occupe l'étage, pas toute la bâtisse.

À Douceville, elle avait mentionné sa maison. Parler d'un appartement aurait été plus précis. Laissant à son compagnon le soin de porter les valises, elle monta trois marches pour atteindre de grandes portes en chêne et actionner la poignée. Dans la pénombre, elle gravit l'escalier, Alphonse sur les talons. Ce dernier remarqua la lumière au bas de la porte. Quelqu'un se trouvait à l'intérieur. D'ailleurs, sa compagne frappa contre le bois. Un instant plus tard, une jeune fille ouvrit.

— Alors, Beata, tout s'est bien passé pendant mon absence ? lui demanda Clotilde en anglais.

Beata, pour « béate ». Le prénom convenait mal à cette petite personne à la peau olivâtre, aux yeux noirs, portant un air terriblement inquiet sur le visage. Elle entreprit de résumer les semaines écoulées dans un mélange d'anglais et d'italien. Sa patronne se lassa bien vite.

— Apporte-nous un verre de sherry. Ensuite, tu pourras dire à Jeff de monter, puis regagner ta chambre.

Le couple quitta l'entrée pour pénétrer dans un salon surencombré de meubles, de plantes et de gravures aux murs. Le tout conférait à la pièce un air de prospérité. La domestique les suivit pour ouvrir un petit meuble et en tirer une bouteille et des verres. L'homme songea que depuis dix ans, jamais il n'avait demandé à Cédalie, sa ménagère, de lui servir à boire. Il s'agissait de l'une des multiples privations inévitables pour un prêtre.

30

Clotilde avait pris un fauteuil, tout en lui en désignant un autre. Sur une petite table entre eux, Beata posa les verres. Avant de sortir, la bonne se retourna pour demander, toujours en anglais :

— Je dis à Jeff de monter ?

— Oui. Il attendra dans l'entrée.

Quand elle eut disparu, Alphonse répéta :

— Jeff ?

— Un domestique de la famille habitant au rez-de-chaussée. Il va te conduire à ton logis.

Le prêtre arqua les sourcils, surpris.

— Tu ne croyais pas que nous allions vivre ici ensemble ? Les Américains ont les idées larges, mais tout de même…

Il hocha la tête. En partant, il avait voulu croire que tous les deux partageraient le même logis. Mais Clotilde retrouvait son environnement familier, les voisins devaient savoir qu'elle avait perdu son époux quelques années auparavant. À moins de s'établir dans un endroit où personne ne les connaîtrait, il fallait respecter les convenances.

— Où me conduira-t-il ?

— Au collège Tufts. Les étudiants sont en vacances, un ami a bien voulu te réserver une chambre.

— Un ami ?

Décidément, il découvrait une personne bien différente de la jeune fille qu'il avait séduite, ou de la femme désireuse de retrouver sa fille.

— Peter a fréquenté ce collège. Il y avait de nombreux amis, qui sont devenus les miens au fil des ans.

Elle but la moitié de son verre, Alphonse n'avait pas encore touché au sien. Il examinait la pièce, supputant les ressources de sa compagne. Donahue lui avait procuré un cadre d'existence confortable. Elle suivait sans mal ses pensées.

— Demain, je te ferai visiter. Ce sera parfait pour trois personnes, quatre avec la bonne.

— J'ai bien connu les États-Unis, mais je n'avais jamais vu un endroit pareil.

— On s'y fait sans mal, tu verras.

Un bruit vint de l'entrée. Le domestique des voisins du dessous était arrivé. Clotilde se leva tout en disant :

— J'aimerais bien t'amener de ce côté…

De la tête, elle désigna une autre pièce, sa chambre sans doute.

— Mais passer une nuit ensemble serait imprudent avant de se présenter devant un prêtre ou un pasteur. Et puis je suis épuisée. Je n'ai pas eu une seule nuit de sommeil profond à Douceville. Reviens demain matin, nous déjeunerons ensemble. Ensuite, nous aurons tout notre temps. Beata sait se montrer discrète.

Alphonse n'avait pas d'autre choix que de suivre la domestique. Dans le hall se tenait un garçon de seize ou dix-sept ans, pas très grand, avec une tignasse de cheveux roux emmêlés.

— Demain, nous nous retrouverons vraiment.

Le ton s'avérait neutre, la main tendue faisait professionnel, mais les yeux promettaient des félicités. En s'exprimant en français, ils s'assuraient de la plus complète confidentialité.

— Je viendrai dès mon réveil, assura-t-il en lui serrant la main.

— Alors, ne te réveille pas avant huit heures.

L'instant d'après, sa valise à la main, le prêtre en fuite emboîtait le pas au jeune homme, curieux de voir l'« accommodation » réservée pour lui.

❁

Jeff, pour Jeffrey, sans doute. Même si on le dérangeait à une heure aussi tardive, l'adolescent se montra d'humeur amène. Durant le trajet, le visiteur et lui discutèrent en anglais.

— Vous aussi vous venez du Canada ? Je veux dire, comme madame Donahue.

— Oui.

Puis, comme le jeune homme méritait quelques confidences en guise de pourboire – Alphonse devrait se procurer de l'argent américain au plus vite, sinon plus personne ne lui rendrait service –, il souffla :

— De la province de Québec.

— Alors, vous êtes Français. Vous parlez bien anglais.

— J'ai travaillé ici pendant une dizaine d'années.

— Vous faisiez quoi ?

Dire « J'étais curé à Lowell » serait du plus mauvais effet. Il regretta de ne pas avoir mieux planifié son histoire. L'improvisation conduisait à des imprudences.

— J'enseignais. Je donnais des cours de français.

Des gens gagnaient-ils vraiment leur vie de cette façon aux États-Unis ? Cela lui paraissait bien improbable, mais son interlocuteur parut se satisfaire de la réponse. Sa connaissance du monde académique devait être bien fragmentaire, et son intérêt pour le sujet, très limité.

Jeff le conduisit dans des rues assez larges, bien éclairées par des réverbères placés tous les vingt pas. Les maisons de chaque côté paraissaient confortables, certaines carrément cossues. Ils longèrent un petit parc, puis arrivèrent devant une bâtisse un peu plus grande que ses voisines. Alphonse devina qu'ils se trouvaient devant une maison de chambres ou un petit hôtel.

— Vous voilà rendu, indiqua l'adolescent en s'arrêtant.

— Je suis désolé, mais je ne suis pas encore allé à la banque…

— Madame Donahue s'en est occupée. Bonne nuit.

Tout de même, le garçon était manifestement déçu de ne pas avoir doublé sa petite rétribution.

Décidément, Clotilde s'était donné du mal afin de bien planifier l'arrivée de son amant. Le curé monta les quelques marches donnant accès à la porte d'entrée. Une clé de laiton permettait d'actionner une sonnerie à l'intérieur. Après une minute ou deux, un gros homme essoufflé vint lui ouvrir. L'hôte avait enfilé son pantalon à la hâte, mais son torse était couvert par son long sous-vêtement d'un mauvais rose.

— C'est vous, la connaissance de la veuve Donahue ?

Devoir accueillir un locataire à cette heure tardive ne le réjouissait visiblement pas.

— Oui. Alphonse Deslauriers.

— Ben votre nom, ça ne me regarde pas.

Déjà, le gardien lui avait tourné le dos pour aller vers un petit comptoir, prendre une clé et la lui remettre.

— Numéro 8. C'est au troisième.

Le bonhomme ne lui offrirait certainement pas de monter son bagage. Après des remerciements teintés d'ironie, à cause de la mauvaise humeur évidente de l'employé, Alphonse s'engagea dans un escalier très sombre. Heureusement, une veilleuse permettait la visibilité dans les couloirs. Il dénicha la porte numéro 8 sans trop de mal, puis repéra l'emplacement des toilettes avant d'entrer dans la chambre. Dans la modeste pièce, il trouva un lit étroit, une commode, une petite table et une chaise. Dans cinq ou six semaines, un étudiant du collège Tufts s'y installerait pour toute l'année scolaire. D'ici là, l'endroit lui servirait de logis.

— Eh bien, Tilda, quel château ! grommela-t-il. Tu as trouvé ce moyen pour me convaincre d'officialiser notre situation au plus vite, ne serait-ce que pour me permettre de partager ton bel appartement.

Il lui fallait néanmoins admettre que ses ressources ne lui permettraient sans doute pas de se payer mieux que cet humble logis, surtout s'il devait vivre le reste de son existence avec les épargnes amassées jusqu'à ce jour.

❄

En se levant au matin, Alphonse trouva sa chambre encore plus déprimante que la veille. La longue déchirure au milieu du tapis usé à la corde y était pour beaucoup, et le creux au milieu du lit n'améliorait rien.

Quand il ouvrit son sac, la vue de sa soutane le fit se renfrogner davantage. Jusque-là, elle lui avait apporté la sécurité financière et affective. La garantie d'une retraite confortable, aussi. L'abandonner, ce serait s'exposer aux aléas de la vie.

Afin de chasser ses idées sombres, le prêtre enfila sa seconde chemise blanche, ramassa son rasoir et son savon à raser pour se diriger vers la salle de bain. Heureusement, l'établissement demeurait presque vide pendant l'été, aussi ne risquait-il pas de devoir faire la queue dans le couloir.

Quand il descendit, un commis plus amène que le gardien de la veille se tenait derrière le comptoir. Autant s'enquérir tout de suite du coût de son séjour.

— Vous êtes ? s'enquit l'employé.

— Alphonse. Al.

— Madame Donahue ne m'a jamais donné votre nom.

— Sans doute pour s'éviter d'avoir à l'épeler.

Quand Alphonse prononça le nom de Deslauriers, l'employé lui tendit un bout de papier en disant :

— Vous avez raison, je n'y aurais rien compris. Écrivez-le, et signez cette fiche.

Le visiteur promit de régler une semaine d'avance dès son retour, s'excusant de nouveau de ne pas avoir de devises américaines. Le montant de la note l'étonna. Les prix dans la région de Boston ne ressemblaient guère à ceux de Douceville.

❀

Même si, la veille, il avait porté attention au trajet, retrouver la rue Forest s'avéra difficile. Heureusement, tôt dans la matinée, de nombreuses maîtresses de maison ou des domestiques allaient faire leurs emplettes. Il lui fut facile de s'adresser à quelqu'un qui le renseigna. Puis l'alignement de maisons identiques le laissa perplexe. Toutefois, il réussit à se rendre au bon endroit.

Dès le premier coup contre la porte, Clotilde ouvrit.

— Ah ! Te voilà enfin.

— Il est neuf heures, tout au plus !

— Justement !

Elle s'effaça de son chemin pour le laisser entrer, puis elle ferma tout de suite la porte dans son dos. Il sentit ses bras autour de son cou, les lèvres sur les siennes. Après un baiser goulu, il put murmurer :

— Beata ?

— Elle fait sans doute des courses. Comme d'habitude, elle utilisera la porte du fond, et limitera ses allées et venues à la cuisine.

— Tout de même, hier tu te souciais tant de la discrétion...

Au point de l'obliger à aller habiter dans un dortoir d'étudiants. Si maintenant cette précaution lui paraissait inutile, Grégoire aurait aimé l'apprendre avant de s'engager dans ces frais.

— Entrer dans la demeure d'une femme tard le soir pour en sortir le lendemain matin, ce n'est pas comme arriver le matin et retourner chez soi ensuite.

— Mais si la domestique raconte tout aux voisins ?

— Cette Italienne saura se montrer discrète. De toute façon, dans ce quartier peuplé d'Américains et d'Irlandais, personne ne se donnera la peine de l'écouter.

«Surtout, songea Alphonse, perdre cet emploi à cause d'une indiscrétion la forcerait à en chercher un autre, sans garantie de succès.» Clotilde l'entraînait déjà vers la chambre à coucher. Enlever sa soutane le privait de sa sécurité, certes, mais sa maîtresse entendait souligner à grands traits les avantages de son nouvel état civil.

Chapitre 3

Dans le confort de son foyer, au milieu de la chambre tendue de papier peint décoré de fleurs roses, Clotilde se sentait des audaces nouvelles. Celles d'une femme d'âge mûr à laquelle les circonstances de la vie avaient enseigné à se désintéresser de la morale ambiante.

Alphonse profita ensuite de la salle de bain bien équipée. La nécessité de remettre des vêtements de si mauvaise qualité dans ce cadre élégant le navra. En entrant dans la salle à manger, il remarqua le mobilier coûteux, les quelques plantes dans des pots de laiton.

— Je n'ai pas grand-chose à me mettre, avoua-t-il en prenant une chaise.

Sa maîtresse versait du café dans sa tasse. Une assiette contenait une pièce de viande et des pommes de terre. Un bref instant, la cuisine de Cédalie lui manqua.

— Tu as tout à fait raison. Je pensais d'ailleurs te conduire dans un magasin à rayons afin de renouveler ta garde-robe.

Un pli marqua le front du prêtre quand il prit une gorgée de café. Clotilde suivait sans mal le cours de ses pensées.

— Nous n'avons jamais discuté des aspects… financiers de notre entreprise. Tu t'inquiètes?

— Pas tout à fait.

L'homme marqua une pause, puis admit:

— Je vivrai peut-être encore vingt-cinq ans…

— J'y compte bien. Devenir veuve une seconde fois ne me dit rien.

« Pour cela, tu aurais dû jeter ton dévolu sur un gars plus jeune », réfléchit-il.

— Je ne peux pas dépenser tous les jours, et ne rien gagner.

Au moins, il ne proposait pas encore de retourner à Douceville, ni d'offrir ses services à l'archevêque de Boston. Dans ses cauchemars, Clotilde l'imaginait devenir curé dans cette ville, pour lui offrir de nouveau le rôle de maîtresse.

— Hier soir, j'ai dit au jeune domestique que dans la province de Québec, j'enseignais le français. Il aurait été étonné d'apprendre que je suis curé.

— Pas tant que cela, tu sais. Si tu en as le temps, parcours les journaux. Dans ce pays, tout arrive.

Clotilde s'interrompit, songeuse, puis continua :

— Mais ce ne serait peut-être pas impossible, tu sais.

— Quoi ? demanda Alphonse en haussant les sourcils. Me présenter comme curé ?

— Non, enseigner le français. Le collège Tufts est à côté, puis, à une demi-heure en tramway, il y a l'université Harvard, et celle de Boston, juste un peu plus loin.

Le prêtre secouait la tête, sceptique. Ses qualifications ne lui permettaient sans doute pas d'obtenir un tel emploi.

— Lors de la rencontre avec un employeur, affirme que tu sais tout faire, lui recommanda-t-elle. Si ce n'est pas le cas, laisse-le le découvrir. Qui sait, tu pourras peut-être apprendre à exécuter ce nouveau travail avant qu'il ne s'aperçoive que tu as menti.

Ces mots visaient sans doute à le rassurer, car la vie ne pouvait être aussi simple. Toutefois, le souvenir du récent épisode dans la chambre à coucher le convainquit de faire semblant de la croire.

Ils s'entretinrent de sujets de conversation plus légers, le temps de terminer le repas. Beata vint desservir, les yeux baissés, sans doute pour cacher un regard chargé de reproche. De profession catholique, elle avait entendu toute sa vie les mêmes sermons que toutes les Canadiennes françaises sur le péché de la chair.

— Jusqu'à présent, tu as vu seulement quelques pièces de l'appartement. Je vais te montrer le reste, dit Clotilde quand elle fut partie.

Elle se leva pour entraîner Alphonse dans un couloir. En face de la chambre principale, une porte s'ouvrait sur une pièce aux dimensions plus modestes. Le couvre-lit, la commode, la table étaient terriblement féminins.

— Voici la chambre de Sophie, expliqua sa compagne. Au cours des dernières années, je l'ai aménagée pour elle.

Elle voulait dire : depuis son veuvage. Elle ouvrit un tiroir de la commode, lui montra des sous-vêtements.

— Comme je ne l'avais jamais vue, j'ai pensé qu'elle devait être de ma taille, à son âge.

Le prêtre se souvenait du corps de sa maîtresse à l'âge de dix-huit ou dix-neuf ans. Oui, elles avaient la même taille.

— Puis je n'ai pas pu m'empêcher d'acheter ça aussi.

Dans l'armoire, elle lui montra deux robes. Cette femme se languissait de retrouver sa fille depuis la mort de son époux. Ce ne fut qu'à ce moment qu'Alphonse comprit combien Clotilde tenait à Sophie. S'il avait refusé de la suivre aux États-Unis, sa carrière de curé se serait terminée avant la fin de l'été de toute façon, dans un grand scandale. Comme pour se justifier, elle précisa :

— Toute ma vie, je me suis promenée dans les rayons de vêtements pour enfants. Du temps où mon mari vivait, j'étais incapable de satisfaire mes envies. À moins de lui avouer ma situation.

Et de risquer du même coup de se voir chassée de ce joli nid.

— Un mois après sa mort, enchaîna-t-elle après un silence, je me mettais à ta recherche.

Alphonse hocha la tête pour dire qu'il la comprenait. Après tout, l'Église prêchait la grandeur de l'amour maternel.

— Ne te méprends pas, j'aimais Peter, et je ne désirais pas devenir veuve. Mais aimer un mari ne guérit pas de la perte d'un enfant.

De nouveau, il donna son assentiment d'un signe de la tête. Le visage de sa compagne redevint joyeux quand elle dit :

— Et là, au fond, une pièce pour toi.

Il s'agissait d'un bureau bien meublé, tendu de papier aux motifs végétaux. Sur une grande table, quelques documents traînaient. Le tiroir d'un classeur entrouvert en laissait voir d'autres.

— Peter passait ses journées à cet endroit. Pour un professeur de français, ou de latin, ce sera parfait.

Décidément, cette perspective lui semblait réaliste.

— Cet appartement doit te coûter une fortune, dit ensuite Alphonse.

—La maison est à moi. Les deux autres appartements me rapportent un petit revenu. Mon défunt mari était convaincu que la pierre et la brique valaient mieux que les actions ou les dépôts bancaires.

Même si elle demeurait plutôt discrète sur le sujet, Clotilde paraissait profiter d'une certaine aisance. Celle de l'unique héritière d'un homme prudent et talentueux.

— Je ne m'inquiète pas vraiment de ta situation. Je sais que les curés peuvent se mettre un joli pactole de côté. Finalement, ce sont des vieux garçons bien payés. Quant à moi, je saurai subvenir à mes besoins et à ceux de ma fille.

La dernière remarque le piqua au vif. Il se mordit la lèvre inférieure pour se forcer au silence, baissa les yeux.

— Maintenant, nous allons prendre un tramway pour nous rendre en ville. Il te faut des vêtements convenables, appropriés à ce quartier bourgeois.

Peut-être pour l'empêcher de protester, elle précisa :

— Avec ton pantalon et ton veston noir, tu peux passer pour un croque-mort, un pasteur presbytérien ou un domestique. Lequel te convient le mieux ?

Silencieusement, le prêtre opta pour le métier de pasteur. En poussant un soupir, il fit oui de la tête. La jeune fille influençable rencontrée près de vingt ans plus tôt n'existait plus. La femme n'entendait pas se laisser dicter une ligne de conduite.

— Bon, allons dans les magasins.

Bientôt, tous deux attendaient le tramway, au coin de la rue.

Après avoir passé deux heures dans une rue commerçante de Boston, Alphonse mesurait toute la différence entre Douceville et la capitale du Massachusetts. De retour à l'appartement de sa maîtresse, il s'enferma dans la chambre afin de passer l'un de ses nouveaux complets, celui en lin. L'essayage fut toutefois interrompu. Clotilde le rejoignit, le temps de lui prouver que même à cinquante ans, il demeurait possible de jouer aux nouveaux mariés une seconde fois la même journée.

Quand ils revinrent au salon, décemment habillés, sa compagne lui proposa de rester souper, tout en précisant :

— Tu rentreras au collège tout de suite après.

Le curé acquiesça de bon cœur. Sa santé ne tolérerait pas un nouveau passage dans la chambre.

— Je veux bien, mais je comptais écrire à Sophie aujourd'hui.

— Va tout de suite dans le bureau. Moi, je vais aider à la préparation du repas. Je lui écrirai aussi après ton départ.

Une fois assis sur la chaise de l'ancien occupant des lieux, Alphonse chercha dans les tiroirs afin de dénicher une plume et du papier. Tout de même, profiter des possessions de Peter le gênait. Puis il laissa échapper un ricanement. Sa maîtresse lui offrait ainsi de bénéficier d'une toute petite part de son patrimoine! La fréquentation du lit conjugal aurait dû le mettre bien plus mal à l'aise.

Un bref instant, il réfléchit à la façon de s'adresser à Sophie. Écrire «Ma très chère fille» lui semblait présomptueux. Pourtant, cela correspondait tout à fait à leur nouvelle réalité et, surtout, à ses sentiments envers elle. Finalement, il se contenta de son prénom.

Chère Sophie,
Nous sommes arrivés très tard hier. Je t'écris de chez Clotilde.
Tu aimeras son appartement, je te le jure. Tu sais, avant même
de te connaître, elle achetait des vêtements pour toi.

— Je suis un véritable idiot, murmura-t-il.

L'adolescente attendait certainement autre chose qu'une description de nouveaux vêtements ou même d'un logis.

Tu me manques tellement. De toute ta vie, jamais je n'ai été
loin de toi.

44

Même s'il passait souvent des semaines entières sans la voir, au moins, elle n'était éloignée que de quelques minutes de marche, assez pour lui permettre d'accourir à la moindre alerte. La dizaine d'heures de train entre eux maintenant l'inquiétait. Il espérait que ce sentiment était réciproque.

Je me demande si c'était une bonne idée de partir sans toi. Nous aurions dû monter dans ce wagon tous les trois, pour commencer une nouvelle existence. Au moment où nous pourrions former une famille, la vie nous sépare encore.

Alphonse relut la lettre, puis la relut encore une seconde fois. L'envie lui prit de la déchirer pour recommencer, cette fois en reprenant son ton habituel, tout en retenue. Au point d'être froid. Puis il décida de ne rien changer : à distance, l'expression de ses sentiments devenait plus facile.

Je t'aime, ma fille.

Maintenant, il devrait le lui répéter de vive voix, aussi vite et aussi souvent que possible. Assez pour compenser dix-sept ans de silence.

Une fois le feuillet dans l'enveloppe, il examina de nouveau la pièce. L'endroit était propice au travail, et tout l'appartement, à une vie confortable. L'avenir lui apparut sous de meilleurs auspices.

À son retour dans la salle à manger, Clotilde achevait de mettre le couvert.

— Où pourrai-je poster cette lettre ?

— Il doit y avoir une boîte au collège. Tu peux aussi me la laisser, je m'en occuperai demain, en même temps que de la mienne.

— Je l'ai laissée sur le bureau.

Peu après, tous les deux passaient à table. Comme lors du repas précédent, Beata fit le service en gardant les yeux baissés, probablement pour éviter leurs regards.

❁

À l'instar des soirs de réunion du conseil de ville, Évariste Turgeon avala son repas un peu trop vite à son goût. Quand il se leva pour partir, les autres voulurent l'imiter.

— Non, ce n'est pas la peine, restez assis.

Tout de même, Délia quitta sa chaise pour l'accompagner à la porte.

— Tu crois que le règlement sur les points de vente de viande passera ce soir ?

— Depuis le temps que durent les discussions, cela devrait se faire. Mais je ne doute pas que Pinsonneault arrivera avec quelques amendements pour le rendre inopérant.

Elle lui donna une bise sur la joue, tout en lui souhaitant bonne chance. Quand elle rejoignit sa famille à la table, Georges remarqua :

— Papa ne paraît pas enthousiasmé par sa carrière politique.

— Hum ! Tu es observateur, ricana sa sœur.

Comme d'habitude lors de ces taquineries, Sophie lui adressa un petit sourire de connivence.

— Ton père a accepté de se faire élire un peu à contre-cœur avec l'espoir d'améliorer les règlements d'hygiène de la ville. Maintenant, le maire fait tout pour l'empêcher de les modifier véritablement. Alors, il a l'impression de perdre son temps.

— Pourtant, c'est Pinsonneault qui lui a demandé de se présenter, rappela Corinne.

En prononçant ce nom, la voix de l'adolescente ne trahissait pas le moindre changement de ton. Félix ne représentait même plus un mauvais souvenir. Plutôt une anecdote amusante tirée de son enfance.

— Monsieur le maire souhaitait donner une figure libérale à son administration, expliqua Georges. Papa lui sert de caution, en quelque sorte. Cependant, sans doute n'a-t-il jamais voulu adopter la moindre réforme.

Il s'exprimait avec un petit sourire en coin, les yeux sur sa sœur. Celle-ci haussa les sourcils, sceptique.

— Ton frère a raison, intervint Délia. Comme ton père est plutôt têtu, plus Pinsonneault lui met des bâtons dans les roues, plus il entend avoir raison.

Dans les circonstances, le qualificatif « tenace » aurait mieux convenu. Aldée entra dans la salle à manger pour débarrasser le couvert. La maîtresse de maison se leva pour l'aider, tout en invitant ses enfants à faire une promenade dans les rues de la ville avec elle dans les minutes suivantes.

❖

La météo magnifique avait du bon : les Doucevilliens préféraient marcher dans les rues plutôt que de s'enfermer dans la grande salle de l'hôtel de ville. Quatre contribuables étaient réunis, deux de moins que le nombre des conseillers.

— Nous ne pouvons pas obliger les bouchers à sacrifier deux cents piasses pour mettre des tuiles dans leur boutique.

La proposition de règlement mentionnait seulement des surfaces faciles à nettoyer. Visiblement, Pinsonneault ne pouvait imaginer autre chose que des tuiles de céramique pour satisfaire cette exigence.

— Dans toutes les villes, on a adopté des mesures semblables, plaida Turgeon.

— Seulement celles qui sont riches. Icitte, le monde travaille dans des shops de chapeaux ou de vaisselle.

Dans les deux cas, le maire évoquait des entreprises disparues ou sur le point de déposer leur bilan.

— Pis des taxes élevées, ça fait fuir les grosses compagnies.

En affirmant cela, il fixait l'un des échevins, un petit homme portant des lunettes à monture métallique. Son costume de lin et son col de celluloïd aux coins cassés trahissaient un souci de bien paraître, malgré la chaleur dans la pièce. Comme l'homme ne répondait rien, il insista :

— N'est-ce pas, monsieur Devries ?

Percy Devries dirigeait la succursale de la Bank of Montreal – si les Canadiens français traduisaient le nom des entreprises, le panneau au-dessus de la porte s'en tenait à l'anglais. Même si cela n'avait rien d'officiel, tous comprenaient qu'il était le mandataire des gens d'affaires de la ville, et du cinquième de sa population, au sein du conseil. Cela lui conférait un poids certain.

— Les attentes de mes électeurs sont nombreuses.

Il avait la gentillesse de comprendre la langue de la majorité, mais utilisait l'anglais quand il parlait. Cela lui permettait de mieux exprimer sa pensée.

— Parmi ces attentes, il y a le désir d'avoir des employés en bonne santé, et aussi celui de vivre dans un milieu exempt d'épidémies récurrentes.

Pinsonneault fronça les sourcils. Il n'en était pas certain, mais son instinct lui disait que cet échevin venait de se prononcer en faveur du nouveau règlement. Au moment du vote, il en eut la preuve. Aussi, à la fin de l'assemblée, pour dissimuler sa contrariété il se découvrit un problème à régler de toute urgence dans son bureau. Les autres échevins échangèrent des au revoir, puis se dispersèrent. Turgeon avait plusieurs documents à ranger dans son sac.

Devries s'attardait sans autre motif que d'avoir un échange en tête-à-tête avec lui.

— Cette fois, votre proposition a été acceptée.

— Beaucoup à cause de votre intervention, soutint le médecin. Contre l'avis de monsieur le maire, en plus ! Je vous remercie.

— Rien de plus naturel… quand vous avez raison.

La répartie tira un sourire à Évariste. La conversation faisait un peu étrange, chacun s'exprimant dans sa langue maternelle. Le banquier baissa la voix pour souligner :

— À propos du maire… Se montrer économe des deniers publics, c'est bien, mais certaines dépenses sont des investissements.

— Je pense la même chose. Peut-être ne comprend-il pas que les maladies se transmettent par des germes, des microbes.

Compte tenu de l'inculture du maire Pinsonneault sur de nombreux sujets, l'hypothèse était plausible.

— Peut-être n'est-il plus l'homme de la situation, en ce début du vingtième siècle.

Turgeon se disait la même chose, mais l'entendre lui fit une curieuse impression. Son regard se porta sur le secrétaire de la municipalité, soucieux de conclure tout de suite son compte rendu dans le registre des délibérations. Xavier Marcil esquissait un petit sourire.

— Alors, poursuivit Percy Devries, je me demandais si l'idée de prendre sa place au moment de la prochaine élection vous séduirait.

Voilà qui prenait le médecin au dépourvu ! Il fronça les sourcils en secouant la tête de droite à gauche.

— Je n'ai aucune expérience dans ce domaine, et depuis février, je me demande ce que je fais ici.

— Vous essayez de faire bouger les choses.

Tous deux se turent. Puis, Évariste confia à l'anglophone :

— Je n'ai jamais pensé à m'impliquer davantage. Ce serait même le contraire, je me sens le plus souvent inutile. Maintenant, je vais rentrer à la maison. Bonne soirée.

Devries lui retourna son souhait, puis quitta la pièce. Marcil s'attardait encore. Il proposa au médecin :

— Nous faisons un bout de chemin ensemble ?

— Pourquoi pas. Vous êtes prêt ?

— Je ne le serai pas plus dans une heure, alors allons-y.

Il referma son gros registre, le rangea dans une armoire, puis quitta la salle en compagnie du docteur Turgeon. Dehors, ils constatèrent que le soleil avait disparu de l'horizon, mais on y voyait encore très bien.

— Vous avez entendu ce que me voulait notre banquier ?

— Savoir si vous vouliez le job de Dieu, plutôt que celui de l'un des saints.

Cette façon de présenter les choses amusa Évariste.

— Je suppose qu'il ne suit pas très bien les débats du conseil. Depuis mon élection, je passe mon temps à voir toutes mes propositions renversées.

— Pas ce soir. Surtout, cette petite victoire tient au soutien du gars qui reçoit tous les entrepreneurs de la ville dans son bureau.

À titre de banquier, Devries les connaissait certainement tous.

— Ça ne veut rien dire.

Ensuite, ils restèrent cois. Peu après, ils se séparèrent en se disant : « À dimanche prochain. » Déjà, Délia réfléchissait au menu à présenter à ses invités lors de ce dîner.

Les enfants Turgeon, ainsi que Sophie, étaient montés dans leur chambre. Le médecin rejoignit sa femme au salon. De l'embrasure de la porte, il annonça :

— À ma grande surprise, le règlement a été accepté. Bientôt, nous ne devrions plus sentir les relents de sang coagulé des bêtes sur le plancher et les murs des boucheries.

— Tu as le chic pour m'enlever toute envie de manger avant d'aller au lit ! commenta Délia en riant doucement. Raconte comment tu as atteint ce résultat.

— Montons ensemble. Le temps de gravir les marches, et tu sauras tout.

Si la prédiction se réalisa, c'est parce que Délia s'arrêta au milieu de l'escalier pour lui demander des précisions. En haut, elle le regarda avec des sourcils en accents circonflexes.

— Tu es sérieux ? Te présenter à la mairie ?

— Du moins, c'est ce que j'ai conclu de ma petite conversation avec Percy Devries.

Comme elle présentait toujours le même air sceptique, il lui lança :

— Je me demande si je ne devrais pas me sentir vexé par ton regard incrédule. Je ne rêve pas, Marcil en arrivait à la même conclusion. Crois-tu que je serais incapable de remplir aussi bien cette fonction qu'Horace Pinsonneault ?

Le sourire de l'épouse trahissait son amusement devant la réaction un peu vive d'Évariste. Elle le poussa vers la chambre, entra sur ses talons puis referma la porte.

— Incapable d'être aussi bon que Pinsonneault ? Certainement pas. Même dans la vente de charbon, tu le surclasserais. Toutefois, la petite étincelle d'intérêt dans tes yeux m'inquiète. Tu ne paraissais pas aspirer aux grands honneurs, en février dernier.

La répartie suffit à rabattre aussitôt son enthousiasme. Il enleva sa veste pour la ranger dans la penderie, puis défit sa cravate.

— Je n'ai jamais pensé à remplacer Pinsonneault. Mais tu conviendras que ce serait le seul moyen d'adopter quelques mesures de salubrité publique.

Sa femme enlevait les épingles de ses longs cheveux, pour les laisser retomber sur ses épaules. Puis elle lui fit dos.

— Aide-moi.

Il commença à détacher les boutons à partir du haut, profita de l'occasion pour lui caresser les flancs. Elle se dégagea d'un mouvement vif.

— Ne change pas de sujet. Cela t'intéresserait?

— Que Pinsonneault perde son poste? Certainement. C'est une nuisance. Me présenter? Pas du tout.

Délia commença par décrocher son peignoir pour l'enfiler, et se rendit à la salle de bain. Avant de sortir, elle adressa à son mari un regard un brin perplexe.

❖

Chez les Marcil, les événements du conseil municipal faisaient aussi l'objet d'un petit compte rendu.

— Je te le disais hier, des conseillers pensent à Turgeon pour le poste de maire.

Dans la chambre conjugale, Xavier dévisageait son épouse.

— Ils peuvent penser à n'importe qui, rétorqua-t-elle. Dans un mois, ce sera quelqu'un d'autre.

Euphémie suivait suffisamment les événements politiques pour se figurer les manigances entre les élus.

— Le directeur de la Banque de Montréal lui en a glissé un mot tout à l'heure. Ce gars-là ne parle pas pour ne rien dire. Le médecin doit donc être leur candidat de prédilection.

La perspective de ce changement rendait le secrétaire municipal presque joyeux. Cela aiguisait son regard. Son épouse portait déjà sa chemise de nuit de cotonnade, légère en cette saison. Il distinguait les pointes des seins, sans doute excitées par la brise entrant par la fenêtre. Un peu agacée par son examen, Euphémie se glissa sous les draps. Il ôta son pantalon, puis la rejoignit.

— Admettons que tu aies raison. Alors, je ferai de jolis sourires à madame Turgeon et à sa progéniture, et tu t'occuperas de ton futur patron afin de lui quémander une augmentation. Tu peux éteindre, maintenant.

Elle se tourna vers le mur. Après une hésitation, Xavier tira sur la longue cordelette attachée à l'ampoule au plafond. Cet aménagement lui permettait d'éviter de se lever, une fois son moment de lecture terminé. Puis il s'approcha pour se coller au dos de sa femme.

— Non ! fit-elle, farouche.

Le ton s'avérait tranchant, comme s'il l'avait agressée. Après quelques secondes, elle expliqua :

— La journée a été étouffante, je suis fatiguée.

— Il y a longtemps…

— Je me suis déjà dit ça aussi. Pendant des mois.

La réplique un peu grinçante sonnait faux. À tout le moins, Xavier ne se souvenait pas d'avoir entendu sa femme lui réclamer qu'il accomplisse son devoir conjugal. Elle ne l'avait certainement pas fait clairement, en tout cas. Cependant, jamais une épouse respectable ne signifiait ses appétits à haute voix. Il ne se souvenait pas non plus de remarques indirectes, de contacts ou de regards éloquents.

— Bonne nuit, souffla-t-elle pour conclure l'échange.

De mari et femme, ils ne conservaient que les appa-
rences. Il lui souhaita bonne nuit à voix basse, puis se tourna
dans la direction opposée en s'approchant le plus possible
du bord du lit, au risque d'en tomber pendant la nuit. En
pensée, il s'imagina partir très loin, pour accroître cette
distance entre eux.

Son petit moment d'optimisme avait duré dix minutes,
tout au plus.

Chapitre 4

Le lendemain matin, Xavier Marcil retourna à l'hôtel de ville afin de compléter son procès-verbal. Tout bien compté, cet emploi l'occupait une journée ou deux par semaine. Cela lui procurait un petit revenu pas tout à fait suffisant pour permettre au ménage de faire face aux dépenses essentielles.

Un peu après midi, il rentra chez lui. Dans la rue Saint-Louis, il s'arrêta à une centaine de pas de la maison. Elle était basse. Des rosiers sauvages en ornaient la devanture. Certains grimpaient sur le mur des deux côtés de la porte, au point de couvrir à demi la planchette de bois portant son nom et sa fonction. La peinture du revêtement s'écaillait par endroits. Euphémie lui reprochait de ne pas entretenir plus assidûment leur demeure. Les bardeaux du toit montraient de la mousse verdâtre. La centaine de dollars nécessaire pour tout remettre en état leur manquait.

Une fois rentré, l'avocat jeta son vieux sac de cuir – un héritage de son père, comme la maison et les meubles – dans son bureau, pour aller vers la cuisine. Sa femme et ses enfants le regardèrent entrer, la première avec un reproche dans les yeux. Ils étaient attablés.

— Je suis désolé, j'ai voulu terminer pour ne pas avoir à y retourner cet après-midi.

— Bon, de toute façon, rien n'est chaud.

La laitue et les œufs durs étaient déjà dans les assiettes. Il se servit, puis mangea en silence. Euphémie essaya de poursuivre la conversation commencée avec les enfants, mais Anselme et Denise n'y mettaient plus de cœur.

❧

À cause de la tension, Xavier mangea rapidement, puis regagna son bureau. Son vieux pupitre en chêne avait déjà connu une première carrière avec son père. Ce dernier fumait, comme en témoignaient les nombreuses brûlures sur la surface. Le fils avait renoncé à ce petit plaisir pour économiser trois sous.

Sur les murs, de vieilles gravures montraient des scènes paysannes. Régulièrement, l'avocat avait essayé d'égayer cet espace en plaçant des fougères en pot près des murs. Malgré sa précaution de les arroser régulièrement, ou peut-être à cause d'elle, les plantes mouraient bien vite.

Dans un bureau d'avocat, les professionnels recevaient des clients ou préparaient des plaidoiries. Lui chercha le code de droit municipal afin de le parcourir une nouvelle fois. Qu'il puisse en citer les différents articles de mémoire impressionnait toujours certains conseillers. Impossible de prendre le moindre risque de perdre cet emploi.

L'exercice, trop souvent répété, ne mobilisait guère toute son attention. Son esprit retournait sans cesse au problème des fins de mois, aux attentes professionnelles déçues, à la grisaille de son existence. Tellement qu'il n'entendit pas les coups contre la porte. Une voix impatiente s'éleva dans la cuisine :

— Xavier !

Comme son bureau se trouvait dans son domicile, il convenait qu'il ouvre lui-même. Que son épouse le fasse à sa place serait bien peu professionnel. En conséquence, il accueillait tous les vendeurs, tous les colporteurs. Et, trop rarement, les clients.

Cette fois, la chance lui sourit. Un homme d'une quarantaine d'années se tenait devant lui. Son costume, sa cravate témoignaient d'une petite aisance. Cependant il n'avait pas l'air très rassuré. Le visiteur demanda à Marcil :

— Vous êtes bien avocat ?

— Oui, comme l'indique le panneau, là, derrière les fleurs.

Tout de suite, il se dit que sa réponse ne faisait pas sérieux. L'homme ne parut pas s'en formaliser.

— Une consultation, ça coûte combien ?

Xavier annonça un montant modeste. Le client ne broncha pas. Le professionnel regretta de ne pas avoir demandé plus.

— Venez dans mon bureau, nous serons plus à l'aise pour discuter.

Une fois dans la pièce, il lui désigna la chaise devant son pupitre.

— J'vous ai vu au conseil municipal, c't'été.

— Je suis le secrétaire.

Après quelques secondes, le jeune avocat ajouta :

— Moi aussi, je vous reconnais, toutefois je ne me souviens pas de votre nom.

Marcil regretta immédiatement cet aveu. Pinsonneault abordait tout interlocuteur en utilisant son prénom et son nom, et commençait la conversation en demandant des nouvelles de l'épouse et des enfants.

— P'têt' parce que j'vous l'ai jamais dit, rétorqua le visiteur, un peu moqueur. Rosaire Tremblay. J'vends des meubles dans la rue Richelieu.

Cette fois, Xavier se souvint de lui. Lors des propositions de règlements susceptibles d'entraîner une hausse de taxes, il restait dans la salle de réunion avec quelques collègues afin de faire sentir son opposition.

— C'que j'dis icitte, ce s'ra jamais répété ?

— Bien sûr que non. Je vais même fermer la porte.

L'avocat se leva pour s'exécuter, puis il reprit sa place.

— Soyez assuré de ma plus entière discrétion. Je vous écoute.

Le marchand n'ouvrait pas la bouche, comme s'il regrettait son initiative et s'apprêtait à quitter les lieux. Son hôte pensa lui préciser qu'il devrait tout de même acquitter le prix de la consultation. Il n'en eut pas le temps.

— Si un curé commet… une faute, qu'est-ce qu'on fait ? Je suppose qu'on va pas à la police.

La question méritait d'être posée. Il ne s'agissait pas de citoyens ordinaires, on n'en voyait jamais devant un tribunal.

— Pour un vol ou un meurtre, il faudrait assurément s'adresser à la police. Mais vous ne parlez certainement pas de ça.

Tout en prononçant ces mots, Marcil se creusait la tête. Malgré sa bonne connaissance de la jurisprudence, aucun cas de prêtre devant un tribunal ne lui venait en mémoire.

— Monsieur, je pense que vous devriez être plus clair. De quelle faute parlez-vous ?

Tremblay fut déstabilisé, mais il lâcha :

— Moi j'ai rien vu, mais j'ai un parent qui m'a parlé d'un curé qui serrait les filles.

Devant les sourcils en accents circonflexes de l'avocat, il précisa avec un mouvement d'humeur :

— Ce gars, il a vu un prêtre taponner une fille.

— Quand vous dites « taponner », vous parlez de grossière indécence ?

Le concept échappait tout à fait au client.

— Il l'a… «fourrée»?

Ce terme-là ne prêtait guère à interprétation. Marcil avait levé les mains, comme pour tracer des guillemets avec ses doigts. Aucun homme un tant soit peu éduqué ne s'exprimait ainsi sans prendre cette précaution.

— Là, j'sais pas s'il a fait ça, mon parent a parlé de taponnage. Vous savez, su' les bras, le visage…

— Rien de cela ne peut conduire un individu devant la justice. Donnez-lui une bonne claque, même une volée, si la fille vous intéresse et que l'homme se montre très insistant. Inutile de parler de ça à des policiers.

Tremblay ne paraissait pas convaincu par l'argument.

— Pour du monde ordinaire, c'correct, on y apprend à vivre. Mais avec un curé…

Porter la main sur eux était certainement sacrilège. D'un autre côté, la faute dont ceux-ci se rendaient coupables n'en devenait que plus grave.

— Eux aut', y ont faite des vœux. Y ont pas le droit.

En pensée, Marcil disait adieu à une cause susceptible de changer quelque chose à son train de vie.

— Ça regarde les autorités religieuses, pas les tribunaux.

— Vous êtes secrétaire de la municipalité. Si vous en parliez au maire?

Cette fois, Xavier Marcil ne put réprimer un petit rire. Pinsonneault tenait à ce que les soutanes penchent de son côté lors des élections. Jamais il ne se risquerait à les indisposer.

— Monsieur, je vous assure que cela ne donnerait rien. Vous ne me parlez pas d'un crime. Au pire, il s'agit d'un manquement au sixième commandement de Dieu: «Impudique point ne seras…» Les avocats ou les juges n'y peuvent rien, cela doit se régler dans un confessionnal.

— Bin justement, il fait ça en confessant les filles!

Rosaire avait murmuré, déjà vaincu. Tout ce que l'avocat venait de lui dire, il le savait déjà, mais pendant un moment, il avait espéré une solution facile.

— Bon, là, j'dois retourner à mes clients. Ma fille est tu seule pour les recevoir.

Tout de suite, il regretta son allusion à Aline. Personne ne devait se douter de la réalité, sinon aucun garçon ne voudrait d'elle. Avec des phrases comme « La salope, elle a dû l'exciter », on la condamnerait sans appel. Rosaire chercha son porte-monnaie dans sa poche, paya son dû. Xavier se leva en même temps que lui pour l'accompagner à la porte.

— Je suis désolé de ne pas pouvoir vous aider plus que ça. Mais si vous avez une querelle avec un concurrent, un problème de contrat…

— Non, de c'côté-là, toute va bin.

Sur le pas de la porte, les deux hommes se serrèrent la main. Ensuite, Marcil demeura dans le couloir un long moment, tenté d'aller dire à sa femme : « Je viens de recevoir un client. » Puis le ridicule de la situation lui apparut. Il lui faudrait des gens avec une véritable cause toutes les semaines pour vivre convenablement de son métier. Un seul type avec une histoire susceptible de lui attirer la vindicte de toute la hiérarchie catholique, c'était loin d'être suffisant.

❧

Chez les Turgeon, en sortant de table le lendemain matin, Sophie remarqua, s'adressant à Corinne :

— Finalement, tu retourneras au couvent cet automne ?

Elle avait saisi des bribes de conversation entre Corinne et ses parents. Depuis la remise des diplômes, fin juin, Évariste demeurait intraitable. Si sa fille souhaitait demeurer à la maison, ce serait pour apprendre à devenir la meilleure ménagère possible. Cela signifiait s'inscrire à l'académie Graziella, et passer tout son temps à la cuisine.

— Papa ne semble pas comprendre que mon travail, maintenant, c'est de me chercher un mari.

Pour toutes les jeunes filles de son âge, un bel avenir – ou un mauvais – se concrétisait au pied de l'autel.

— Les maris dont tu parles, ils seront tous de retour au collège au mois de septembre.

L'invitée de la maison faisait la même analyse que son hôtesse. Quand on sortait soi-même du couvent, la saison de la chasse au bon parti, si on favorisait le marché des professionnels, s'ouvrait avec le début des grandes vacances et se fermait à la fin de celles-ci.

— Tu sais, ce n'est pas si mal, cette année de finition.

Sophie reprenait en la traduisant la dénomination *finishing school*, ces écoles privées destinées à familiariser les jeunes filles avec la culture bourgeoise et les règles de la vie dans la belle société.

— D'autant plus que toi, tu rentreras ici tous les soirs.

Comparée à la vie dans un dortoir du couvent, la maison de la rue De Salaberry ressemblait au paradis. L'adolescente s'attristait de devoir la quitter bientôt. Ses parents l'obligeraient sans doute à les rejoindre à Boston. Pour se changer les idées, elle proposa :

— Allons proposer à Graziella de l'aider à préparer le dîner.

Même si Corinne retournait au couvent justement pour éviter cela, elle donna son assentiment.

À onze heures, les deux adolescentes s'occupaient dans la cuisine, avec chacune un tablier afin de protéger leur belle robe bleu pastel.

— Bin là, mam'zelle Sophie pis mam'zelle Corinne, vous allez éplucher les patates.

Une impatience difficilement contenue marquait le ton de la cuisinière. L'aide généreuse de ces couventines devenait une véritable nuisance, ne serait-ce que parce que cette pièce était trop petite pour que quatre personnes y travaillent à l'aise.

Occupée à préparer des carottes, Aldée pencha la tête pour cacher son sourire. Que les patronnes fassent l'objet des ronchonnements de Graziella lui procurait un petit moment de répit.

— Je vais voir si le courrier est arrivé, dit-elle à personne en particulier.

Le postier glissait les enveloppes dans la fente de la porte. Aldée en découvrit quatre dans l'entrée, deux pour madame, les autres pour l'invitée. À son retour dans la cuisine, elle les lui tendit.

— Pour vous, mademoiselle.

Sophie vit tout de suite les timbres américains, puis les noms des expéditeurs sur le rabat de l'enveloppe.

— Je vais sortir, annonça-t-elle d'une voix blanche.

D'abord, elle pendit son tablier à un clou. Puis elle alla dans la cour. Corinne eut envie de la suivre, puis comprit que mieux valait la laisser seule.

❀

Dear, dear Sophie,

Clotilde émaillait son discours de termes anglais, sans vraiment le réaliser après toutes ces années dans le pays voisin.

Si je m'écoutais, je reprendrais le train dès demain matin pour aller te chercher. Là, tu vis chez des inconnus, des gens qui ne sont rien pour toi, alors que je te cherche depuis le jour de ta naissance.

« Dans ce cas, pourquoi m'avoir abandonnée ? », songea-t-elle avec colère. Comme l'abbé Grégoire s'était tout de même occupé d'elle en se parant du titre d'oncle, sa mère lui paraissait la plus coupable des deux.

Mais ton père tient à son scénario. Acceptons toutes les deux d'attendre qu'il revienne de ses scrupules de curé.

Le ton lui parut indélicat. L'abbé Grégoire lui semblait manquer de scrupules, pas en avoir trop. La missive se terminait par des affirmations d'amour absolu, avec « Ta maman » en guise de signature.

Sophie tint un moment la lettre de son père dans ses mains, elle passa même son pouce sur le rabat de l'enveloppe. Toutefois, le cœur lui manqua pour l'ouvrir. Les mots d'un seul de ses parents la troublaient bien assez comme ça.

❀

— Ce matin, tu as reçu une lettre de ton… oncle ?

Corinne avait bien du mal à dire « ton père ». Quand elle imaginait Alphonse Grégoire, c'était avec une soutane sur le dos. Les deux jeunes filles étaient sorties sur la grande galerie à l'avant de la maison et s'étaient assises sur des chaises de rotin. Elles murmuraient, pour plus de discrétion. Avec les fenêtres grandes ouvertes, quelqu'un dans la maison pouvait les entendre.

— Et de ma mère. J'ai lu celle-là, mais pas encore celle de mon père.

Sophie utilisait ce mot en y mettant une certaine insistance, comme un défi lancé à son amie. Cette dernière ne jugea pas utile de demander pourquoi elle préférait ignorer cette missive. À ses yeux, cet homme ne méritait plus qu'on l'écoute, ou qu'on le lise. Toutes ses admonestations à la chasteté lui revenaient en mémoire. Il avait tenu ces discours, attisant les sentiments de honte et de culpabilité des jeunes filles, tout en menant une vie de débauché. Puis, ces derniers temps, Donatien Chicoine avait pris le relais.

— Que voulait-elle ?

— Me dire combien je lui manquais. Un mot de moi, et elle viendra me chercher.

— Ce serait l'idéal, vivre parmi les tiens.

La fille de la maison ne souhaitait pas voir son amie quitter la rue De Salaberry, mais quoi de plus naturel que de rejoindre sa famille ? Elle-même, un jour, passerait de la maison de son père à celle de son époux.

— Je ne la connais même pas.

— Tu es sa fille.

Corinne insista en utilisant une formulation lue dans un quelconque feuilleton :

— La chair de sa chair.

Sophie lui jeta un regard morose.

— Ça tient de l'instinct, insista Corinne. Les animaux vivent la même chose.

La précision ne rassura pas vraiment Sophie. Toutefois, il convenait d'acquiescer d'un signe de la tête.

— Je ne dis pas ça pour te chasser. Tu me crois, n'est-ce pas ?

Le même hochement de tête revint. Heureusement, Corinne posa la main sur la sienne, tout en ajoutant :

— Nous devenons comme des sœurs.

Cette fois, une larme quitta la commissure des yeux de Sophie. Oui, elles s'entendaient très bien. Cependant, autant elle demeurait une étrangère chez les Turgeon, autant elle le serait chez ses véritables parents.

❀

Dans la chambre d'invité, Sophie s'était enfin décidée à décacheter la lettre de son père pour la parcourir. Maintenant, l'ampoule électrique éteinte, elle enfonçait son visage dans son oreiller, les épaules secouées de sanglots.

« Tu me manques tellement. De toute ta vie, jamais je n'ai été loin de toi », écrivait le prêtre. Sans doute disait-il vrai. Mais comment appeler « papa » celui qui avait été son confesseur pendant la moitié de son existence ? Surtout après tous ces mensonges, comment lui pardonner ?

❀

Comme fréquemment, Rosaire Tremblay quitta la maison un peu avant dix heures avec le plus âgé de ses jeunes fils et sa fille. Aline présentait un visage tellement défait qu'il jugea utile de préciser :

— J'ai parlé à un avocat la semaine dernière. Comme j'le pensais, y a rien à faire, sauf en parler à son évêque. C't'un péché, pas un crime. Ça, je l'ai faite dans une lettre, pis le cochon a eu une promotion.

Rosaire ne jugea pas utile de préciser que cette lettre ne portait aucune signature, ce qui lui enlevait bien du poids.

— Merci, dit-elle dans un souffle.

Sa main chercha celle de son père, un geste qu'elle n'avait pas eu depuis des années. Son émotion se communiqua au marchand. Afin de ne pas demeurer en reste, son fils s'accrocha à l'autre main.

Encore une fois, l'adolescente passa devant le confessionnal en baissant les yeux, incapable de s'y arrêter. De nouveau aussi, il lui faudrait demeurer sur son banc lors de la communion. Les bons garçons de la paroisse lui en feraient-ils le reproche au point de l'oublier dans leurs visites, les bons soirs ?

Quinze minutes plus tard, l'abbé Chicoine entrait dans le chœur, précédé de quatre enfants revêtus de leur aube. Son surplis en dentelle blanche faisait ressortir encore plus la repousse noire de sa barbe, et sa chasuble chamarrée rappelait la parure d'un paon. Oui, ainsi accoutré, il incarnait le représentant de Dieu sur terre. Personne n'oserait le blâmer de quoi que ce soit.

Sur le banc de fonction situé à l'avant de la nef, trois hommes se tenaient épaule contre épaule : le marguillier «en charge» et deux de ses collègues. Rosaire Tremblay songea à s'adresser au premier pour lui parler des indélicatesses du curé. Puis il abandonna l'idée en secouant la tête de droite à gauche. Pareille initiative nuirait à Aline, pas au prêtre.

❧

À la fin de la messe, Évariste Turgeon s'empressa de sortir de l'église pour arriver sur le parvis avant les Marcil. La petite famille se présenta bientôt devant lui.

— Puisque nous allons dans la même direction, peut-être devrions nous faire le chemin ensemble.

Tout en parlant, il tendit la main à Xavier Marcil, puis à la femme de ce dernier.

— Bien sûr, accepta l'avocat.

Comme les autres membres de la famille Turgeon arrivaient, les échanges de civilités reprirent. Une petite procession se forma. Les hommes marchaient devant, les femmes venaient ensuite, puis Corinne et Sophie entouraient les enfants Marcil. Quant à Georges, il s'inquiétait des regards amusés sur le groupe. Pourtant, dans la société canadienne-française, même en additionnant les rejetons de sa famille et ceux des invités, ils ne s'avéraient pas si nombreux, avec seulement quatre enfants en tout.

— La politique municipale me réserve-t-elle de nouvelles surprises ? voulut savoir le médecin.

Voilà la seule chose que les deux hommes avaient en commun. Cela, et quelques consultations médicales au fil des derniers mois. Mais ce sujet prêtait mal aux conversations en plein air.

— Pas que je sache. Après tout, les prochaines élections se dérouleront en février prochain.

Trois pas derrière les hommes, Délia remarqua à l'intention d'Euphémie :

— Vos enfants sont très bien élevés.

— Si nous ne les entendons pas, c'est surtout à cause de leur timidité. Je les préférerais un peu plus bavards, quitte à leur demander ensuite de réfréner leur enthousiasme.

L'épouse du médecin se tourna à demi afin d'examiner le garçon et la fillette. Les habits du premier étaient trop serrés, ceux de la seconde assez démodés pour faire penser qu'ils avaient eu une propriétaire antérieure.

— Ils doivent tenir cela de leur père.

Le jugement de la mère la laissait suffisamment dépitée pour que Délia change immédiatement de sujet.

— La température demeure si belle ! Je suppose que nous en ferons les frais l'hiver prochain.

❋

En entrant dans la maison, l'hôtesse s'excusa pour aller aider Graziella dans la cuisine. Aussi, il revint à Évariste de conduire tout ce monde dans le salon. Le canapé, les chaises et les fauteuils permettaient de recevoir toute la compagnie.

— Puis-je vous offrir quelque chose à boire ? demanda l'hôte.

L'avocat consulta sa femme du regard, puis refusa d'un signe de la tête. Le médecin n'osa pas se servir.

— De toute façon, nous passerons à table dans quelques minutes, dit-il plutôt.

Un silence suivit, trop long pour que quiconque se sente à l'aise. Il enchaîna :

— Mes enfants insistent pour m'entraîner à Montréal dans le seul but d'assister aux vues animées de monsieur Ouimet. Connaissez-vous ce genre de spectacle ?

— J'ai bien peur que nous ne menions une vie trop rangée, sembla s'excuser Xavier. J'ai vu des… vues il y a quelques années, au parc Sohmer.

— Et dans mon cas, même les représentations données dans des foires agricoles me sont inconnues, intervint Euphémie. Alors, imaginez pour mes enfants.

Chacune des paroles de cette femme ressemblait à une critique de son époux, qui n'arrivait pas à la faire vivre de façon décente. Ce dernier porta sa main à son visage, pressa l'arête de son nez entre son pouce et son index.

— L'hiver dernier, il y a eu une représentation à l'hôtel National, signala Corinne afin de lever un peu la tension. J'ai été très impressionnée, alors j'imagine qu'au Ouimetoscope, je le serais encore plus.

— J'attendrai avec impatience de me faire une idée par moi-même, cingla Euphémie.

— Nous irons, lui assura son mari.

La voix de l'avocat parut suffisamment excédée pour qu'elle baisse les yeux, rougissante. À cause de son attitude accusatrice, bientôt il pourrait attribuer ses échecs professionnels au caractère acariâtre de son épouse. Des hommes avaient ce genre d'indélicatesse.

— Le repas sera servi dans un instant, annonça Délia de l'entrée de la pièce.

Tout le monde accueillit ces mots avec soulagement. Une fois de la nourriture en bouche, les langues s'agiteraient pour un autre motif qu'aligner des reproches voilés.

À table, les enfants se réunirent à une extrémité, les adultes à l'autre. Les petits Marcil semblaient si mal à l'aise que Sophie interrogea Denise, assise juste en face d'elle :

— Cette année, tu étais dans la classe de sœur Marie-Vitaline, n'est-ce pas ?

La fillette hocha gravement la tête. Dans la ville, toutes les écolières fréquentaient le couvent des sœurs de la Congrégation de Notre-Dame. Tant Corinne qu'elle-même avaient eu l'occasion de croiser leur visiteuse dans les murs de l'institution. Toutefois, petites et grandes ne se mêlaient pas.

— Est-ce qu'elle sent toujours mauvais ?

Cette fois, la gamine pouffa dans sa main portée devant sa bouche, tout en faisant oui de la tête.

— Certaines choses ne changent jamais… sauf, parfois, pour empirer.

Poussé par le désir de faire bonne impression sur la belle adolescente, Georges s'adressa à Anselme.

— Toi, tu vas chez les frères.

Dans ce cas aussi, aucune chance de se tromper : il n'existait pas d'autre école de garçons de niveau élémentaire à Douceville. Toutefois, Georges ne se souvenait d'aucune tare physique d'un des professeurs. Impossible de susciter l'hilarité du petit garçon.

Euphémie adressa un regard reconnaissant à Sophie, heureuse de la voir s'occuper ainsi de sa plus grande. Puis ses yeux s'accrochèrent au visage délicat et aux cheveux blonds devenus un peu plus pâles depuis le début de l'été, à cause du soleil. Sa robe blanche flattait vraiment la jeune fille. Cela lui donnait une allure de communiante dans un corps presque adulte.

Chapitre 5

Quatre-vingt-dix minutes plus tard, au moment de quitter la table, Délia chuchota à Corinne :

— Que dirais-tu d'emmener les enfants dans la cour ? Au passage, tu pourrais demander à Graziella de préparer de la limonade.

Denise et Anselme paraissaient s'ennuyer ferme. Les garder immobiles dans le salon les rendrait plus malheureux encore.

— D'accord, si mes assistants m'accompagnent.

Des yeux, l'adolescente désignait Georges et Sophie. À trois, ils sauraient bien s'occuper des deux plus jeunes. Bientôt, elle offrait l'une de ses mains à chacun des enfants. Quand les enfants Turgeon et Marcil furent sortis, la maîtresse de maison continua pour les autres :

— Nous allons nous asseoir sur la galerie. Tout à l'heure, Aldée pourra nous apporter du thé.

Ainsi, les jeunes étaient cantonnés derrière la maison, les adultes devant. Xavier intervint quand tout le monde fut dans le couloir :

— Mesdames, veuillez m'excuser…

Puis son attention se porta sur son hôte :

— Docteur Turgeon, puis-je me permettre de vous demander quelque chose pour… ma tête ?

Machinalement, ses doigts se portèrent à son front.

— Oui, bien sûr. Venez.

Tous deux se dirigèrent vers la porte donnant accès au cabinet de consultation. Un peu contrariée de la tournure des événements, Délia souligna à Euphémie :

— Nous serons donc entre nous pendant un moment.

Peu après, elles occupaient des chaises sur la galerie. La maîtresse de maison se donna comme mission d'amener son invitée à une plus grande aménité.

❁

Sans se concerter, Évariste prit sa place derrière son bureau et Xavier prit celle du patient.

— Vos migraines n'ont pas cessé. La fréquence va-t-elle en augmentant ou en diminuant ?

— Cela dépend des événements. Si je suis tendu, ou nerveux, ou frustré, ça ne manque pas.

— Et ces temps-ci, vous êtes particulièrement tendu, nerveux et frustré ?

— Disons que mon humeur est à la pluie, malgré ce beau temps.

Déjà, le praticien supputait l'effet de l'automne sur les états d'âme du visiteur. La trop longue absence du soleil paraissait aggraver ses malaises.

— Vous connaissez les raisons de… ces ennuis ?

— Toutes les facettes de mon existence, cracha Marcil sur un ton excédé.

— Voyons, vous avez une jolie femme, de beaux enfants. Personne ne souffre de maladie, chez vous.

La plupart des familles enterraient une partie de leur progéniture, des gens mouraient dans la force de l'âge.

Évariste se sentait choyé par son existence. Ainsi, que quelqu'un s'apitoie sur son sort tout en profitant des mêmes avantages le laissait perplexe. Pourtant, l'avocat fit une grimace.

— Vous avez vu la complicité entre elle et moi !

Le praticien avait bien senti la tension dans le couple. Pas de petits effleurements discrets, pas de sourires entendus, pas de regards chargés d'affection, mais à la place, dans le meilleur des cas, une espèce de lassitude commune.

— Remarquez, je ne lui fais aucun reproche. Je n'aimerais pas tellement m'avoir comme compagnon.

Les conversations de ce genre, les époux, et surtout les épouses, les tenaient avec un conseiller spirituel. Que des célibataires souvent très méfiants, sinon hostiles, envers les femmes se prêtent à l'exercice laissait le médecin bien sceptique. À moins de croire que Dieu leur prêtait la «grâce d'état», c'est-à-dire les connaissances requises pour la fonction où Il les appelait, ces ecclésiastiques devaient conclure les consultations en recommandant quelques rosaires. Dans les cas les plus graves, en tout dernier recours, ils pouvaient encourager la séparation de corps : chacun dans sa propre unité d'habitation.

En tant que médecin, Évariste ne se reconnaissait aucune compétence particulière, et en ce moment précis, Dieu ne l'éclairait pas de Ses lumières. Pas trop certain d'y croire lui-même, il se lança :

— Au moment de mes études, j'ai fait un stage à l'hôpital de Longue-Pointe…

— Vous voulez dire à l'hôpital pour les fous, s'insurgea le patient.

Sa précaution d'éviter de nommer Saint-Jean-de-Dieu ne trompait pas son interlocuteur. Le docteur continua sans s'émouvoir :

— Un médecin aliéniste pourrait sans doute vous venir en aide avec plus de compétence que moi. Toute cette mélancolie ne vous fait pas de bien.

— Je n'entends pas de voix, rétorqua le visiteur, je n'ai aucune vision, j'effectue mon travail aussi bien que d'habitude. Si je ne suis pas aliéné, je n'ai pas besoin d'un aliéniste. Je me sens juste…

Au fond, Xavier ne savait pas bien décrire son état. Évariste préféra mettre fin à l'échange.

— Bon, dans ce cas, je peux toujours vous donner de l'aspirine. Ce médicament enrichit certainement son inventeur allemand, on en trouve dans toutes les pharmacies du monde maintenant.

Il ouvrit un tiroir de son bureau pour prendre un flacon contenant une poudre blanche et étira le bras pour la placer sur son pupitre, du côté du visiteur.

— Voilà pour aujourd'hui. Vous pourrez reconstituer vos provisions à la pharmacie dès demain matin.

Tout d'abord, Xavier ne prit pas le médicament. Un peu déçu, il confia :

— J'ai déjà pris du laudanum, quand j'étais à l'université. C'était la seule façon pour moi de trouver le sommeil et d'éloigner les migraines. Le mieux serait d'y revenir, je pense.

— Le fameux laudanum, la panacée.

Depuis très longtemps, ce médicament préparé avec de l'opium servait à tout : réduire les douleurs menstruelles, soigner la diarrhée, les rhumatismes et tous les autres malaises de l'existence.

— Ce remède entraîne une dépendance. Des gens n'arrivent plus à s'en passer, et ils augmentent les doses au point de vivre dans une perpétuelle hébétude.

« Voilà bien pourquoi j'en ai besoin », songea l'avocat. De son côté, Turgeon se souvenait des sirops à base de laudanum que l'on donnait à des enfants trop agités. Beaucoup mouraient, sans doute pour en avoir trop ingéré. Quant aux femmes vivant mal leur ménopause, du vin assaisonné de drogue représentait le meilleur digestif à la fin de chaque repas.

— Certains en absorbent au point de ne plus pouvoir se réveiller. Je ne vous le recommande pas.

Le médecin réservait l'usage du laudanum aux patients en fin de vie, affligés de douleur et terrorisés. Xavier comprit qu'il ne valait pas la peine d'insister. De toute façon, n'importe quel pharmacien pouvait lui en vendre. Et s'il craignait de faire jaser dans Douceville, les journaux publiaient tous les jours les réclames de commerces offrant d'envoyer la mixture par la poste, dans un « colis discret ». Il s'en procurerait dès le lendemain.

— Je vous dois combien, pour cela ? s'enquit-il en s'emparant de l'aspirine.

— Rien du tout. Les grossistes m'en donnent toujours un peu plus que prévu. Pouvons-nous rejoindre nos dames ?

Le médecin aurait pu le questionner encore sur son état, mais il répugnait à occuper ainsi son dimanche. Et puis, ce patient paraissait bien peu enclin à suivre ses conseils, en tout état de cause. En quittant le cabinet, il guida Marcil jusqu'à la cuisine pour lui permettre de dissoudre la poudre dans un verre d'eau.

Sur la galerie, la conversation mit du temps à démarrer. Ces femmes ne se fréquentaient pas dans les sociétés de bienfaisance, n'avaient aucune amie commune, pas même de connaissances. Dans ces circonstances, Euphémie se résolut à mener une petite enquête.

— Cette jeune fille, Sophie, c'est bien la nièce de monsieur le curé, n'est-ce pas ?

Délia n'allait sûrement pas répondre : « Non, c'est sa fille. »

— Oui, la fille de l'une de ses sœurs. La pauvre est morte en couches.

— Voilà qui est généreux de sa part. Je sais bien qu'il en a les moyens, mais d'autres ne le feraient pas.

— Il doit se montrer charitable, encore plus que nous.

La maîtresse de maison prononça ces mots avec un sourire en coin. « Plus que nous ! » Les derniers événements lui avaient pourtant appris que les ecclésiastiques ne prêchaient pas toujours par l'exemple.

— Je me demande bien de quoi il souffre, laissa tomber la convive, et où il se trouve maintenant.

— Évidemment, je ne peux pas trahir le secret du cabinet du médecin, commença Délia, mais je crois l'avoir entendu évoquer des poumons malades.

L'épouse du praticien se souvenait aussi de la mention d'un cœur fragile. Quand on mentait, le plus difficile était de s'en tenir à un récit unique. Malgré ses premiers mots, Délia ne doutait pas qu'à force de parler de problèmes respiratoires, on la croirait justement parce qu'elle partageait la vie d'un médecin.

— Souvent, les convalescents vont prendre les eaux, rappela Euphémie. Il y a un établissement du côté d'Ottawa.

— Aux États-Unis aussi. Dans l'État de New York, il y a Saratoga Springs, par exemple. Je ne sais pas où monsieur le curé est parti, mais je présume qu'il respire de l'air frais.

Tout de suite, elle regretta ces mots. Sophie recevait des lettres venant du Massachusetts. Les commis du bureau de poste devaient avoir mentionné la chose devant des proches.

Maintenant, tous les Doucevilliens connaissaient sans doute le nom de la ville de Medford.

Toutefois, Euphémie s'intéressait moins aux allées et venues de son pasteur qu'au statut de la jeune fille.

— Comme elle fréquentait le couvent des sœurs de la Congrégation, je suppose qu'elle était déjà la meilleure amie de votre fille.

— Peut-être pas au moment de la scolarité, mais elle l'est devenue cet été. Elles paraissent s'apprécier comme des sœurs. La séparation ne sera pas facile quand le curé la reprendra chez lui.

Cependant, lors du départ de l'invitée de la maison, Corinne ne serait pas celui de ses enfants qui aurait le plus de peine. Les soupirs de Georges l'inquiétaient un peu.

— D'un autre côté, un prêtre ne peut pas garder une si jolie jeune femme dans son presbytère.

Euphémie revoyait Sophie en pensée : les cheveux lâchement attachés sur la nuque, la silhouette fine et souple.

— Enfin, je comprendrai son chagrin au moment de la séparation, dit la femme de l'avocat. J'avais aussi une sœur d'amitié, au couvent. Elle me manque toujours, plus de quinze ans plus tard.

Se remémorer cette personne la rendait chaque fois nostalgique. Pourtant, pour la première fois ce jour-là, son visage montrait un véritable plaisir à l'évocation de ce souvenir.

— Vous avez étudié dans notre petite ville ? lui demanda ensuite Délia.

Elle savait déjà que ce n'était pas le cas. Le couple Marcil était arrivé à Douceville une douzaine d'années plus tôt.

— Non, chez les ursulines, à Québec.

— Vous avez rencontré votre mari là-bas ?

— Oui. L'un de mes frères étudiait dans le même programme, à l'université.

La pensée de Xavier effaça pendant un instant le beau sourire d'Euphémie. Le souvenir d'une amie perdue lui plaisait plus que celui de sa rencontre avec son époux. À ce moment, les deux hommes les rejoignirent sur la galerie.

— Vous allez mieux? s'enquit Délia.

— Je viens de prendre de l'aspirine. La médication opérera sa petite magie d'ici peu, j'espère.

L'avocat tentait de présenter une meilleure figure. La perspective de renouer bientôt avec le laudanum le rendait presque optimiste, une rare occurrence.

— Quand vous êtes allé à la cuisine, Graziella y était-elle? voulut savoir la maîtresse de maison.

— Oui. Affalée dans sa chaise, les jambes étendues devant elle.

Par discrétion devant les visiteurs, Évariste omit d'évoquer les chevilles enflées au-dessus des vieilles chaussures de la cuisinière.

— Bon, pour ne pas la priver de ce petit repos, je vais m'occuper du thé, dit Délia.

Quand elle se leva, la visiteuse fit la même chose.

— Je vais vous aider. Puis j'en profiterai pour voir comment se portent les enfants.

Toutes deux entrèrent dans la maison.

❀

Quand Délia arriva dans la cuisine, Graziella sauta sur ses pieds, prise en faute.

— Vous voulez du thé? J'vas en faire tout de suite.

— Restez assise, je vais m'en occuper. Vous devez vous reposer.

— J'me r'poserai quand je s'rai morte. En attendant, j'vas faire mon ouvrage.

Plus l'état de santé de la cui'
sa réaction devenait vive qu?
Elle commença par soulev'
vérifier l'état du feu. Elle p.
posé juste à côté, pour en ajout.
bouilloire.

— Bon, alors allons voir les enfants, prop.
son invitée.

Une porte permettait de passer de la cuisine à la c.
arrière. Les deux femmes s'arrêtèrent sur le petit perron
pour observer leur progéniture. Les adolescentes étaient
assises dans l'herbe avec Denise, occupées à fabriquer des
colliers avec des fleurs. Georges était allé chercher une
balle et un gant de cuir dans sa chambre. Anselme faisait
des progrès, tant pour lancer que pour attraper.

— Vos enfants montrent de bonnes dispositions pour le
mariage. Les voilà prêts à élever leurs propres petits.

Délia se sentit particulièrement fière d'eux. Leurs qualités de cœur la touchaient.

— J'espère tout de même qu'ils prendront leur temps
pour cela. Maintenant, je retourne dans la cuisine pour
essayer de faire entendre raison à Graziella. Je suppose
qu'Aldée profite d'un moment de liberté avec son galant.

En sus de son congé hebdomadaire du mercredi, la
bonne profitait parfois des dimanches après-midi afin
de voir Jean-Baptiste Vallières. Cela privait la cuisinière
vieillissante d'une aide précieuse.

— Pendant ce temps, je leur parlerai un peu, répondit
Euphémie.

Elle descendit les trois marches, puis commença par se
diriger vers son fils. Georges lui adressa un sourire.

— Vous êtes en train de faire de mon fils un… comment
dit-on ? Un *baseballer* compétent ?

suppose que c'est le bon mot. L'an prochain,
me pourra faire partie de l'équipe de l'académie des
es.

Le garçonnet ne cacha pas sa satisfaction devant
appréciation.

— Vous êtes gentil de vous en occuper comme ça.

— Ça me fait plaisir, madame.

L'affirmation fut récompensée par un mouvement de
la tête et un sourire reconnaissant. La femme se dirigea
ensuite vers le trio de jeunes filles. Denise lui dit d'entrée
de jeu :

— J'ai fait bien attention pour ne pas la tacher.

Elle parlait de sa robe. La gamine craignait de se faire
réprimander à cause de souillures causées par l'herbe.
Pareille préoccupation à ce sujet toucha Corinne. Comment
jouer sans se salir un peu ? Elle intervint :

— Nous avons toutes fait attention. Voilà pourquoi nous
sommes allées emprunter ces couvertures.

Il s'agissait de grandes pièces de tissu rugueuses, propres
à protéger les chevaux des grands froids.

— Pouvez-vous me faire une petite place ? fit Euphémie.

Toutes les jeunes filles se déplacèrent pour permettre à la
visiteuse de s'installer près d'elles. Elle choisit de s'asseoir
tout près de Sophie.

— Que faites-vous ?

Cela paraissait pourtant bien évident : avec une aiguille,
chacune enfilait des fleurs sur un fil. Le résultat évoquait
les colliers que l'on voyait sur les illustrations des îles du
Sud. Pourtant, Corinne s'engagea dans une explication
qu'Euphémie n'écouta que distraitement. Des yeux, elle
détaillait l'autre adolescente, appréciant ses traits délicats.
Assise avec les jambes repliées, elle laissait voir ses bas de
coton blanc jusqu'à la courbe du mollet. De toutes petites

fleurs bleues étaient brodées sur les côtés. L'ensemble était séduisant.

Quand Corinne eut terminé son exposé sur la beauté d'un bouton de rose comme pièce maîtresse d'un collier, Euphémie glissa à la nièce du curé :

— Vous paraissez faire partie de cette famille.

Le rose monta aux joues de Sophie. Comme elle avait envie que ce soit vrai !

— … Tout le monde me traite très bien.

— Vous êtes ici depuis plusieurs jours, n'est-ce pas ?

— Depuis que mon oncle a demandé un congé à monseigneur l'évêque. Il… ne se sentait pas bien, je devenais un fardeau au presbytère.

Cette interprétation s'avérait infiniment plus acceptable que : « Depuis qu'il m'a avoué être mon père. »

— J'espère qu'il recouvrera bientôt la santé.

Un long silence accueillit ce vœu. Euphémie regarda en direction de la cuisine, puis s'excusa :

— Si je m'attarde encore, le thé sera froid. J'espère que nous aurons l'occasion de causer encore.

Elle se leva pour aller vers la demeure. Les jeunes filles la suivirent du regard. Sans la présence de Denise, elles auraient échangé quelques commentaires sur l'étrange attitude de cette femme.

❖

Sur un feu devenu très vif, l'eau ne mit pas longtemps avant de bouillir. Tout en la versant dans la théière, Délia dit à Graziella :

— Vous savez, je peux interdire à Aldée de quitter les lieux le dimanche.

— Vous allez pas la priver de sa vie de jeunesse, toujours! Pas quand un bon gars s'intéresse à elle.

— Dans ce cas, laissez-moi me rendre utile. Je ne sais pas ce que nous ferions sans vous.

Des paroles comme celles-là faisaient de Graziella la domestique la plus fidèle, la plus attentive de Douceville. Toutefois, ce fut d'un ton bougon qu'elle rétorqua:

— Bin, si vous y t'nez, c'est vot' cuisine après toute.

La cuisinière avait posé un plateau sur la vieille table. Bien campée sur ses courtes jambes, les poings posés sur les hanches, elle regarda sa patronne y mettre la théière, puis aller chercher des tasses dans l'armoire. Euphémie entra à ce moment.

— Je peux aider? offrit-elle.

— Bon, a vont s'mette à deux, asteure, ronchonna la vieille domestique.

Délia se retint d'éclater de rire.

— Prenez ce petit contenant de lait, puis passez devant moi pour m'ouvrir la porte. Ah! Et emportez ces biscuits.

Les bras chargés du plateau, Délia assura à son employée d'une voix rieuse:

— Maintenant, nous ne vous dérangerons plus. Profitez de votre domaine.

Elle distingua parfaitement le mouvement des lèvres, mais n'entendit pas le: «C'pas trop tôt!»

❈

Quand les deux femmes revinrent sur la galerie, les hommes discutaient de l'importance d'adopter un règlement obligeant les citoyens à nettoyer leur arrière-cour. Le sujet s'imposait, d'autant plus qu'une odeur désagréable venait à leurs narines.

— Voilà que les réunions du conseil se poursuivent sur ma galerie, rouspéta la maîtresse de maison.

— Ce vent d'ouest ne nous permet pas d'oublier les débats.

Délia commença par verser une tasse de thé aux hommes, puis ce fut le tour de la visiteuse. Assises du même côté de la table, toutes deux reculèrent un peu pour se livrer à un tête-à-tête. La femme du médecin amorça la conversation :

— Je me demande encore quel est le meilleur moyen de se rafraîchir : thé froid ou thé chaud. Alors, j'alterne les deux.

Un moment, elles échangèrent leurs points de vue sur cette importante question. Puis l'hôtesse remarqua :

— Je ne vous vois jamais lors des réunions des diverses sociétés de bienfaisance. N'aimeriez-vous pas vous joindre à nous ?

Euphémie hésita un moment avant de répondre :

— Je n'ai pas de domestique, je ne peux pas me libérer suffisamment pour me rendre utile.

— Vous ne seriez pas la seule dans ce cas, je vous assure. J'espère que nous faisons quelques bonnes actions, mais cela nous donne surtout l'occasion de nous rencontrer. Autrement, nous serions condamnées à demeurer à la cuisine.

« Ou au salon, pour certaines d'entre nous », songea Euphémie avec amertume. Combien sa vie serait différente, avec deux domestiques !

— Je ne sais pas…

— Si vous me le permettez, je vous inviterai à vous joindre à moi bientôt. Ainsi, je pourrai vous présenter à tout le monde.

L'invitée eut envie de protester, mais, de guerre lasse, elle donna son assentiment d'un hochement de tête. De toute façon, elle pourrait encore se dérober le moment venu.

❖

Une quarantaine de minutes plus tard, tous les Marcil étaient réunis sur la galerie. Xavier avait remercié ses hôtes une première fois, mais il jugeait utile de répéter l'exercice.

— Vraiment, nous avons tous été flattés de votre invitation.

— Le plaisir a été pour nous, croyez-le.

Bien sûr, le médecin écorchait un peu la vérité. Toutefois, il s'agissait de la chose à dire. Euphémie se montra moins insistante, et Délia plus réservée. Toutefois, elle répéta son désir de l'inviter à la prochaine réunion des dames patronnesses.

Puis la famille regagna le trottoir pour se diriger vers la rue Saint-Louis. Les enfants marchaient devant. Derrière eux, la femme ralentit le pas, forçant son époux à réduire sa foulée.

— Flattés de son invitation, grogna la femme entre ses dents. Franchement, tu sais comment te montrer servile.

— Que voulais-tu que je dise ? Que tu venais chez eux à contrecœur ?

Comme elle ne disait rien, il reprit son argument imparable :

— Il nous a invités, et ce sera peut-être mon futur patron. Toi qui te plains déjà de la faiblesse de mon traitement, penses-tu que j'aurais amélioré mes perspectives d'avenir en refusant ?

Aucun des deux ne souhaitait reprendre cette discussion. Comme elle continuait de bouder, il s'impatienta.

— Maintenant c'est terminé, tu as survécu et moi aussi. Nos enfants se sont même amusés, grâce à ces jeunes gens. Alors, tu pourrais montrer un peu plus de bonne humeur.

— Terminé ? Tu devras rendre cette invitation. Je les imagine assis à notre table à trois pas du gros poêle à bois, mangeant dans notre vaisselle ébréchée. Avec ce que leur a coûté ce dîner, nous mangerions pendant deux semaines.

Pourtant, Euphémie savait qu'elle recevrait finalement les Turgeon dans sa modeste maison, et même qu'elle boirait une tasse de thé avec la moitié des bourgeoises de la ville. Parce que cela se passait toujours de cette façon dans une petite ville, à moins d'accepter un complet ostracisme. Elle se plierait donc à l'exercice, ne serait-ce que pour revoir la très belle et très élégante Délia. Et surtout Sophie.

Chapitre 6

Pendant le souper, les enfants Marcil ne cessèrent d'évoquer leur rencontre avec des « grands » très gentils. Georges, Corinne et Sophie s'étaient gagné de jeunes admirateurs. Toutefois, quand leurs commentaires portèrent sur le sujet de la magnifique résidence de la rue De Salaberry, leur père intervint :

— Si nous parlions d'autre chose, maintenant ?

— Tout de même, cette maison a de quoi faire rêver, intervint sa femme. Tous ces beaux meubles, dans le salon et la salle à manger, ont dû leur coûter une fortune.

— On sait bien, un médecin ! On peut toujours remettre à plus tard une chicane devant un tribunal en cas de manque d'argent, mais pas une consultation médicale. Dans son cas, l'argent rentre encore plus quand tout va mal.

— Tu dois avoir raison. Certains vont même jusqu'à réclamer un passage dans le cabinet de leur hôte, lors d'une activité sociale.

L'avocat serra les mâchoires. La tension ambiante enlevait maintenant aux enfants tout désir de babiller. La soirée promettait d'être aussi lugubre que toutes les autres.

— Le prix de la consultation ne l'a toutefois pas remboursé pour ce bon repas, insista Euphémie.

Le sujet du poids des consultations médicales de Xavier sur le budget familial revenait parfois dans leurs conversations.

— Le crois-tu assez mesquin pour demander quoi que ce soit, dans ces circonstances ?

Finalement, tout le monde conserva un visage d'enterrement jusqu'à la fin du souper. Dans cette maison, les enfants allaient toujours au lit avant qu'on ne leur demande. Dormir, ou même chercher le sommeil, valait mieux que l'atmosphère de la vie familiale.

❋

La directrice du couvent des ursulines de Québec affichait un visage dégoûté, comme si elle avait assisté à une scène scabreuse.

— Dans cet établissement, comme partout ailleurs, nous ne tolérons pas les amitiés particulières.

Pourtant, en descendant dans la grande salle pour la période d'étude, Euphémie avait simplement pris la main de sa camarade de classe. Maintenant, elle se tenait debout devant le bureau de la supérieure, les yeux rivés sur le plancher, les mains jointes à la hauteur de sa ceinture.

— Il ne s'agit pas d'une… amitié particulière, protesta-t-elle.

Cette expression, les élèves l'entendaient dans la bouche de leurs enseignantes, lors des prêches de prêtres de passage, et aussi au confessionnal. Cependant, aucune d'elles ne pouvait se représenter exactement de quoi il s'agissait.

— Nous sommes juste des… consœurs.

Les religieuses se désignaient ainsi entre elles. Des sœurs en Notre-Seigneur Jésus-Christ. Le terme eut l'heur d'adoucir le visage de la mère supérieure. Elle ordonna d'un ton moins froid :

— Bon, rejoignez les autres maintenant. Toutefois, soyez certaines que nous vous tiendrons toutes deux à l'œil.

— Bien, ma mère. Merci, ma mère.

Les sœurs poussaient le sadisme jusqu'à forcer les fillettes à les remercier après chaque réprimande. L'apprentissage de la soumission se faisait peut-être à ce prix. La brunette tourna les talons. Dans le couloir, elle pressa le pas, sans courir toutefois, de crainte d'une nouvelle remontrance. De toute façon, avec les vieilles planches de pin rendues glissantes par les millions de pas de plusieurs générations d'écolières, autant être prudente.

Dans l'escalier, son cœur battit plus fort. La salle d'étude était au rez-de-chaussée. Quand elle y entra, quatre-vingts paires d'yeux curieux se fixèrent sur elle. Dans un monde aussi ennuyeux qu'un couvent, les blâmes essuyés par une camarade devenaient un divertissement. Euphémie marcha jusqu'au premier rang des pupitres alignés, où une place était libre. Son regard chercha celui d'une élève de son âge, une jeune fille aux yeux d'un bleu très pâle, avec des cheveux blonds attachés sur la nuque par un ruban. La robe noire de son uniforme n'arrivait même pas à la rendre moins jolie.

Après un sourire fugitif, elle regagna sa place.

❧

Un rêve. Un simple rêve. Comme elle regrettait de le voir interrompu ! Jamais, au cours de plus de quinze ans écoulés, le souvenir de Delphine ne lui était revenu si clairement. Ou peut-être les visages de Sophie et de cette amie perdue depuis longtemps se superposaient-ils dans son esprit.

Souvent victime d'insomnie, Xavier se levait la nuit pour aller se planter devant la fenêtre de son bureau et contempler la rue Saint-Louis. Les réverbères traçaient des cônes de lumière, parfois une silhouette furtive apparaissait. Cette nuit-là, le départ de son époux, même attentif à ne pas la déranger, avait éveillé Euphémie. Ou alors la vive émotion suscitée par cette ombre venue du passé l'avait agitée.

Elle resta couchée sur le dos un long moment, ses yeux ouverts dans le vide. Puis sa main se déplaça jusqu'à la jonction de ses cuisses. La moiteur lui rappela les émois de son adolescence. Sa honte aussi, au confessionnal.

Son mari revint dans la chambre et s'étendit sur le lit en multipliant les précautions afin de ne pas troubler son sommeil. L'envie lui vint de se coller à lui, de chercher un peu de réconfort. Mais ce ne serait pas la même chose. Mieux valait ne pas bouger et feindre de dormir.

❁

Presque chaque jour, le facteur glissait une, parfois deux lettres adressées à Sophie dans la fente de la porte. Irrémédiablement, sa mine se faisait désolée. Et tout aussi irrémédiablement, Georges la couvait des yeux, compatissant.

Après le dîner, la jeune fille se réfugia sur la galerie pour lire la dernière missive. L'arrivée de Corinne l'amena à la presser contre sa poitrine, comme pour protéger un secret.

— Ta mère ?

Elle confirma de la tête.

— Je vais me promener avec Jules. Si tu veux, tu pourras nous rejoindre.

En réalité, la fille du médecin voulait dire : «Essaie de te débrouiller sans moi cet après-midi.» Elle en venait à ignorer les convenances. Déjà, elle comptait les jours restant avant le début de l'année scolaire. Alors, le fils du juge disparaîtrait pour dix mois, et disposerait de rares moments de liberté.

— Amuse-toi bien, dit Sophie.

Ces mots vinrent comme une bénédiction. L'instant suivant, Corinne se dirigeait vers la maison des Nantel. Elle avait l'impression d'être terriblement audacieuse en allant le rejoindre ainsi, plutôt que de l'attendre assise au salon, les mains jointes sur ses genoux. Mais la tentation était trop forte.

Sophie parcourut encore la lettre, puis la replia vivement à l'alerte suivante pour la remettre dans l'enveloppe. Décidément, trop de gens fréquentaient cette galerie ! Cette fois, ce fut Georges qui demanda :

— Ta mère ? Ton père ?

Le froncement de sourcils l'amena à enchaîner :

— Désolé, ce ne sont pas mes affaires.

Son air contrit amena la blonde à désigner la chaise à ses côtés.

— Ma mère. Je pense qu'il s'agit de sa sixième lettre en huit jours. Toujours avec les mêmes mots : « Je t'aime, viens me rejoindre très vite. »

Le garçon hocha la tête, affecta la plus grande tristesse :

— Terrible ! Si elle te disait « je ne t'aime pas, je ne veux jamais te voir », ce serait beaucoup mieux.

Sophie haussa les sourcils, interdite. Puis elle esquissa un sourire identique à ceux qui éclairaient son visage avant que le mystère de ses origines ne soit révélé. De nouveau, quelqu'un osait se moquer d'elle, la traiter comme une personne normale. Son visage devait paraître moins catastrophé.

— Je sais, je suis ridicule.

— Décidément, voilà un de tes bons jours.

Leurs yeux tinrent une petite conversation affectueuse, puis le garçon se leva en proposant :

— Allons nous promener. Je t'apporte ton chapeau.

Elle voulut se rebiffer, mais il ne lui en laissa pas le temps. Bientôt, le garçon coiffé d'un canotier et elle d'un joli chapeau de paille se dirigeaient vers le parc. Avec un peu de chance, un orchestre s'y produirait. Georges n'osa pas offrir son bras à Sophie. Déjà, qu'ils se montrent ensemble sans chaperon lui mettait du rose aux joues.

— Je sais bien que tu devras partir aux États-Unis tôt ou tard, dit-il. Ce jour-là, je serai très triste.

Un bref instant, Sophie eut envie de lui rappeler l'existence des *homesteads* en Saskatchewan. Le garçon avait été le premier à en faire mention. Toutefois, elle comprenait combien ce projet était irréaliste. Si le domicile des Turgeon la faisait rêver de sa future famille, son imagination l'installait toujours dans une maison bourgeoise comme celle de la rue De Salaberry. À ce chapitre, malgré quelques élans romantiques, le garçon partageait le même avis.

— Je le sais aussi. Mais présentement, ils sont en lune de miel, ma présence les dérangerait.

Comment décrire autrement leurs retrouvailles, après des années ? Après une pause, elle ajouta d'une voix grinçante :

— Une lune de miel entre une veuve et un curé !

Au moins, au gré des conversations murmurées en pleine nuit avec Corinne, Sophie se faisait une meilleure idée de ce dont il s'agissait. La mécanique fine lui échappait encore, tout ne deviendrait limpide que le soir de ses noces.

Georges ne savait comment lui répondre. Du bout des doigts, il effleura sa taille. Depuis le baiser échangé à l'île Saint-Amour, jamais il ne s'était senti troublé à ce point en sa présence. Et inquiet ! Son léger pantalon de lin dissimulait très mal ce genre d'émotion.

❖

Xavier Marcil gardait un souvenir mitigé de sa visite aux Turgeon, la veille. Le climat tendu pendant le repas, puis son passage dans le cabinet du médecin le rendaient honteux. S'il avait pensé faire bonne impression sur le futur maire, l'occasion était manquée. Après qu'il eut fait cette confession sur l'état de son mariage et sur ses maux que sa propre épouse considérait comme imaginaires, le praticien devait se faire une très piètre opinion du secrétaire de la municipalité. Il avait même évoqué les aliénistes de l'asile Saint-Jean-de-Dieu !

Ressasser de semblables souvenirs n'améliorait en rien son humeur. Avant le dîner, sa décision était prise : un médicament plus puissant que l'aspirine lui ferait du bien. Une dose raisonnable avant d'aller au lit ne lui nuirait certes pas, malgré les doutes du praticien. Avec un meilleur sommeil, il affronterait plus facilement les tâches de la journée.

Son désir de discrétion s'était émoussé, et son impatience, accrue. Inutile de procéder à une commande par la poste, une pharmacie se trouvait dans la rue Jacques-Cartier, à peu de distance de l'hôpital. Les patients s'y procuraient de quoi favoriser leur convalescence. L'église aussi était tout près, pour ceux qui quittaient l'établissement autrement que sur leurs pieds. Heureusement, un lundi, à cette heure de la journée, aucun autre client ne serait témoin de la transaction. Le pharmacien le regarda marcher de la porte au comptoir, puis l'accueillit avec un sourire mercantile :

— Monsieur, que puis-je pour vous ?

— Je...

Les utilisateurs de ce produit n'avaient pas la meilleure réputation, Marcil le savait fort bien. Les hommes en pleine possession de leurs moyens ne recouraient à aucun opiacé. Autant se justifier d'abord.

— Mon sommeil est irrégulier, alors j'ai du mal à accomplir mes tâches quotidiennes.

93

L'employé voyait bien les traits tirés, la peau trop pâle.

— Mon médecin m'a parlé du laudanum.

Voilà qui, sans être absolument vrai, n'était pas totalement faux.

— Oui, bien sûr. C'est fait avec de l'opium. Les gens trop nerveux prennent ce produit. Je peux vous en vendre. Quelques fournisseurs le mettent en marché en parlant de le dissoudre dans du vin… Cela peut passer pour du sherry, pour quelqu'un qui n'a jamais bu de sherry.

Le pharmacien lui adressa un sourire entendu, visiblement convaincu que seules les femmes le prenaient ainsi.

— Le plus simple, ce sont les gouttes. Pour quelqu'un de votre taille, trois devraient suffire. Pas plus de quatre. Après tout, vous souhaitez dormir et vous réveiller ensuite.

«Ça, je n'en suis pas tout à fait certain», songea le jeune avocat. La perspective de ne pas rouvrir les yeux après un sommeil sans rêves ne lui déplaisait pas tant que ça.

Le commerçant posa un flacon sur le comptoir devant lui. Xavier tendit la main pour le prendre et lut l'étiquette. Il s'agissait bien de laudanum. Le pharmacien ajouta :

— Quand on dort une bonne nuit, on se réveille plus en forme. Mais pour se donner un bon *swing* le matin, il y a aussi le vin du pape.

— Pardon ?

— Vous ne connaissez pas ? C'est un Italien qui a inventé ça. Sa Sainteté Léon XIII lui a donné une médaille. Après ça, ce pharmacien ira droit au ciel. J'aurais dû y penser le premier. Vous devez en avoir entendu parler, il y a de la réclame dans tous les journaux.

— Comme les petites pilules rouges pour les femmes pâles ? Quand cela semble trop beau pour être vrai, d'habitude c'est faux.

— Faites attention à ce que vous dites, ricana le marchand. Douter de la parole du pape, c'est certainement péché mortel. On voit même son portrait dans les publicités.

Le visage amusé du pharmacien faisait douter d'une dénonciation prochaine au vicaire Chicoine. Il chercha sous son comptoir, revint avec une bouteille pansue de couleur verte, décorée d'une étiquette jaunâtre portant les mots : « Vin tonique Mariani à la coca du Pérou ».

— De la coca ?

— Une plante d'Amérique du Sud. Vous devez connaître le Coca-Cola ? C'est le même produit, mais Mariani le mélange à du vin de Bordeaux, pas à de l'eau pétillante et du sucre.

La clochette au-dessus de la porte d'entrée tinta, et une grosse dame s'approcha du comptoir. Elle jeta un regard peu amical sur Marcil, dont la présence venait de ruiner son besoin d'intimité.

— Tenez, lisez ça pendant que je m'occupe de madame.

Le pharmacien tendit une feuille de papier à Xavier, qui s'éloigna pour le laisser en tête-à-tête avec sa cliente. Néanmoins, il perçut dans leur échange le mot « constipation ». Puis son attention se porta sur le document. Il reconnut tout de suite le dessin représentant le Saint-Père. Content de l'efficacité de la mixture pour le remettre sur pied, le pape avait accordé une médaille d'or à l'inventeur, établi à Paris. Ou, à tout le moins, le bonimenteur l'affirmait.

Après le départ de la grosse dame, l'avocat se rapprocha du comptoir pour dire :

— Je veux bien essayer. Avec une recommandation semblable, impossible de douter.

— Vous ne le regretterez pas. Mais si je peux me permettre…

Le commerçant se pencha, puis lui présenta une autre bouteille.

— C'est la même chose, un extrait de feuille de coca, mais plus concentré, fabriqué aux États-Unis. Il est plus cher, mais comme c'est plus fort, vous en avez pour votre argent.

L'étiquette de la seconde bouteille portait une inscription en anglais. Devant le visage hésitant du client, le pharmacien prit le ton de la confidence :

— Moi, je prends celui-là. Je vous le fais goûter.

Décidément, le dessous de son comptoir recelait bien des richesses. Il en extirpa une autre bouteille, déjà ouverte celle-là, et un verre à peu près propre. Après qu'il eut avalé deux doigts de la boisson brunâtre, Xavier attendit l'effet.

— Ce n'est pas comme un coup de poing, précisa le marchand, mais dans quelques minutes…

Pourtant, l'avocat ressentait déjà une impression de chaleur dans la poitrine. Comme un nouveau client entrait dans la boutique, il s'empressa d'accepter.

— Bon, je vais la prendre.

La bouteille disparut dans un sac en papier, puis le laudanum fut enfourné aussitôt dans sa poche. Marcil paya, puis sortit.

❖

Pendant la majeure partie de la matinée, Xavier était resté terré dans son bureau. Avocat sans client, il relisait sans cesse les mêmes documents, ou alors il demeurait immobile, les yeux vagues. Même quand il était dissimulé à leur vue, sa seule présence silencieuse pesait sur son épouse et sur les enfants. Ceux-ci essayaient de se faire discrets, de faire oublier leur existence, en quelque sorte.

Quand il eut quitté la maison pour se rendre à la pharmacie, Euphémie dit à son garçon et à sa fille :

— Dans quelques minutes, nous irons nous promener près de la rivière, avec de quoi pique-niquer. En attendant, allez jouer dehors un moment, le temps que j'écrive un petit mot à madame Turgeon pour la remercier de son invitation.

La proposition les mit en joie. Chacun des enfants y alla d'une suggestion afin d'étendre la politesse aux jeunes gens de la grande maison de la rue De Salaberry. Puis ils sortirent. Une fois seule, la femme se rendit à la porte du bureau maintenant désert, frappa quelques coups pour s'en assurer, puis entra. Le pupitre était encombré par quelques documents. Elle les déplaça afin de dégager un espace où écrire.

Des feuilles de papier et des enveloppes attendaient dans le tiroir sur sa gauche. Une plume à la main, elle réfléchit quelques minutes. Un bref instant, elle pensa à renoncer, au risque de passer pour mal élevée. Enfin, elle se lança :

Chère madame Turgeon,
Je veux vous remercier encore pour votre obligeante invitation, et la courtoisie de votre accueil.

Les religieuses du couvent des ursulines de Québec auraient apprécié à la fois la graphie élégante, si régulière qu'on aurait pu la croire imprimée, et les mots utilisés.

Mes enfants joignent leurs remerciements aux miens en ce qui concerne la gentillesse de votre fille et de votre garçon, de même que celle de votre invitée, Sophie Deslauriers. Leur attitude témoigne de l'excellente éducation reçue, et de leur bonté innée.

Un dernier paragraphe reprit en quelque sorte le contenu des deux premiers en guise de conclusion, puis elle signa. Il lui restait encore à préparer de quoi manger.

L'enveloppe alla dans le panier d'osier avec les victuailles. Un petit détour lui permettrait de la poster en revenant, cet après-midi.

Puis tous trois s'évadèrent de l'atmosphère pesante de la maison pendant plus de deux heures.

❖

À son retour chez lui après son passage à la pharmacie, Xavier Marcil se sentait étourdi, son cœur semblait battre plus fort. Mais surtout, son existence lui paraissait infiniment moins lourde à porter. Son pupitre comportait des tiroirs. Celui du bas, à droite, devait permettre de ranger des dossiers. À cause de la modestie de sa pratique, la bouteille de vin de coca y logerait sans mal, de même qu'un petit verre apporté de la cuisine, ainsi que le laudanum.

La présence d'enfants dans la maison justifiait qu'il verrouille le tiroir. Essentiellement, il souhaitait garder secret son recours à la pharmacopée. La petite clé alla dans le fond de la poche de sa veste.

❖

Quand la mère et les enfants revinrent vers deux heures de l'après-midi, Xavier marchait de long en large dans le couloir allant de la porte d'entrée à celle donnant sur la cour.

— Ah! Vous voilà enfin. Je me demandais si les bohémiens avaient enlevé tout le monde!

Son ton railleur indiquait que mieux valait ne pas le prendre au sérieux.

— Nous sommes allés nous promener près de la rivière. Je ne te l'avais pas dit?

— Ça m'étonnerait, tu ne me dis jamais rien.

Le ton narquois trahissait surtout son amusement. Il continua :

— Bon, maintenant que je vous sais en sécurité, je ferais tout aussi bien de retourner dans mon bureau.

Avant qu'il ne lui tourne le dos, Euphémie demanda :

— Tu vas bien ?

— Mieux qu'hier, moins bien que demain.

La référence aux mots du poème de Rosemonde Gérard, « aujourd'hui plus qu'hier et bien moins que demain », à propos de son amour pour Edmond Rostand, échappa totalement à Euphémie. À sa décharge, son mari ne lui avait pas donné l'habitude des citations romantiques. Il s'enferma dans sa pièce de travail pour le reste de l'après-midi.

❧

Encore à l'heure du souper, Xavier Marcil affichait une humeur joyeuse. Non pas qu'un petit verre de vin tonique l'eût propulsé dans la population des gens heureux, mais il lui procurait une espèce de légèreté le rendant susceptible de donner le change. Depuis toujours, Euphémie l'encourageait à « prendre sur lui » et, ce jour-là, il en avait la force.

Après un souper rapidement avalé, comme tous les lundis, l'avocat devait se rendre à l'hôtel de ville. Quand il alla prendre son porte-documents dans son bureau, il referma soigneusement la porte et déverrouilla le grand tiroir du bas de son pupitre. Buvant directement au goulot, il enfila une bonne lampée de tonique, outrepassant la posologie. Puis, il effectua le court trajet d'un pas vif.

Comme à de nombreuses reprises auparavant, il fut le premier à s'asseoir à la table du conseil. Cette ponctualité lui permettait de commencer la rédaction de son procès-verbal avant même l'ouverture de la séance. La demi-douzaine de ses concitoyens lui réservait bien peu de surprises. Il pouvait deviner les décisions sur les questions routinières, et il s'amusait à prévoir la distribution des voix sur les autres.

À l'arrivée de chacun des échevins, le secrétaire quittait sa chaise pour lui serrer la main et le saluer. Évariste entra le dernier.

— Veuillez m'excuser, commença-t-il, un ouvrier de la Willcox & Gibbs s'est profondément entaillé un pied.

De telles urgences survenaient parfois. Celle-ci l'avait privé de son souper, en plus de le retarder légèrement.

— Monsieur Turgeon, le reçut Marcil en répétant ses civilités, je tiens à vous renouveler mes remerciements pour hier. Transmettez-les à madame.

— Je… Vous étiez et vous demeurez le bienvenu.

Depuis son fauteuil de fonction, le maire Pinsonneault entendit l'échange. Un haussement de sourcils exprima sa surprise. Et peut-être un brin d'inquiétude, aussi. Décidément, le médecin devenait un conseiller populaire.

— Bon, maintenant que tout le monde est là, on peut commencer, dit-il avec humeur.

Dans les minutes suivantes, Évariste surveilla discrètement le secrétaire. Ses mouvements vifs de la tête, ses rires nerveux et surtout des interventions à la fois intempestives et inhabituelles lui confirmèrent sa première impression. Quelqu'un dans cette ville lui avait vendu du laudanum. Puis il réfléchit. Ce produit facilitait le sommeil, alors que Xavier se montrait plutôt surexcité… Les patients qu'il avait vus dans cet état abusaient habituellement des boissons « toniques » annoncées dans les journaux, celles auxquelles on ajoutait des extraits de feuilles de coca.

Chapitre 7

À la fin d'une réunion du conseil plutôt routinière, chacun rassembla ses affaires en vue de rentrer chez lui. Évariste Turgeon ne perdit pas une minute, désireux de manger un morceau avant d'aller au lit. Pinsonneault ne bougea pas de son fauteuil.

— Marcil, j'aimerais te dire un mot.

À la façon du maire d'annoncer son intention, l'avocat comprit que l'entretien serait privé. Il se montra nerveux en répondant :

— Je peux aller dans votre bureau.

— Non, c'est pas nécessaire.

Les autres échevins ne s'attardèrent pas. Quand ils furent seuls, le maire lâcha :

— Si j'ai bin compris, t'à l'heure, t'as rencontré le docteur hier.

— Il m'a invité à dîner.

L'automne précédent, et même jusqu'à l'élection de février, Pinsonneault et le médecin échangeaient des invitations semblables. Alors, il s'agissait de convaincre le docteur Turgeon de se porter candidat. Depuis, aucun des deux n'avait trouvé opportun de renouveler l'expérience.

— Ouais, tu sors dans l'grand monde !

Dans un autre état d'esprit, le secrétaire aurait souffert du mépris implicite que recelait la remarque. Il s'en amusa plutôt.

— Quand le grand monde m'invite, oui. Avec plaisir, même. Alors si ça vous tente…

Xavier attendit la suite, goguenard.

— On verra, on verra, maugréa Pinsonneault.

Il ramassa ses documents et quitta les lieux en formulant un souhait de bonne fin de soirée peu convaincant.

— Bonne nuit, monsieur le maire.

Puis ce fut au tour du secrétaire de quitter l'hôtel de ville, après avoir éteint les lumières derrière lui.

❀

Sur le chemin du retour, l'avocat s'imagina retrouver une épouse disposée à un rapprochement physique. La dernière fois, c'était il y avait suffisamment longtemps pour qu'il ne puisse se souvenir de la date. Certainement pas après juin, et encore, sans doute avant la Saint-Jean-Baptiste. Le mois d'août commencerait dans deux jours.

À trente pas de la maison, il constata toutefois qu'aucune lumière n'était allumée. Non seulement les enfants étaient au lit, mais son épouse aussi. Un instant, il pensa entrer dans la chambre conjugale afin de réclamer son dû. Après tout, il s'agissait d'un devoir, sa femme ne pouvait le lui refuser.

Cependant, l'idée d'une confrontation le fit tempérer ses ardeurs, ne serait-ce que pour éviter d'éveiller les enfants dans les chambres du haut. À la place, il se rendit dans la cuisine afin de remplir à demi un verre d'eau. Dans son bureau, il y versa trois gouttes de laudanum, pensa en ajouter une quatrième, mais se retint.

Dix minutes plus tard, déjà à moitié hébété, l'homme se glissait sous le drap. Très vite, le dos tourné vers sa femme, il s'endormit. De son côté, feignant le sommeil, Euphémie avait entendu tous les petits bruits dans la maison depuis son retour. Elle fut heureuse qu'il ne l'importune pas.

❀

Finalement, la bouteille de «vin tonifiant» n'avait duré que trois jours. La veille, Xavier avait vu baisser le niveau du liquide avec un certain effarement. Jeudi matin, il quitta la maison pour aller directement à la succursale de la Banque de Montréal. Au commis derrière le comptoir, il demanda dix dollars. Cela lui donna l'occasion de constater la modestie de ses économies. Un seul petit revers, et ce serait la ruine.

Le constat le laissa déprimé, aussi il accéléra le pas pour aller à la pharmacie. Heureusement, le commerce était désert. Dans cette petite ville, la crainte du qu'en-dira-t-on valait celle de la condamnation divine, quand il s'agissait de réprimer ses mauvais penchants. De son poste derrière le comptoir, le marchand lança :

— On ne peut plus s'en passer, hein !

Ces simples mots auraient dû inciter Xavier à la plus grande prudence. Ce ne fut pas le cas.

— Ça m'a fait du bien. Aussi, tant qu'à revenir ici, autant en prendre trois bouteilles.

Une provision pour les dix prochains jours, si sa consommation demeurait la même. Déjà, il se disait que mieux vaudrait aller faire aussi ses achats dans l'autre pharmacie de la ville, afin de moins faire jaser.

— Trois ? Vous avez raison, mieux vaut vous assurer de ne pas en manquer.

En mettant les bouteilles dans un grand sac, le pharmacien s'enquit :

— Pour le laudanum ?

— J'en ai encore.

— Dormir est plus facile que de rester éveillé toute la journée.

Ou plutôt, le vin additionné de coca permettait de se passer de quelques heures de sommeil. Du simple fait de tenir son butin contre sa poitrine, Xavier se sentit mieux pendant tout le chemin du retour. Chez lui, il déposa ses bouteilles dans le tiroir du bas de son bureau. Sous peu, il devrait trouver un moyen de se débarrasser des vides discrètement.

❊

Lors de la messe du 5 août, l'abbé Chicoine monta en chaire pour entretenir ses ouailles, une deuxième fois en autant de semaines, de l'importance pour les jeunes femmes de protéger leur vertu. Déjà, des paroissiens se demandaient si la récurrence de ce thème témoignait de la dégradation des mœurs à Douceville ou d'une obsession de leur nouveau pasteur. Sur le banc des Tremblay, Rosaire et sa fille penchaient clairement vers la seconde explication.

Au terme de son sermon, le vicaire fit les annonces habituelles. Tout d'abord, il aborda un heureux événement :

— Samedi prochain, le 11 août, Malvina Péladeau, de cette paroisse, épousera Elzéar Morin, de Richelieu. Il avait été annoncé pour la semaine dernière, mais des raisons de santé ont forcé les promis à retarder la cérémonie.

Celle-ci devait se tenir la veille, mais Morin avait demandé un report. Non pas que le projet lui répugnait maintenant, mais sa fiancée avait mentionné que le pauvre endurait une indisposition qui, pour être temporaire, n'en était pas moins très douloureuse.

— Puisque quelques paroissiens m'ont demandé des nouvelles de l'abbé Grégoire, enchaîna le pasteur, voilà :

son état n'a guère changé. Aussi, souhaitons que nos prières pour son prompt retour à la bonne santé soient exaucées.

Sur un banc contigu à celui des Turgeon, Sophie Deslauriers baissa les yeux, rougissante. Son père se portait très bien, à en croire sa dernière lettre.

❀

Après la messe, l'abbé Chicoine prit le temps de quitter sa chasuble et son surplis dans la sacristie – qui deviendrait sous peu sa sacristie – avant de se diriger vers le presbytère. Une odeur de rôti venait de la cuisine, aussi il gagna tout de suite la salle à manger.

— Vous avez vraiment eu des nouvelles de m'sieur l'curé? voulut savoir Cédalie Forain, sa ménagère, en commençant le service.

Comment diable cette vieille connaissait-elle son allusion de l'heure précédente à l'état de santé de Grégoire? Des servantes de la paroisse devaient partager avec elle des bribes de son prêche au téléphone dès la messe finie. Leur propre petit réseau d'information, en quelque sorte.

— Vous le savez comme moi, il ne nous a pas transmis la moindre information au cours des deux dernières semaines. Aucune lettre, pas même un coup de fil.

— Monseigneur l'évêque vous a rien dit?

— Sa Grandeur s'est contentée de me répéter la même chose que Grégoire lui-même à son départ: il doit se reposer. Alors, je tiens le fort, et j'attends la suite des événements.

— Vous pourriez aller demander à mademoiselle Sophie. Il la tient certainement au courant de la situation.

Chicoine secoua la tête de droite à gauche pour dire non.

— Ce serait indiscret. Maintenant, vous pouvez continuer le service.

Le ton, plus que les mots, convainquit Cédalie d'abandonner le sujet. Si elle tenait à recevoir des nouvelles, il lui faudrait s'en occuper elle-même.

❁

La consommation de vin tonifiant pendant presque une semaine opérait une transformation visible chez Xavier Marcil. À des périodes de fébrilité succédait un sentiment d'abattement qui perdurait jusqu'à la dose suivante. Tout de même, les descentes duraient moins longtemps que les montées. Dans une certaine mesure, il connaissait une belle histoire d'amour avec une bouteille portant une étiquette en anglais.

S'il vivait mieux avec son vague à l'âme, il devenait aussi plus facile à vivre. Pas assez pour que ses enfants se sentent tout à fait détendus en sa présence, pas après toutes ces années de froideur. Mais avec le temps, la tension baisserait. Sur le chemin du retour après la messe dominicale du 5 août, il proposa :

— Bon, nous mangeons rapidement, puis, cet après-midi, nous allons tous à la pêche.

Le garçonnet ouvrit de grands yeux inquiets. De toute sa courte existence, jamais son père n'avait formulé une invitation de ce genre.

— Tu ne veux pas, Anselme ? Pourtant, tous les enfants aiment la pêche !

L'insistance le déstabilisa encore plus.

— Tu es certain que tu souhaites faire cela ? demanda Euphémie.

— Oui, je suis certain. Après tout, comme tu me le disais toi-même, c'est ça, le rôle d'un père.

Les époux se dévisagèrent silencieusement, puis la mère reprit, d'un ton plus amène :

— Je m'occupe du repas. Mais pour aller à la pêche, il faut des cannes, non ?

— Et des vers.

Denise plissa le nez de dégoût.

— Pour les cannes, il y en avait dans la remise quand j'étais enfant, dit Xavier. Elles doivent toujours se trouver là.

Son enfance, c'était au moins vingt ans plus tôt. Quand le vieux Marcil possédait cette maison.

— Venez avec moi, nous allons les dénicher.

De nouveau, le garçon et la fille furent stupéfaits. Finalement, plus par soumission que par plaisir, ils suivirent leur père dans la cour. Un petit appentis collé à la maison contenait une multitude d'objets : des seaux, des pioches, des pelles et d'autres outils de jardinage. Toutes les pièces de métal montraient une épaisse couche de rouille. Des fils d'araignée couvraient le tout d'une ombre grise.

— C'est répugnant ! s'exclama Denise.

— Bah ! Du moment où nous ne te demandons pas de coucher là…

La gamine grimaça, mais l'esquisse d'un sourire vint sur ses lèvres. De toute façon, son père ne l'invitait pas à l'aider. Il chercha un bout de bois sur le sol, s'en servit pour lever les toiles afin de ne pas gâcher ses vêtements.

— Je les vois ! s'écria le fils.

Mais voir les cannes à pêche, ce n'était pas les empoigner. Xavier avança dans l'appentis. Aussitôt, son veston, sa chemise et son pantalon se couvrirent de souillures. Mais après une minute, il tenait à la main quatre tiges de bambou. Il testa leur solidité, se réjouit de les voir encore en bon état. Toutefois, au premier toucher, les ficelles verdâtres se brisèrent. Anselme dit :

— Maman a du fil dans son panier à couture.

— Alors, nous irons voir.

— Et les hameçons ?

Quelques-uns étaient piqués dans l'une des cannes.

— Ils sont rouillés, mais je ne pense pas que les poissons vont s'en apercevoir. Maintenant, il faut des vers.

Denise retrouva immédiatement sa mine dégoûtée et décida de rentrer dans la maison. Xavier récupéra une vieille pelle, puis se mit en quête d'un endroit où la terre demeurait humide. Il y planta son outil et retourna une pelletée de terre. Son fils regarda avec fascination les bestioles qui, coupées en deux par le fer de la pelle, continuaient de se tordre.

❋

De la fenêtre de la cuisine, Euphémie observait son époux et ses enfants. À cette distance, impossible de saisir les paroles échangées. Toutefois, elle voyait bien que, lentement, les langues se déliaient. Ses deux enfants cherchaient un père et, tout à coup, celui-ci se manifestait.

Quand Denise entra dans la maison, elle lança :

— Maintenant, il attrape des vers !

— Pour appâter les poissons, rien de mieux.

— Il a retrouvé les cannes à pêche, mais les ficelles sont pourries.

— Je pense avoir ce qu'il faut. Tu peux te servir dans ma boîte à ouvrage.

La fillette fit mine d'aller vers la chambre conjugale, puis se retourna pour demander :

— Qu'est-ce qu'il a ?

Devant le regard interrogateur de sa fille, la mère fit un geste d'ignorance.

— Je ne sais pas.

— Ses migraines ?

— La semaine dernière il a parlé au docteur Turgeon. Peut-être qu'il lui a enfin prescrit quelque chose d'efficace.

Le ton d'Euphémie exprimait un grand scepticisme sur la capacité de la médecine de venir à bout des maux mystérieux de son époux. Après quelques minutes, ce dernier entra dans la maison, précédé de son fils.

— On a des vers ! clama Anselme.

De la main, il désignait Xavier qui le suivait avec une vieille boîte de conserve cabossée et couverte de rouille.

— Pas dans la maison, dit aussitôt la mère.

— Ils sont propres, intervint l'homme. Je m'en suis assuré.

Son humour la prit au dépourvu. Surtout qu'il ne faisait pas semblant. Cette métamorphose lui paraissait incompréhensible.

— Quand même, laisse-les dehors et mets la table.

Il obtempéra sans discuter.

❈

Pendant une partie de l'après-midi, la famille Marcil marcha sur la berge du Richelieu, à la recherche du meilleur endroit pour pêcher. Les premières tentatives restèrent infructueuses.

— Le niveau de la rivière est bas, commenta le père. C'est mauvais pour la pêche.

En tant que fille de la ville, Euphémie n'en savait rien. Un instant, elle se demanda si ce contretemps ramènerait le vague à l'âme de son mari. Puis, un frémissement dans la gaule d'Anselme entraîna un « J'en ai un ! » enthousiaste. Ensuite, le nombre de prises augmenta suffisamment pour fournir de quoi souper. Quand la mère prépara les poissons, elle grimaça en voyant des vers dans la chair blanche.

— Ça arrive quand l'eau est trop basse, expliqua son mari. Ça, puis le goût de vase.

La découverte souleva le cœur des enfants. Ils renoncèrent sans trop de déception à ce repas. Euphémie ne put s'empêcher de songer que ces prises ressemblaient à son mariage : belles de l'extérieur, pourries à l'intérieur.

Les carpes, jetées dans l'herbe au bout du terrain, augmenteraient la pestilence que le docteur Turgeon souhaitait éradiquer.

Au moment d'aller se coucher, Euphémie demeurait perplexe. Un premier indice témoigna de son appréciation de ce changement d'attitude. Quand Xavier arriva dans la chambre, contrairement à son habitude, elle ne feignait pas de dormir déjà, le visage tourné vers le mur. L'époux tenait un verre à la main.

— Je le prendrai tout à l'heure.

Devant ses yeux interrogateurs, il jugea nécessaire de préciser :

— Du laudanum, pour m'aider à trouver le sommeil. Si je me repose mieux, les journées sont plus faciles.

Elle hocha la tête. Voilà qui expliquait sa métamorphose. Dommage qu'il n'y ait pas songé des années plus tôt. Il enleva son pantalon et sa chemise pour les suspendre. Quand il s'étendit à ses côtés dans un sous-vêtement de coton, elle déclara :

— Tu devrais porter un pyjama. Moi, je mets une chemise de nuit.

— Par cette température ? Remarque, si tu m'en déniches une aussi légère et aussi courte que la tienne, je ne dirai pas non.

Les yeux de Xavier détaillaient la poitrine de sa femme. Les pointes foncées des seins se voyaient très bien sous le tissu presque transparent. Elle plaça un bras en travers de sa poitrine, tout en ordonnant :

— Éteins la lumière.

Au moins, elle échapperait à son regard. Toutefois, à peine étendu à ses côtés, il tendit la main pour la poser sur son ventre.

— Non, pas ce soir.

D'habitude, Xavier n'insistait pas. Cette fois, il esquissa une caresse. Euphémie se raidit, mit sa main sur son poignet.

— Je ne te traînerai pas devant les tribunaux, prévint le mari, enfin pas tout de suite. Mais d'habitude, le mariage comporte des avantages légitimes. La loi est de mon côté.

Elle ne pouvait jauger le sérieux de l'argument. Il s'exprimait comme un avocat. En viendrait-il au rôle du violeur pour obtenir son dû ? Le mouvement de sa main s'élargit, au point d'atteindre les seins de son épouse.

— Peut-être, mais ce soir…

Quand les doigts s'attardèrent sur la pointe du sein droit, elle se tut.

— Ce soir, murmura Xavier, après ces heures sous le soleil, je me sens…

Quel mot utiliser ? Amoureux ? Ou simplement excité ? En s'approchant, il appuya son érection contre la hanche de sa femme.

— Non, je…

Sa bouche vint se poser sur son cou, légère, sa main passa à l'autre sein. Alors, elle céda.

— Je ne veux pas d'autre enfant. Déjà, tu n'arrives pas…

« … à faire vivre convenablement les deux premiers », voulut-elle conclure. Il ne lui en laissa pas le temps, la faisant taire par un baiser. Les enfants s'étaient endormis heureux, Euphémie eut envie qu'il en aille de même avec son époux.

— D'accord, mais fais attention.

— Je vais me retirer.

Après quelques minutes de va-et-vient, Xavier laissa entendre un grognement, puis se laissa tomber sur le côté.

— Tu avais dit… commença Euphémie sur un ton de reproche.

— Ça m'arrive tellement rarement, je me retrouve fébrile comme un nouveau marié.

À l'entendre, la faute incombait à l'épouse.

Un peu plus tard, accroupie au-dessus d'une bassine avec une poire en caoutchouc fichée dans le sexe, elle tentait d'expulser toute la semence de son corps en s'injectant dans le vagin de l'eau additionnée de savon.

❁

Le lundi 6 août au matin, lorsqu'il entra dans la salle à manger, Georges Turgeon fut accueilli par sa mère qui, les bras grands ouverts, lança :

— Bonne fête, mon grand !

Elle l'embrassa sur une joue, puis sur l'autre. Corinne se tenait aussi dans la pièce. L'adolescente répéta les mêmes gestes tout en commentant :

— Déjà l'âge de raison ! Décidément, le temps passe vite.

— L'âge de raison, c'est sept ans.

— Pour les filles. Pour les garçons, on ajoute dix ans. Onze, dans ton cas.

Toute protestation serait inutile, alors autant accepter la taquinerie avec le sourire. Sophie quitta sa chaise, les joues roses, pour s'approcher de lui.

— Bonne fête, Georges, murmura-t-elle.

Vinrent ensuite les deux bises. Les mots, tout comme le geste, étaient semblables à ceux des autres. Le ton donnait cependant un tout autre sens à son souhait. Au point que, pendant un instant, les témoins se sentirent de trop dans la pièce. Heureusement, l'arrivée d'Évariste fit diversion. Il prit son fils dans ses bras, lui tapa dans le dos en lui confiant :

— Je me sens vieillir, mais je suis content que tu grandisses si bien. Bonne fête.

L'émotion rendait sa voix rauque.

Chacun regagna sa place à table. Le moment des effusions était passé. Bien sûr, quand Graziella entra en poussant la desserte, elle ajouta ses vœux bourrus à ceux de la famille. Toutefois, ce n'était pas la même chose. En versant le café, Aldée souhaita également un bon anniversaire au jeune homme.

Quand les domestiques furent retournés dans la cuisine, Délia annonça à Georges :

— Aujourd'hui, ton père a toute une liste de patients à voir. Cependant, il a pris congé samedi. Alors, nous profiterons tous d'une journée à Montréal.

— Nous irons aux vues ? s'exclama Corinne.

Son enthousiasme laissait croire que la journée lui serait consacrée. Sa mère la ramena tout de suite à plus de sagesse.

— Nous laisserons ce jeune homme décider du programme… s'il se montre réaliste.

Georges pensa un instant à proposer une virée au parc Sohmer, pour voir des hommes forts soulever des haltères ou un spectacle de lutte. Mais le souvenir de l'entrejambe velu d'une danseuse lui traversa l'esprit, s'accompagnant d'une érection inopportune. Autant se montrer beau joueur et garder cette envie secrète.

— Nous irons faire un tour dans les grands magasins, puis voir un film.

Le garçon faisait ainsi plaisir à sa mère et à sa sœur. Même s'il le demandait, son véritable désir ne serait pas exaucé : une journée en tête-à-tête avec Sophie.

— Et manger dans un bon restaurant, renchérit Évariste. Enfin, si notre jubilaire le permet.

— Évidemment.

Décidément, l'excursion coûterait plus cher au médecin qu'un beau présent et un repas à la maison.

❀

À moins d'une urgence, Délia se présentait toujours à la cuisine en milieu de matinée, pour ne pas déranger ses domestiques en train de faire la vaisselle du matin ou de préparer le repas de midi. À ce moment, Aldée s'occupait de ranger les chambres.

— Graziella, toute la famille sera absente de la maison samedi, alors vous pourrez profiter de la journée.

— Bin, pour moé, ça fera pas trop de différence. Mais la p'tite s'ra heureuse de rencontrer son galant.

— Elle voit toujours Jean-Baptiste ?

— Depuis que pus personne lui r'vire la tête, a voué clair.

L'allusion à Félix Pinsonneault s'accompagna d'un sourire en coin. Depuis quelques mois après le Mardi gras, depuis que Délia l'avait confronté au sujet de ses turpitudes, en fait, le grand blond avait privé la maison de sa présence. Tout le monde s'en portait mieux.

— Ce monsieur Vallières ne travaille pas le samedi ?

— Pas depuis le début d'l'été. Je suppose que les moulins à coudre se vendent moins bien quand y fait beau. Les femmes aiment mieux être dehors.

Cette analyse des cycles de production dans l'industrie des machines à coudre en valait une autre.

— Ne manquez pas d'informer Aldée de ce petit congé. Bonne journée, Graziella.

La maîtresse de maison retourna vers le salon. Au passage, elle entendit des rires à l'étage. Décidément, les jeunes filles s'amusaient bien.

❀

En haut, Corinne disait à la bonne :

— Aldée, je me sens toujours honteuse quand tu ranges ma chambre. Depuis que l'école est finie, je suis encore plus traîneuse que d'habitude.

La jeune bourgeoise répétait régulièrement ces excuses déguisées, et la domestique répondait chaque fois de la même façon :

— C'est mon travail, mademoiselle.

— Puis en plus, maintenant vous devez ramasser les traîneries de deux filles.

Aldée préféra ne pas mentionner que la présence de Sophie changeait bien peu sa charge de travail. L'invitée de la maison rangeait tout son linge, ses vêtements, et faisait même son lit en se levant. Il ne restait qu'à ôter la poussière et passer le balai.

— Ce n'est rien, mademoiselle.

Corinne quitta son lit tout en disant :

— Au moins, nous aurons la gentillesse de nous enlever de vos jambes.

Son amie se leva pour aller aussi vers la porte. Toutefois, Corinne n'en avait pas terminé.

— Vous voyez encore ce beau grand jeune homme ? demanda-t-elle à Aldée.

Le rouge monta aux joues de la domestique.

— De qui parlez-vous ?

Aldée le savait très bien, pourtant.

— Je ne sais pas son nom, mais je vous ai vus ensemble mercredi, il y a deux semaines. Grand, les cheveux blonds.

— Il s'appelle Jean-Baptiste.

— Ne le laissez pas s'envoler.

Sur ces mots, les jeunes filles quittèrent la chambre pour aller dans celle de Sophie. Dans deux minutes elles feraient l'inverse. La domestique commença sa besogne en récupérant un jupon et des bas jetés en tas au fond de la penderie.

Chapitre 8

Tôt le matin, une silhouette courte et épaisse passa devant les fenêtres de la demeure des Turgeon pour se rendre à l'arrière de la bâtisse.

— Bin, qui c'est qui cogne à c't'heure-citte ? s'interrogea Graziella en l'apercevant par la fenêtre de la cuisine.

Après s'être essuyé les mains sur son tablier, elle ouvrit la porte arrière pour découvrir mademoiselle Forain, la ménagère du curé.

— Cédalie, j'peux-tu faire queque chose pour toé ?

— Oui pis non. J'voudrais parler à la nièce du curé. Est toujours icitte ?

— A l'était là à matin, là a s'promène peut-être en ville. Mais t'aurais dû passer par en avant.

— Ça, c'est pour la vraie visite.

Les domestiques et les livreurs utilisaient l'entrée de service. Cela semblait plus indiqué à la vieille dame, même si elle était venue pour rencontrer une invitée de la maison.

— Elle n'est pas en ville, elle est en haut, corrigea Aldée, occupée à laver la vaisselle. Si vous voulez, je peux aller la chercher, proposa-t-elle.

Graziella donna son assentiment d'un signe de la tête. Quand la bonne eut quitté la pièce, la cuisinière profita de l'occasion pour demander :

— Le curé, sais-tu comment y va ?

— C'est pour avoir des nouvelles de lui que j'suis icitte.

— Tu sais rien ?

Cédalie secoua la tête de droite à gauche.

— J'ai demandé au vicaire, mais tu sais, les patrons, ça fait pas de confidences aux servantes.

Toutes deux le regrettaient certainement. Le fait de passer leur vie dans la même demeure que leur employeur suscitait une curiosité qu'elles ne pouvaient jamais satisfaire.

— C't'été, y est allé une coup' de fois à Montréal pour voir des docteurs, pis y est disparu.

Graziella hocha la tête. Elle allait insister quand la voix joyeuse de Sophie vint de l'entrée de la pièce.

— Cédalie, je suis heureuse de vous revoir !

Bien qu'il fût impossible de douter de sa sincérité, la jeune fille restait debout à trois pas de la vieille dame.

— Moé aussi, la p'tite. Comme t'es belle !

Sophie portait de nouveau l'une de ses robes blanches. Cela lui donnait l'allure d'une mariée juvénile. Ses cheveux blonds attachés sur sa nuque dégageaient son visage aux traits fins.

— Ch'peux-tu te parler une minute ?

La présence de témoins dans la pièce intimidait la ménagère. L'adolescente acquiesça, puis s'enquit, avec un charmant sourire :

— Aldée, pourriez-vous nous servir une limonade sur la galerie, devant ?

— On peut aller en arrière.

Des yeux, la visiteuse désignait la cour.

— Nous serons bien mieux dans les fauteuils.

Pendant ce temps, la blonde interrogeait Aldée du regard.

— Je vous apporte de quoi boire dans un instant.

— Merci. Venez avec moi.

Cédalie parcourut le corridor en tentant de faire l'inventaire de toutes les pièces. Si le presbytère contenait des meubles de prix, son atmosphère était lugubre. L'élégance bourgeoise parut plus séduisante à la vieille dame. Pas étonnant que la jeune fille préfère cet endroit à la maison de son oncle le curé.

Sur la galerie avant, elles prirent place dans des fauteuils placés de part et d'autre d'une petite table. Jusqu'à ce qu'Aldée apporte les boissons, elles parlèrent du beau temps et des riches demeures de la rue De Salaberry.

Après une première gorgée, Cédalie remarqua :

— Tu dois te sentir bin icitte.

— Les Turgeon sont très gentils avec moi.

Comme pour en faire la preuve, Délia sortit à ce moment en compagnie de sa fille. Toutes deux devaient se rendre au couvent des sœurs de la Congrégation afin de régler les frais pour l'année scolaire qui allait commencer. Malgré ses résistances initiales, Corinne s'était laissée convaincre d'accomplir cette ultime étape de sa scolarité.

— J'aurais pas dû m'asseoir icitte, s'excusa la ménagère.

— Pourquoi cela ? Nous y recevons tous nos invités.

Elle salua Sophie et la ménagère du curé, puis la mère et la fille descendirent sur le trottoir.

— J'voué c'que tu veux dire. Ça te fait comme une famille.

— Pour la première fois. À mon âge.

Elle se reprit aussitôt :

— Évidemment, je fais exception des derniers mois avec vous et mon oncle. Je m'excuse.

— T'excuse pas. Un curé pis une vieille servante dans un presbytère, c'est pas une famille.

Une fois l'abbé Grégoire évoqué, Cédalie se sentit plus à l'aise pour aborder le véritable motif de sa visite.

— T'as des nouvelles de ton oncle ?

Sophie réfléchit un moment avant de mesurer ce qu'il convenait de dire, et de taire.

— Oui et non. Enfin, il m'écrit. Mais sans me donner de nouvelles de son état de santé, sauf pour dire qu'il va bien.

— Y est où ?

— Aux États-Unis.

Cédalie ne se contenterait pas d'une réponse aussi vague.

— Dans une petite ville du Massachusetts que je ne connais pas.

La ménagère paraissait vraiment inquiète, aussi l'adolescente regretta de la mener ainsi en bateau.

— Tout ira bien, je vous assure. En partant, il n'a mentionné aucune maladie grave, et sa correspondance est optimiste.

La vieille hocha la tête, désireuse de se laisser convaincre. En baissant le ton, elle confia :

— T'sais, moé, rester tu seule dans la même maison que le vicaire, ça me tombe sur les nerfs.

— À ce sujet, je vous crois sur parole.

— Pour ça… on le connaît, not' vicaire.

Au moins, Cédalie, à plus de cinquante ans, ne devait pas attirer ses regards lubriques. La conversation dura encore quelques minutes, puis la ménagère retourna au presbytère.

❀

Le samedi matin, les Turgeon formèrent une petite procession en direction de la gare. Les parents marchaient devant, bras dessus, bras dessous. Les jeunes suivaient. Chacune des adolescentes, toutes deux vêtues de bleu pour cette expédition, tenait un bras de Georges. Le garçon sentait la chaleur sur ses joues, à la fois intimidé et fier d'être vu ainsi encadré.

— Tu dois te sentir bien différent, à dix-huit ans, le taquinait Corinne. Presque un homme.

— Pas plus qu'il y a une semaine.

Le sourire de sa sœur laissait prévoir une répartie légèrement piquante.

— Tu as bien raison. Après tout, tu ne voteras pas avant trois ans…

— Et toi, pas du tout, même si tu vis encore cent ans !

Des ongles s'enfoncèrent dans son avant-bras, juste assez pour lui rappeler qu'elle avait des griffes. Très sérieusement, il ajouta :

— En ce moment, des garçons et des filles de douze ans travaillent à l'usine ou à l'atelier. Ceux-là, tu les vois aussi comme des enfants ?

L'argument la réduisit au silence jusqu'à la gare. Sur sa gauche, Sophie exerça une menue pression sur son bras, presque une caresse. Ce matin-là, la jeune fille s'était une nouvelle fois excusée auprès de Délia pour sa présence parmi eux, proposant même de rester à la maison « pour ne pas imposer cette dépense à monsieur Turgeon ». La femme avait tout simplement passé son bras autour de ses épaules pour l'approcher et murmurer à son oreille :

— Mais ton père paiera, alors ne t'inquiète pas.

Chaque allusion à son lien de parenté réel avec l'abbé Grégoire la faisait rougir. Cependant, cette réponse lui avait permis de se sentir plus à l'aise d'accompagner la famille.

Quand ils arrivèrent à la gare du Grand Tronc, Évariste se dirigea tout droit vers le comptoir afin d'acheter des billets de première classe. Un samedi, l'affluence dans les wagons de deuxième classe obligerait certains à voyager debout. Les Turgeon et Sophie ne subiraient pas cet inconfort.

Tous les cinq attendirent ensuite, debout sur le quai.

— Tu aimes aller en ville ? demanda Georges à Sophie.

— J'y vais pour la troisième fois, et la seconde n'a pas été une réussite.

Le garçon murmura un mot d'excuse pour avoir éveillé de si mauvais souvenirs. L'abbé Grégoire lui avait fait connaître ses origines dans la grande ville. À la suite de cette confidence, l'adolescente était venue se réfugier au domicile de la rue De Salaberry.

— Mais je suis certaine que nous aurons une belle journée aujourd'hui, le rassura-t-elle, le rose aux joues.

L'énorme locomotive s'approchait à grand fracas dans un nuage de vapeur blanche. Elle s'arrêta avec un long crissement métallique. Le médecin posa sa main sur la taille de son épouse pour lui permettre d'accéder d'abord aux trois marches. Inspiré, Georges répéta exactement le même geste à l'égard de Sophie. Les yeux baissés, elle murmura un merci. Corinne ne put dissimuler sa surprise, mais ne pipa mot. Souriant, son frère lui offrit sa main.

❧

La famille avait pu trouver un compartiment vide. Ils occupèrent cinq places, une vieille dame de langue anglaise prit la dernière. Après un partage de salutations polies, elle se passionna pour un livre de poésie. Les autres purent bavarder en toute quiétude.

— Nous avons parlé de grands magasins, mais où allons-nous ? s'informa Corinne.

— Pourquoi pas Dupuis Frères ? suggéra sa mère. Après tout, il s'agit du magasin à rayons des Canadiens français.

L'adolescente mordit sa lèvre inférieure, puis jeta un regard discret en direction de son père. Il paierait la facture, il lui revenait de choisir l'endroit.

— C'est très bien, intervint Sophie. J'y suis déjà allée avec mon oncle…

La jeune fille s'interrompit sur le dernier mot, gênée. Toutes ses allusions à Alphonse Grégoire la jetaient dans la même confusion, qu'elle le désigne en disant oncle ou père.

— Mais comme le magasin Morgan sera sur notre chemin, nous nous y arrêterons en passant, conclut Évariste.

Délia serra sa main sur son bras tout en lui adressant un sourire. À ce moment, Corinne se sentit prise de remords. Tout compte fait, elle s'appropriait l'anniversaire de son frère. Georges le comprit bien ainsi. Son sourire moqueur augmenta son malaise d'un cran.

❧

Dans les campagnes, les mariages rassemblaient parfois la totalité des membres d'une paroisse. À la ville, les rapports de voisinage s'avéraient moins cordiaux. Par ailleurs, la question des ressources familiales entrait en ligne de compte. Les frais de la noce incombaient au père de la mariée. À titre d'ouvrier à l'usine de faïences de la rue Saint-Édouard, monsieur Péladeau tiendrait des célébrations très modestes. En conséquence, une vingtaine de personnes vinrent à l'église de Douceville. La petite assemblée se réunit dans la sacristie, sans musique ni chantres.

L'abbé Chicoine arriva juste un peu avant dix heures, déjà revêtu de son surplis et de sa chasuble. Normalement, il devait ouvrir la cérémonie, puis accueillir le cortège nuptial à son entrée magistrale dans l'église : le marié au bras de sa mère, le père du marié au bras de la mère de la mariée, et finalement la mariée et son père. Mais tout ce beau monde occupait déjà les bancs du premier rang.

Elzéar Morin quitta sa place pour s'approcher de la balustrade. Le prêtre remarqua sa grimace et sa façon de marcher avec les pieds trop écartés. Ce détail lui permit de formuler quelques hypothèses sur l'indisposition ayant entraîné le report de la cérémonie.

De son côté, Malvina Péladeau esquissa un sourire timide en venant se planter devant son pasteur. Des pensées troubles se bousculaient dans son esprit, ainsi placée près de son futur et en face du prêtre qui la troussait depuis le début de la préparation au mariage. Elle portait une robe saumon et un chapeau de paille, les mêmes vêtements que tous les dimanches depuis la Saint-Jean-Baptiste.

En la regardant s'avancer, le vicaire aussi se rappelait leurs rencontres sulfureuses des précédentes semaines. La combinaison de ses souvenirs et la promesse des privautés à venir firent en sorte qu'il commença son mot d'accueil avec une solide érection. Déjà, l'ecclésiastique imaginait leur prochaine séance dans la petite pièce du fond, située à quelques pieds. Son travail de direction spirituelle lui fournirait certainement l'occasion de plus d'un tête-à-tête.

❖

Tout de suite après le petit-déjeuner, Aldée était montée dans sa chambre sous les combles afin de se changer. Certes, les vieilles robes de Corinne étaient infiniment plus élégantes que tout ce qu'elle pouvait se payer avec ses gages de domestique. Toutefois, elles ne la flattaient pas vraiment. Même après qu'elle eut pris quelques livres, ses formes ne se comparaient pas avec celles de la fille de la maison.

— Ce congé, nous devrons le remettre un jour ou l'autre, je suppose, énonça-t-elle en revenant dans la cuisine.

— Bin, j'suppose que si la patronne rêve de recevoir des gens mercredi, tu vas te retrouver dans ton uniforme.

Il était exceptionnel pour elles de jouir d'un samedi de liberté.

— Tant pis. Aujourd'hui au moins, je verrai Jean-Baptiste.

— R'garde su' la table.

Un sac de papier brun attendait.

— J'ai préparé de quoi manger pour vous deux. Quand un gars veut se marier, y doit mett' de l'argent de côté. Pis mon manger est meilleur que celui des restaurants.

— Personne n'a dit qu'il voulait se marier.

En tout cas, le jeune homme n'en avait jamais fait mention, et à ce sujet, son avis serait déterminant.

— Y essaie pas de te serrer dans un coin ?

Graziella avait le chic pour raviver le souvenir de Félix Pinsonneault dans l'esprit d'Aldée. En pinçant les lèvres, celle-ci secoua la tête de droite à gauche.

— Tu vois, ça va bin aller.

La cuisinière répétait une croyance ancienne : les hommes respectaient les futures épouses et baisaient toutes les autres. Toutefois, dans ce domaine, les connaissances de la vieille célibataire ne paraissaient pas à toute épreuve.

Aldée prit le sac.

— En tout cas, je vous remercie de tout cœur, et Jean-Baptiste voudra peut-être le faire lui même quand nous reviendrons.

— Justement… Les patrons s'ront pas icitte avant la nuit. Pourquoi tu demandes pas à ton galant de v'nir souper avec nous aut' à soir ?

— Nous ne pouvons pas. Si madame l'apprenait, elle nous jetterait dehors.

Les maisons bourgeoises étaient des lieux de travail. Offrir à quelqu'un une escalope prise dans la glacière des employeurs représentait peut-être même un vol en vertu du code criminel.

— Madame ne ferait pas ça. J'la connais depuis qu'était jeune fille.

Tout de même, après une hésitation, la cuisinière ajouta :

— Bin sûr, on va manger icitte dans not' vaisselle, pas dans la salle à manger.

Malgré les scrupules d'Aldée, l'idée lui plaisait. Cela lui permettrait de prolonger sa rencontre avec Jean-Baptiste.

— Je le lui demanderai.

La jeune fille quitta les lieux sans demander à sa collègue ce qu'elle ferait de son jour de congé. La pauvre était aussi casanière que pendant l'hiver. Sans doute se contenterait-elle de s'asseoir dans la cour pour boire une limonade.

❀

Le clan Turgeon descendit à la gare Bonaventure au milieu de la matinée. Quand tous furent sur le quai, le médecin proposa :

— Nous pouvons nous rendre au magasin Morgan à pied. Il se trouve à un demi-mille environ.

— Seulement un demi-mille ? s'étonna sa femme. La dernière fois, nous avons pris un cocher pour en parcourir au moins trois.

— Bienvenue à Montréal ! Chacun doit gagner sa vie.

Évidemment, une promenade rapportait davantage si elle durait une demi-heure plutôt que sept minutes.

— Nous y allons ?

L'homme offrit son bras à sa conjointe, et derrière eux, les deux adolescentes encadrèrent Georges de nouveau. Le petit groupe emprunta la rue University jusqu'à la rue Sainte-Catherine. Finalement, le demi-mille en devint tout un. Délia se réjouit à haute voix de la relative honnêteté des cochers de la ville.

Parcourir tous les étages du magasin Morgan leur prit jusqu'à l'heure du dîner. Comme les dames en étaient à leur seconde visite depuis moins de deux mois, chacune se montra des plus raisonnable.

❖

L'automne précédent, Aldée rencontrait Félix Pinsonneault dans le parc municipal situé tout près de l'église et du presbytère. À la fin de l'hiver, l'endroit était devenu son lieu de rendez-vous habituel avec Jean-Baptiste. Son plaisir de le voir se mêlait toujours à de mauvais souvenirs.

Le jeune homme quitta son banc à son approche pour venir vers elle.

— Alors, la patronne te donne ton samedi pour te remercier de tes bons services ?

— La patronne a décidé de se rendre à Montréal avec le patron et ses enfants. Autrement, je serais en train de préparer le dîner, à cette heure-ci.

Même si tous deux se voyaient maintenant depuis quelques mois, au moment des retrouvailles, ils demeuraient toujours un peu embarrassés. Le fait de se voir seulement les mercredis à la fin de la journée de travail de l'artisan, et toujours dans un endroit public, était pour beaucoup dans cette gêne persistante.

— Souhaitons-lui de faire la même chose toutes les semaines.

Tout en parlant, Jean-Baptiste offrit son bras à Aldée pour l'entraîner en direction de la rivière Richelieu. L'été, la fraîcheur du cours d'eau s'avérait bienvenue. Il portait un sac de toile en bandoulière. Un menuisier se promenait parfois avec ses outils. Ce jour-là, le sac contenait deux bouteilles de bière et une limonade. De quoi chasser les coups de chaleur.

— T'as un sac avec toé, remarqua-t-il pour dire quelque chose. T'as fait des achats en chemin ?

— Graziella nous a préparé de quoi pique-niquer.

— Je m'arrêterai à soir pour la remercier.

— Si tu le désires, tu en auras l'occasion. Elle nous préparera à souper.

Il reprit l'argument de la domestique une demi-heure plus tôt : « Ça ne se fait pas, tu vas te faire renvoyer. » Et elle, celui de la cuisinière : « Madame n'est pas comme ça. » À tout le moins, elle souhaitait le croire, car l'idée de ce repas l'enthousiasmait de plus en plus.

Des gens louaient des embarcations pour permettre aux Doucevilliens de voguer sur l'eau boueuse du Richelieu. Pour faire l'économie de quelques sous, Jean-Baptiste se dirigea plutôt vers des ateliers situés au bord de l'eau, puis contourna une bâtisse pour atteindre une cour encombrée de tonneaux pourris, de bouts de planches et de détritus dont Aldée ne voulait pas connaître l'origine.

— Nous avons le droit d'être ici ?

— L'endroit appartient à un ami. Il me prête sa chaloupe.

C'était plutôt un canot, abandonné sur la rive. Heureusement, la jeune fille le jugea en parfait état, peu susceptible de couler dans les minutes à venir. Le menuisier le poussa vers la rivière, offrit sa main à sa compagne pour l'aider à embarquer, puis marcha dans l'eau boueuse jusqu'au moment de monter à son tour. En utilisant une rame comme une perche, il dégagea complètement la barque, puis s'installa sur le banc du milieu pour manœuvrer.

Aldée s'installa sur le siège à la poupe, pour lui faire face. Pendant un moment, il rama en silence, tout en lui adressant un sourire amusé. Elle devina que son regard se portait sur ses chevilles et le bas de ses jambes, dégagés par la robe légèrement retroussée.

Résistant à l'envie de rabattre le tissu, elle persifla :

— Tu devrais plutôt te tordre le cou pour savoir où tu vas.

Comme toujours dans ce genre d'embarcation, il tournait le dos à sa destination.

— Pour ça, j'compte sur toé. D'ailleurs, j'me dis que je devrais le faire tous les jours. Tu f'rais un bon pilote, j'pense.

Ces mots, dans ce contexte, ne pouvaient signifier qu'une chose. Elle sentit la chaleur monter sur ses joues.

— On s'entend bin. Pourquoi on se marierait pas ?

La grande demande aurait pu être formulée de façon bien plus romantique, avec un témoignage d'affection un peu plus passionné que ce simple « on s'entend bin ». Toutefois, Aldée sentit son cœur s'accélérer.

— Je n'ai que dix-sept ans ! Je suis trop jeune.

— Moi aussi ! dit-il.

Et il éclata franchement de rire.

— Bon, j'suis pas si jeune, mais j'me marierai quand je pourrai avoir une maison. Ça prendra pas une éternité, t'sais, j'ai rapporté pas mal des États.

Une heure plus tôt, Graziella soulignait que les prétendants sérieux faisaient des économies.

— Fait que si t'es d'accord, tu vois pas d'autres gars, pis moé pas d'autres filles, pis on fait une noce au printemps 1909.

Trois ans. Elle trouva le délai interminable. Son silence s'allongea juste assez longtemps pour inquiéter Jean-Baptiste.

— T'as pas à répondre tu suite. Tu peux y penser.

— J'ai rien à penser, Jean-Baptiste. Je t'attendrai le temps qu'il faudra.

Le sourire de son compagnon lui donna la certitude d'avoir fait le bon choix.

— Tu l'regretteras pas. On pourra se fiancer à Noël. Comme ça, ce s'ra officiel.

Il souhaitait un engagement public, pour prouver sa bonne foi. En cas de dérobade, elle pourrait même le poursuivre devant les tribunaux pour l'avoir trompée. Aldée s'appuya au plat-bord, un peu affalée. Maintenant, le fait de révéler le début d'un mollet lui paraissait tout à fait convenable.

— Y a une crique, là-bas. On pourra manger tranquilles.

Un endroit discret, loin des regards. Avec Félix, elle aurait été terrorisée. Jean-Baptiste lui inspirait confiance. L'abbé Grégoire avait raison, l'hiver précédent : l'idée d'être avec quelqu'un devait faire plaisir. Autrement, ce n'était pas la bonne personne.

❃

Après un dîner vite expédié dans un restaurant de la rue Sainte-Catherine, la famille Turgeon monta dans le tramway pour se rendre au magasin Dupuis Frères. En ce samedi après-midi, l'achalandage était important dans le véhicule. Toutefois, la politesse des citadins permit aux femmes du groupe d'occuper des sièges.

Des deux côtés de la rue marchande, les édifices commerciaux se succédaient. Afin de protéger les badauds du soleil, de larges auvents s'étendaient au-dessus des trottoirs. Placés bout à bout, ceux-ci formaient une toiture de toile aux couleurs changeantes, au gré des préférences des commerçants. Ils permettaient aussi de tenir un peu plus basse la température dans les magasins, en empêchant les chauds rayons de pénétrer par les grandes fenêtres du rez-de-chaussée.

Dupuis Frères occupait quelques bâtisses côte à côte, près de l'intersection de la rue Saint-André. Au gré des agrandissements, les propriétaires les avaient achetées l'une après l'autre. La première comptait quatre étages, les autres trois.

— Voilà le *department store* des Canadiens français, annonça le médecin, debout sur le trottoir.

Les autres le savaient déjà. Les réclames dans les journaux soulignaient la nationalité des Dupuis, fondateurs de l'établissement, afin de détourner leurs compatriotes des commerces de leurs concurrents anglais. Ce jour-là, les Turgeon feraient œuvre patriotique en y effectuant la plupart de leurs achats. Dans un mois, les habits de coton et de lin le céderaient à ceux de laine. Même les bas et les sous-vêtements devaient être adaptés au mauvais temps. Il convenait de s'y préparer.

Au lieu de s'encombrer de grands sacs, Évariste s'adressa au service d'expédition afin de faire livrer leurs achats à Douceville. Le lundi suivant, il s'agirait simplement d'aller récupérer les colis à la gare.

Chapitre 9

Dans la crique abritée par des saules, Jean-Baptiste s'était montré aussi entreprenant que les usages le permettaient pour un fiancé. À demi étendue sur l'herbe, Aldée accepta la langue envahissante dans sa bouche, les mains sur ses hanches. Après quelques minutes, elle trouva la force de poser les mains sur sa poitrine pour le repousser.

— Avant le mariage, ce n'est pas bien.

Le menuisier se releva en soupirant, allongea la main vers son sac de toile pour prendre la seconde bouteille de bière.

— Tu accepteras de la partager avec moi ?

Il arrivait assez bien à cacher sa frustration. Elle déclina d'un signe de la tête, essayant de deviner le cours de ses pensées. Jean-Baptiste savait, en ce qui concernait Félix. Enfin, il en savait un petit peu.

— Tu sais que je suis sortie avec un garçon… quelques fois.

— Le fils du maire.

Cette fois, il serra si fort ses mâchoires que les muscles de ses joues saillirent.

— Oui. Il a cherché à faire… des choses avec moi.

En réalité, il avait plutôt bien réussi à vaincre ses résistances. Pourtant, elle dit :

— Je ne voulais pas.

Cette fois, elle disait presque vrai.

— Parce qu'une fille respectable ne fait pas ça. Je ne peux pas plus avec toi, même si je veux te marier un jour. Autrement…

«Autrement tu me mépriserais», continua-t-elle mentalement. D'ailleurs, si Jean-Baptiste apprenait le détail de ses escapades dans le hangar à bateaux et dans l'entrepôt de charbon, il reprendrait sa liberté immédiatement. Graziella prétendait que les hommes ne devaient pas connaître ce qu'ils ne comprenaient pas. Justement parce qu'ils étaient des hommes. À ce moment précis, Aldée jugeait ce raisonnement assez judicieux.

— Notre histoire, ça commence aujourd'hui, déclara-t-il après un silence très angoissant pour sa compagne. Ce gars-là, tu m'en parles pour la dernière fois. Pis si jamais y te fait des misères, y va finir sa vie en parlant avec une toute petite voix.

L'homme fit le geste de serrer très fort quelque chose dans son poing. Aldée avait vu son lot de chevaux et de porcs castrés, le sous-entendu était limpide.

— Pis moé, j'vas essayer de garder mes mains pour moé… la plupart du temps.

Les mots s'accompagnèrent d'un sourire et d'un clin d'œil. Il se gardait tout de même de la place pour de petits gestes coquins.

— T'es sûre que t'en veux pas?

Il fit basculer le bouchon à étrier, puis lui tendit la bouteille. Elle refusa silencieusement une seconde fois. Afin de passer pour une excellente fille, elle ne devait pas boire une goutte d'alcool.

❈

Enfin, Corinne réalisait un projet longtemps attendu: assister à une représentation au Ouimetoscope. Georges et Sophie démontraient moins d'enthousiasme, mais ils partageaient le même plaisir. Le *movie theater* se situait tout près du magasin Dupuis Frères, au coin de la rue Montcalm. Si l'entrée ne payait pas de mine, la salle offrit une jolie surprise aux touristes : des centaines de bancs s'alignaient au parterre et à la mezzanine.

Évariste acheta des billets sur le perchoir avec l'espoir que la vue de l'écran y soit meilleure. C'était oublier de tenir compte du vertige des dames. Tout de même, une fois assises, elles purent apprécier le coup d'œil. Les adolescents s'alignèrent à la gauche de Délia : Corinne d'abord, ensuite Sophie, et Georges tout au bout. Bientôt, l'extinction des lumières amena le silence parmi la foule.

Le programme ne manqua pas d'impressionner les spectateurs. La ville de San Francisco avait été détruite par un tremblement de terre le 18 avril précédent. Le 21 sortait un film intitulé *A Trip Down Market Street*, témoignant d'un monde disparu. Très peu de temps auparavant, Harry Miles avait placé une caméra à l'avant d'une voiture de tramway tirée par un câble. Il en résultait treize minutes d'un film montrant la cité avant la catastrophe.

Évidemment, un film aussi court n'aurait pas contenté les centaines de curieux. Vint ensuite *The Automobile Thieves*, plus court encore avec ses onze minutes. L'adolescent le regarda, les fesses au bord de son siège. *Dream of a Rarebit Fiend*, l'adaptation d'une bande dessinée, amusa tout le monde. Toutefois, l'histoire de lit volant contenait une référence qui n'échappa pas au docteur Turgeon. Pour le spectateur attentif, il s'agissait d'une représentation des visions des morphinomanes et des cocaïnomanes. Cela lui fit penser à Xavier Marcil.

Puis commença *Les Quatre cents farces du diable*, une production de Georges Méliès. Prestidigitateur, ce dernier avait assez de tours dans son sac pour épater la galerie.

Pourtant, à ce moment, Georges se passionnait pour les mains de Sophie, sagement tenues l'une dans l'autre dans son giron. Après une longue hésitation, il tendit la sienne pour prendre sa main gauche. L'adolescente sursauta, lui jeta un regard en biais effaré. Elle songea tout de suite aux conséquences possibles d'une trop grande intimité, une naissance illégitime, par exemple. Avec un père comme le sien, la méfiance lui était spontanée.

Délia l'avait entretenue en termes très pudiques de la succession des événements pouvant conduire à un dénouement pareil. Puis elle pensa que Georges n'était certainement pas du genre à profiter de la situation. Aussi, elle lui laissa sa main. Comme la projection sur le drap argenté produisait assez de clarté pour qu'elle puisse voir les mouvements de ses voisins, Corinne surveillait du coin de l'œil, à la fois surprise et amusée.

Pendant plusieurs minutes, les doigts entrelacés reposèrent entre eux. Georges aurait aimé que le film dure deux heures ; les dix-sept minutes passèrent très vite. Ces quatre films totalisèrent ensemble un peu moins d'une heure. Puis quelqu'un alluma les lumières dans la grande salle. Gêné de sa propre audace, le garçon retira doucement sa main et évita d'abord les yeux de sa voisine. Quand il la regarda enfin, il découvrit un sourire sur ses lèvres.

En se déplaçant vers l'allée, Corinne traduisit le sentiment de tout le monde.

— Ces représentations sont affreusement courtes.

« Affreusement », songea son frère.

— Je me demande si plisser les yeux en direction d'un écran dans une salle obscure ne peut pas être nocif pour la vue, intervint le médecin.

— Évariste, ne viens pas ruiner notre plaisir, lui dit gentiment sa femme.

Juste à ce moment, un homme commença à tousser quelques rangées plus loin.

— Quant à la tuberculose, le risque est partout.

La grande faucheuse effrayait tous les parents. Cette fois, un pli soucieux marqua le front de Délia.

❁

Quand elle était entrée dans la cuisine de la maison de la rue De Salaberry, Aldée avait lancé d'un ton joyeux :

— Nous allons nous marier !

Graziella avait répété cette phrase à quelques reprises, évidemment sous la forme : «Vous allez vous marier.» Chaque fois, la bonne ajoutait une précision :

— Dans trois ans.

— Bin oui, le temps de vous établir. C'est beau, un garçon raisonnable de même.

En disant cela, la cuisinière détaillait leur invité, appréciant toutes ses beautés, pas seulement sa raison. L'homme assis à la table placée dans un coin de la cuisine ne pouvait que multiplier les sourires gênés. La domestique s'offrit le luxe de quelques indiscrétions. Deux heures plus tard, Aldée lui reprocherait son inquisition, pour recevoir cette réponse :

— Bin, si toé tu l'demandes pas, qui va l'faire ?

Et en secret, la jeune femme la remerciait pour son audace.

— Savez-vous dans quel boutte vous voulez vous construire ?

— La *shop* de la Willcox & Gibbs est à l'ouest de la ville. Plus loin, c'est la campagne, le terrain est pas cher, mais quand la population augmentera, ça prendra de la valeur.

— Ouais, Douceville, c'est pas Montréal.

— Y a quand même trois fois plus de monde qu'y a vingt ans.

Graziella sortit le rôti du four, s'essuya le front avec sa manche, puis commenta :

— Ouais, ç'a de l'allure, c'que tu dis. Y a vingt ans, t'avais des vaches qui pacageaient à trois maisons d'icitte.

De la main, elle désignait le nord. Aldée déposa les assiettes et les couverts sur la table, puis commença à couper la viande.

— Laisse, j'vais faire le service.

La cuisinière ne plaisantait qu'à demi.

— Allez vous asseoir, objecta Aldée. Si je souhaite me marier, je suis mieux de m'entraîner.

— Bin ça, tu peux être sûre qu'y aura pas une fille meilleure que toé pour préparer à manger à Douceville. J'vas m'en occuper.

Un bref instant, Aldée regretta sa remarque : pendant les trois années à venir, elle endurerait des directives et tout autant de reproches formulés avec affection, mais d'une voix toujours bourrue. La cuisinière prit la chaise juste en face de Jean-Baptiste, la bonne serait à angle droit avec les deux autres. L'interrogatoire se poursuivit :

— Ta famille est toute aux États, j'pense.

— Oui, à Lowell.

— T'as des frères pis des sœurs ?

— Un de chaque sorte.

Graziella s'amusa un instant de la répartie, puis nota :

— Trois enfants, c'est pas beaucoup.

— Quand on ajoute les quatre qui sont morts, ça fait assez.

La proportion avait été aussi grande chez les Demers. Le ton laissait croire que Jean-Baptiste se promettait bien de ne pas voir son épouse perdre plus de la moitié de ses rejetons. Pour cela, le mieux était de limiter leur nombre.

— Tous les autres sont restés aux États... T'auras pas envie de faire pareil ?

— Pour asteure, mon Klondike est au Canada.

Des milliers de chercheurs d'or étaient partis faire fortune au Yukon quelques années plus tôt. Dans une large majorité, ils étaient revenus plus pauvres qu'au départ. L'expression était néanmoins passée dans le langage populaire.

— Bin, si jamais la vie est pas assez bonne icitte, j'connais encore l'horaire du train pour r'tourner là-bas.

Qui prenait mari prenait pays. Aldée ne s'en plaindrait certainement pas. Le souvenir de la misère subie au fond d'un rang de Saint-Luc demeurait bien vif. Son pays se trouvait n'importe où, du moment que trois repas par jour se succéderaient sur la table.

— J'pense à ça, Lowell, c'est la place d'où vient not' curé. Grégoire, Alphonse Grégoire, ça te dit queque chose ?

Jean-Baptiste parut chercher dans ses souvenirs, puis hocha la tête.

— Oui, c'était not' curé. Y est parti y a une dizaine d'années.

— Sais-tu que sa nièce reste avec nous aut' depuis qu'y est retourné là-bas à cause de la maladie ?

Encore une fois, il acquiesça d'un geste. Sa bonne amie le tenait au courant des principaux événements survenant chez ses employeurs.

— Tu t'souviens-tu d'elle ?

— Une p'tite blonde. Quand même, était grande pour son âge. Les commères placotaient un peu.

— Pourquoi ça ? demanda Aldée.

— C'est rare qu'on voit un curé chargé de famille, même si c'est pour la fille de sa sœur.

Quand le curé Grégoire avait quitté Lowell, ce garçon allait sur ses quinze ans. Les événements se déroulant dans sa paroisse ne lui échappaient pas.

— En tout cas, ça paraît qu'elle a été élevée par des sœurs. Est fine comme une soie. Pis chus pas la seule à penser ça dans maison.

Devant le regard interrogateur du visiteur, elle expliqua :

— Le jeune monsieur la couve des yeux, j'pense qu'y en voit pus clair.

— Y a quel âge ?

— Y vient juste d'avoir dix-huit.

— Assez vieux pour perdre la vue. Mais le jour de son mariage, y se souviendra p't'êt' pus de son nom.

L'affirmation parut bien cruelle à Aldée, mais tout à fait crédible. Elle-même n'en venait-elle pas à oublier totalement que Félix avait existé, seulement quelques mois après son penchant pour lui ? Maintenir intacte l'affection de Jean-Baptiste nécessiterait une délicate alternance de retenue et d'abandon. Un jeu pour lequel elle ne se sentait pas du tout experte.

❧

À peine sortis du Ouimetoscope, les Turgeon allèrent se planter au coin de la rue Saint-Denis afin d'attendre le passage d'une calèche, l'une de ces voitures où les passagers s'assoyaient en face les uns des autres, sur deux banquettes. Jamais un petit fiacre n'aurait pu emporter cinq personnes.

— Nous pouvons toujours marcher, suggéra Délia après cinq minutes.

— C'est assez loin, puis je ne voudrais pas que le maître d'hôtel donne notre table à quelqu'un d'autre.

Comme il arrivait souvent, un cocher apparut sur ces mots. Les deux hommes se placèrent dos à l'avant de la voiture, les femmes de l'autre côté. Corinne, assise en face de son frère, espionnait les regards entre lui et Sophie.

Évidemment, la petite inclination entre eux datait de sa première visite dans la demeure de la rue De Salaberry. Maintenant, cela ressemblait à bien plus qu'une inclination.

La « gare-hôtel » Viger se dressait au sud de la ville, un grand édifice en pierre grise dont le toit de tôle en cuivre avait pris une belle teinte verte. Les trains faisant quotidiennement le trajet entre Québec et Ottawa s'y arrêtaient. En conséquence, la part de la clientèle de langue française était bien plus grande qu'à la gare Bonaventure.

— C'est aussi beau que l'hôtel Windsor ! s'extasia Corinne en entrant dans le hall.

Le va-et-vient des clients leur indiqua la direction de la salle à manger. Dans une grande pièce, des tables avec des nappes blanches recevaient des convives. Un employé les conduisit à la leur. Les adolescentes ne cachaient pas leur admiration, Georges dissimulait la sienne pour conserver son air d'homme du monde.

La consultation des menus les occupa quelques minutes, puis la conversation put reprendre. Le garçon afficha un petit sourire ironique en disant :

— Papa, des garçons au parc m'ont demandé si tu songeais vraiment à te porter candidat à la mairie.

En réalité, seul Félix Pinsonneault avait abordé le sujet, et d'une façon plutôt indélicate, à la fin d'une partie de baseball : « Eille, Turgeon, c'est vrai que ton père veut remplacer le mien à l'hôtel de ville ? Il va se faire battre à plate couture. » Georges préférait ne pas prononcer le nom de ce garçon devant sa sœur.

Évariste aurait pu nier tout simplement, mais mentir à ses enfants ne lui plaisait guère.

— Vous savez ce que signifie une conversation privée ?

Des yeux, il fit le tour des trois jeunes gens assis à la table.

— Papa, nous ne sommes plus des enfants ! lâcha Corinne avec un air ennuyé.

— Je voulais juste m'assurer que vous pourriez me l'expliquer, si j'oublie.

La répartie leur arracha un sourire. Leur père se lança :

— Le secrétaire de la corporation a abordé le sujet avec moi. Je suppose que personne ne connaît mieux les petits secrets qui circulent entre les échevins. Mais surtout, Devries m'a parlé à mots couverts de me porter candidat.

— Le banquier ? Avec l'appui des Anglais, tu vas passer, c'est sûr ! affirma le fils.

— Les Anglais constituent une faible proportion des électeurs.

— La proportion la plus riche. Avec de l'argent, ils forment les gouvernements.

Georges reprenait les accusations du mouvement nationaliste montréalais, dont les principaux propagandistes, Henri Bourassa et Olivar Asselin, accablaient d'accusations les politiciens au pouvoir. Selon leurs discours, tous ceux-là seraient à la solde des capitalistes de langue anglaise, négligeant les intérêts de leurs compatriotes au profit de la minorité.

— Tu sous-estimes les nôtres. Tous ne sont pas à vendre. Moi le premier.

— Oh ! Je ne voulais pas dire…

— Je sais, je sais. Devries semble penser que ses compatriotes sont favorables à la modernité, donc aux mesures de santé publique dont je me fais le propagandiste. Toutefois, comme les Canadiens français ne sont pas riches, les hausses de taxe les effraient. Si tu peux prévoir dans quelle direction ira le vote, tu es bien plus compétent que moi.

Délia écoutait l'échange avec un demi-sourire. Son époux lui semblait enclin à accepter de se présenter, si des appuis suffisants se manifestaient. Pourtant, il exprimait sa déception avant et après chaque réunion du conseil.

— Ton travail de médecin n'est-il pas prioritaire ? s'enquit-elle, un brin narquoise.

— La meilleure façon de sauver des vies, c'est de s'assurer que l'eau est propre, la viande saine…

Le praticien s'interrompit avant de se laisser emporter dans l'une de ces envolées dont il était coutumier. À la place, il braqua l'attention sur son fils :

— Mais toi, maintenant que tu as dix-huit ans, quels sont tes projets d'avenir ? Te joindre aux admirateurs de Bourassa ?

— Il a des partisans dans tous les collèges classiques, y compris à Douceville. Ses discours sont discutés en long et en large au Club des débats. Je compte bien y participer. Mais je ne voterai pas avant l'élection de 1912.

Les hommes de plus de vingt et un ans avaient le droit de suffrage. En 1908, Georges serait encore trop jeune.

— Tu verras, l'exercice ne te procurera pas des joies infinies.

— Papa, crois-tu qu'au Canada les femmes voteront un jour ? intervint Corinne. C'est le cas en Australie, un autre dominion britannique.

— Des protestantes revendiquent déjà ce droit au Canada.

— Des suffragettes, précisa Georges inutilement.

Son intervention lui valut un regard impatient. Évariste continua :

— Mais tu sais, les choses changent lentement, en particulier au Québec.

À seize ans, le temps prenait une curieuse consistance, avec des désignations comme « dans l'ancien temps », « tout de suite » et « jamais », sans aucune nuance. Le suffrage féminin, aux yeux de Corinne, paraissait appartenir à cette dernière catégorie.

— Maman, aimerais-tu voter ?

Corinne ne semblait pas désireuse de changer tout de suite de sujet.

— D'un côté, je ne meurs pas d'envie de le faire. De l'autre, mon choix serait aussi judicieux que celui de neuf de mes concitoyens sur dix.

— Dix concitoyens sur dix, murmura Évariste en posant légèrement sa main sur sa cuisse, sous la nappe.

Cela lui valut un regard d'amoureuse.

— Imaginer que mon frère a ce droit, et pas moi, juste à cause de ce petit bout de peau…

—Corinne ! l'interrompit Délia en réprimant son envie de pouffer de rire.

L'adolescente souffrait visiblement de cette injustice. Sa mère se priva de lui dire qu'avec un enfant au sein et un autre accroché à sa jupe, l'envie de voter lui passerait bien vite. Et après tout, les hommes ne passaient-ils pas toute leur vie à se comporter en fonction des valeurs apprises sur les genoux de leur mère ? Le droit de vote ne procurerait pas plus d'influence aux femmes.

La conversation porta ensuite sur des sujets plus légers, où les projets de Georges occupèrent une large place. Tout compte fait, cette journée devait célébrer ses dix-huit ans. Quand le sujet de son mariage éventuel vint sur le tapis, l'éclairage permit de voir le rose sur ses joues. Sophie réagit de la même manière, avec un synchronisme parfait.

Corinne eut envie de souligner le phénomène avec un commentaire caustique, puis elle décida plutôt d'incarner la bonne fille.

À dix heures, après une soirée étrange durant laquelle Graziella posa les questions et Jean-Baptiste y répondit en regardant Aldée, le jeune homme annonça son intention de rentrer chez lui.

— C'est bin vrai, admit la cuisinière en se levant, si tu te couches trop tard, demain tu s'ras en retard à messe.

Le menuisier s'efforçait d'assister à la basse messe depuis deux mois, juste pour effectuer le trajet de retour avec sa bonne amie. Maintenant, il pourrait dire : sa promise.

— C'que l'vicaire aimerait pas. Je vous remercie, mademoiselle Nolin, pour cet excellent repas.

— T'es le bienvenu. Si c'était ma maison, pis la p'tite ma fille, j't'inviterais tous les samedis, ou encore mieux, les dimanches midi.

— Et je viendrais avec plaisir.

Après pareille déclaration, il se crut autorisé à considérer la cuisinière comme une parente. Il se pencha pour lui embrasser une joue, puis l'autre, au plaisir évident de la vieille femme.

— Aldée, tu devrais reconduire la visite.

Cela leur donnerait un moment de tête-à-tête. Dehors, ils trouvèrent l'air très doux, toutefois un peu gâché par les relents provenant de toutes les bécosses dans les cours à proximité. Un passage longeant la demeure permettait de se rendre au trottoir. Profitant de la zone d'ombre et de l'absence de tout passant, Jean-Baptiste se pencha pour embrasser Aldée avec une certaine fougue, sans se soucier de viser ses joues. Elle s'abandonna un moment, jusqu'à ressentir l'érection contre son ventre, puis elle le repoussa doucement en disant :

— Maintenant, rentre chez toi, pour ne pas gâcher une journée parfaite.

Le menuisier s'écarta, prit le temps de poser ses lèvres sur son front, pour s'éloigner en lançant un «bonne nuit» joyeux. À la cuisine, la domestique trouva Graziella avec un sourire de contentement sur les lèvres, comme si elle venait de caser sa fille.

Chapitre 10

Alors que Jean-Baptiste Vallières quittait la demeure de la rue De Salaberry, les Turgeon, un peu fatigués, montaient à bord d'un train à la gare Bonaventure. Heureusement, le trajet ne prit pas plus d'une heure. Quand ils répétèrent à Douceville la petite procession du matin, à peu près personne ne les vit, sauf un agent de police qui porta sur eux un regard soupçonneux. Les bons citoyens n'erraient habituellement pas dans les rues au milieu de la nuit.

Dans la maison, personne ne s'attarda dans des discussions sur la journée écoulée, ou sur celle à venir. Chacun passa par la salle de bain, puis se retira pour la nuit. À titre d'invitée de la maison, Sophie fut la dernière. À sa grande surprise, après ses ablutions, elle découvrit Corinne assise sur son lit en chemise de nuit, un vêtement de cotonnade plutôt léger.

— Qu'est-ce que tu fais là ?

— Je voulais te parler de mon frère.

La jeune fille se troubla. En même temps, son amie avait piqué sa curiosité.

— Que veux-tu me dire à son sujet ?

— Je peux me glisser sous le drap ? J'ai un peu froid.

Frileuse, elle tenait l'un de ses bras sur sa poitrine pour ne pas montrer sa petite réaction physique. D'ailleurs, elle n'attendit pas la réponse pour passer à l'acte, tout en disant :

— Éteins la lumière. Je ne pense pas que ma mère sorte dans le couloir, mais si cela arrive, elle croira que nous dormons.

L'autre fit comme on le lui demandait. La clarté venue de la lune suffisait pour lui permettre de se coucher à son tour sans se heurter les orteils. À peine étendue, elle répéta :

— Que veux-tu me dire au sujet de Georges ?

— Je vous ai vus vous tenir la main pendant le film.

En pleine lumière, les joues cramoisies de Sophie lui auraient attiré des moqueries. Comme son amie n'ajoutait rien, elle murmura :

— Nous n'avons rien fait de mal.

À ce moment, Corinne comprit que sa façon de la faire languir s'avérait bien cruelle.

— Ça, je le sais bien. En fait, je suis jalouse. C'est à peine si Jules ose m'offrir son bras quand nous marchons ensemble, puis vous deux...

Sophie respira un peu mieux. Déjà, elle s'était imaginée chassée, couverte de honte, comme sa mère des années plus tôt.

— Georges n'est pas plus entreprenant. Là, dans l'obscurité, il a sans doute trouvé le geste plus facile. En tout cas, c'était mon cas.

À cet égard, le cinéma offrait un cadre parfait : l'obscurité, la proximité des corps, l'obligation de rester immobile pendant une heure, à moins de vouloir attirer l'attention.

— Tu l'aimes ?

La question demeura un long moment sans réponse. Un peu à cause de la pudeur de Sophie, beaucoup parce que l'examen de ses sentiments n'allait pas de soi. Que ressentait-elle, au juste ?

— Je suppose que oui.

— Tu supposes ?

— J'ai passé les dix dernières années dans un couvent. Pour moi, les garçons sont des êtres étranges. Tu réalises que c'est le premier à qui j'adresse la parole, si l'on excepte les quelques mots échangés en sortant de l'église. Du genre : «Mademoiselle, le temps est frisquet.»

Comme elle assistait toujours à la messe flanquée de religieuses, qu'un adolescent ose prendre cette initiative démontrait une audace hors du commun.

— Le seul contact physique, c'était quand l'un d'eux m'offrait de l'eau bénite.

Cette curieuse habitude, chez les garçons, de tremper le bout des doigts dans le bénitier pour les présenter à une fille permettait un effleurement de la dernière phalange d'autant plus restreint que cette dernière portait nécessairement des gants. Aucune autre occasion d'un toucher entre des étrangers n'existait. Sophie n'avait rien connu d'autre quand Georges l'avait prise dans ses bras au moment où ils avaient appris à danser, quelques jours avant la réception devant souligner la fin de l'année scolaire.

— Cependant, je sais qu'il se montre très attentionné à mon égard, toujours respectueux.

Sophie n'évoquerait pas l'échange de baisers lors de l'excursion à l'île Saint-Amour.

— C'est drôle, je ne peux pas l'imaginer jouant le rôle de Roméo.

— Tu vis près de lui depuis le premier jour de ta vie.

Les deux enfants Turgeon étaient nés à un peu plus d'un an d'intervalle. Parce qu'aucun des deux n'avait été pensionnaire, leur cohabitation n'avait connu aucune interruption.

— Mais tôt ou tard, tu devras quitter la maison.

Ce n'était pas la première fois que Corinne évoquait le moment du départ de Sophie. Pourtant celle-ci mit un long moment avant de trouver une maîtrise suffisante d'elle-même pour répondre, la voix altérée :

— Quand je partirai, je laisserai derrière moi plusieurs personnes que j'aime beaucoup.

Si la formulation ne s'avérait pas la plus gentille pour Georges, elle toucha Corinne profondément. Passant son bras autour de la taille de l'adolescente, elle s'étira pour lui embrasser la joue.

— Maintenant, j'aimerais dormir, continua Sophie.

— Tourne-toi.

Il lui fallut un instant pour comprendre, puis elle se mit sur le flanc. Corinne vint se coller derrière elle, la tenant toujours de son bras. Le contact des seins contre son dos émut la fille du curé. Décidément, la vie chez les Turgeon lui réservait toute une gamme d'émotions.

— Tu es comme ma sœur.

Ces mots permirent à la jeune fille d'accepter l'intimité de leurs corps, et de s'en réjouir. Elles resteraient ensemble toute la nuit.

❖

Alphonse Grégoire commençait la quatrième semaine de ce qui ressemblait beaucoup à une lune de miel. Il passait ses journées avec Clotilde, affichant un enthousiasme juvénile pour les activités horizontales, comme s'il entendait rattraper le temps perdu au cours des dix-sept dernières années. En même temps, il avait bien conscience de l'impossibilité d'effectuer ce rattrapage.

Tous les soirs, le curé regagnait le dortoir du collège Tufts afin de retrouver le gardien à la mine patibulaire et sa chambre, très inconfortable. Peut-être sa compagne utilisait-elle là une stratégie complexe, lui procurant certaines félicités le jour pour le renvoyer dans ce purgatoire. Seul un mariage, réel ou apparent, permettrait de régler la situation. Il existait même une échéance : le retour des étudiants en septembre le chasserait de son logis.

Une fois de plus, le couple avait ressassé la situation pendant toute la durée du déjeuner. Clotilde se fendit d'une révélation :

— Tout à l'heure, nous avons rendez-vous à Cambridge, avec le doyen de la faculté des arts.

Alphonse la contempla sans trop savoir quoi penser.

— Tu ne parais pas certain de pouvoir assurer ta subsistance avec tes économies.

Ce sujet-là aussi revenait souvent sur la table. Prendre sa retraite à cinquante ans représentait un luxe hors de prix.

— Tu as évoqué la possibilité d'enseigner.

Le prêtre en fuite songea que c'était surtout sa compagne qui mettait des espoirs dans cette carrière.

— Avec mon diplôme du cours classique et mes études de théologie, je ne pense pas que mon expertise sera très en demande.

La colère marqua les traits de Clotilde. L'homme comprit à quoi ses paroissiens faisaient allusion, quand ils discouraient sur une mégère qui, avec ses récriminations sur l'incapacité de son époux à la faire bien vivre, le conduisait à l'ivrognerie.

— Tu ne comptes tout de même pas demeurer à ne rien faire pendant le reste de tes jours !

Au fond de lui, il admettait que son amante puisse se sentir frustrée de son inaction. Bientôt, devinait-il, ses visites dans la chambre conjugale des Donahue s'espaceraient. Le contrat conjugal, même en l'absence de cérémonie officielle, comprenait un sous-entendu : l'homme pourvoyait, l'épouse se montrait généreuse de sa personne. Lui-même était en dessous de tout, disposé à profiter de l'héritage de l'ancien époux sans rien offrir en retour.

— Non, dit-il en se redressant, les épaules rejetées en arrière. Nous irons à ce rendez-vous, et je montrerai la meilleure figure possible. Toutefois, tu parles de l'université la plus réputée des États-Unis. Alors pardonne-moi de ne pas me sentir spontanément à la hauteur.

Une fois ses études de théologie terminées, un prêtre se voyait affecter une tâche par son évêque : l'enseignement, le travail d'aumônier dans diverses institutions, d'une école à l'armée en passant par les prisons, ou le plus souvent une paroisse. Aucun ne luttait très fort pour se faire une place au soleil.

— Alors, si cela ne marche pas, nous envisagerons des institutions moins importantes. Jusqu'à l'école primaire, s'il le faut.

Oui, certaines femmes devenaient des mégères, disaient ses paroissiens. Pourtant, il adressa un sourire à Clotilde. Elle avait fait preuve d'une extraordinaire détermination, d'abord pour le retrouver, ensuite pour l'amener dans cette maison. Combien de ses semblables, quinquagénaires, étaient ainsi poursuivis par une femme magnifique, dans la force de l'âge ?

— Jusqu'à l'école primaire. Toutefois, dans ce cas, je préférerais chercher dans un autre domaine. La vente d'assurances, par exemple.

Sa bonne volonté fut récompensée par un sourire.

— Nous nous mettrons en route d'ici une heure. Cambridge est loin.

Alphonse se résigna : les projets de la journée ne laissaient aucune place aux petites gâteries que l'on échangeait dans une pièce close.

Au moment prévu, tous les deux attendaient le tramway à l'intersection la plus proche.

❄

L'université Harvard était la plus ancienne des États-Unis. Longtemps un simple *college*, l'établissement s'était développé pleinement au cours du siècle précédent. À la mi-août, des étudiants erraient déjà dans les rues, pour la plupart de jeunes hommes en veston à fines rayures, un canotier sur la tête. Alphonse remarqua aussi quelques jeunes femmes portant jupe et chemisier, et bien sûr un large chapeau. Celles-là fréquentaient sans doute le Radcliffe College, un établissement féminin.

Le curé affronta le complet désintérêt du doyen de la faculté des arts. En sortant du bureau pour rejoindre Clotilde dans une salle attenante, il secoua la tête de droite à gauche. Au moins, elle eut l'élégance de ne pas le soupçonner d'avoir saboté la démarche par son attitude. Dans le hall, ils prirent place sur un banc.

— Tu sais, je pensais sérieusement…

Le prêtre chercha sa main pour la serrer.

— Je sais, je sais. En rentrant, nous arrêterons au collège Tufts. Puis demain, promis, je chercherai ailleurs. Pas jusqu'à l'école primaire, toutefois.

Sa décision était prise. Il pouvait mettre des mois, et même quelques années avant de trouver un emploi. Sa situation ressemblait à celle de tous les immigrants venus chercher fortune aux États, avec l'avantage de posséder des économies suffisantes pour voir venir.

— Nous reviendrons ici avec Sophie, décréta Clotilde, maintenant tout à fait rassérénée. Tu as vu tous ces musées !

Elle s'interrompit quelques secondes, puis reprit :

— Et tous ces jeunes hommes. À ce moment même, un futur président de ce pays doit se promener sur cette pelouse. Sans compter tous les fils de millionnaires.

Cela aussi, c'était le rêve américain. En banlieue de Boston, Clotilde rêvait du meilleur pour sa fille, en la personne d'un époux à la fois riche et puissant. Alphonse ne put s'empêcher de songer à Georges Turgeon. Devant des compétiteurs pareils, le fils du médecin d'une petite ville ne pèserait sans doute pas lourd.

❁

Toute la journée du dimanche, Georges et Sophie demeurèrent embarrassés l'un avec l'autre. Que Corinne les couve du regard n'arrangeait rien. Le garçon devinait que sa sœur, mise au courant de ses sentiments, le regardait d'un œil différent.

Heureusement, le lundi matin, Jules Nantel se présenta à la porte avec l'intention de se promener avec la fille de la maison. Seul avec Sophie, Georges en profita pour l'inviter :

— J'aimerais parler avec toi. Nous pourrions peut-être nous asseoir dans la cour.

Si les fauteuils de rotin sur la galerie s'avéraient bien plus confortables, ils étaient terriblement près des fenêtres du salon. Délia, ou même l'une des domestiques, aurait pu les entendre. Les chaises de fonte autour de la table, sous un arbre, fourniraient un endroit plus discret.

— D'accord.

Son hésitation ne lui échappa pas. L'échange ne serait pas nécessairement facile.

— Veux-tu quelque chose à boire ?

La blonde agita la tête de droite à gauche. Ils s'installèrent en silence. Après une hésitation, il demanda :

— Veux-tu que je m'excuse, pour l'autre soir ?

Très vite, elle refusa d'un mouvement de la tête.

— Tu n'as aucune raison de t'excuser.

Pourtant, rien dans son visage n'exprimait la satisfaction. Au contraire, son initiative augmentait son malaise. Enfin, elle confia :

— Je sais que je devrai partir. Mon… père et ma mère insistent.

Le flot de lettres ne ralentissait pas. L'homme et la femme se relayaient jour après jour pour exercer plus de pression.

— Je le sais bien, admit Georges. Je donnerais tout pour vieillir de cinq ans la nuit prochaine.

Pourtant, ces cinq ans ne le conduiraient même pas au terme de ses études.

— Peut-être faudrait-il prendre nos distances, pour rendre la séparation plus facile le moment venu.

Elle voulait dire éviter les promenades bras dessus, bras dessous, les tête-à-tête, les doigts enlacés. Georges accusa le coup. Quand il reprit la parole, une pointe de cynisme colorait sa voix :

— Ce serait difficile. Nous mangeons trois fois par jour à la même table, nous passons nos soirées avec la famille, nous partageons même la salle de bain.

L'adolescente baissa les yeux.

— Tu as raison. Je suis ridicule.

Un instant, il eut envie de protester contre son autoflagellation. Il n'en eut pas le temps.

— Ce n'est pas que je ne t'aime pas, mais pour tous les deux, c'est beaucoup trop tôt.

« Et dans peu de temps, il y aura des centaines de milles entre nous », songea le garçon. La mention de l'amour le toucha tout de même. Ces mots ne valaient pas un « je t'aime » bien senti, mais il s'en contenterait. Toutefois, il ne s'imposa pas la même discrétion :

— De près ou de loin, je t'aimerai.

Au lieu de répondre, elle se mordit la lèvre inférieure. Mieux valait attribuer sa retenue à cette séparation prochaine, plutôt qu'à l'érosion de ses sentiments.

— Maintenant, si tu veux m'excuser, je vais marcher un peu, avec l'espoir de ne pas rencontrer ma sœur.

Garder un ton posé devenait de plus en plus difficile. Il espérait éviter le regard inquisiteur, peut-être même railleur, de Corinne. En empruntant le passage longeant la demeure, il échapperait à tous les membres de la maisonnée.

De son côté, tournant le dos à la maison, Sophie laissa des larmes couler sur ses joues. Décidément, elle n'arrivait pas à se dépêtrer dans ses sentiments. Aujourd'hui, une pensée la déstabilisait particulièrement. Une union avec Georges ferait d'elle l'une des filles de la maison. Devenir membre d'une famille normale, respectable, lui plairait infiniment plus que de retrouver la sienne aux États-Unis.

❀

Rosaire Tremblay se sentait très mal à l'aise de quitter Douceville de bon matin pour se rendre à Montréal. Il aurait préféré de loin se présenter là-bas à huit heures, ou même à sept heures. Comme cela, il aurait pu rentrer à Douceville à temps pour ouvrir lui-même le magasin, peut-être avec un peu de retard. Malheureusement, les gens de l'archevêché n'étaient pas aussi matinaux que lui-même. Ces ecclésiastiques lui avaient bien fait sentir que déjà, un rendez-vous à neuf heures représentait une concession de leur part.

Son ennui tenait à l'obligation de fermer son commerce. Même si Aline s'avérait une aide précieuse, elle était incapable de le remplacer seule. Son jeune âge expliquait évidemment la situation, mais aussi son sexe. Même Georgette, sa femme, ne pouvait signer un contrat ou disposer de son argent. Une jeune fille mineure souffrait donc d'une incapacité juridique pour deux motifs.

À la gare Bonaventure, le marchand dédaigna les cochers en attente de clients, et même le tramway. En allant d'un bon pas, il atteignit le palais épiscopal en quelques minutes.

La grande bâtisse en pierre l'impressionna. Son ampleur donnait une idée de l'importance du clergé dans la société canadienne-française. Quand il sonna, une religieuse courte et grasse vint lui ouvrir. En entendant son nom, elle le conduisit dans un bureau. À son entrée, un prêtre se leva de son siège pour lui tendre la main.

— Monsieur Tremblay, je suis le chanoine Désilets. Nous nous sommes parlé au téléphone la semaine dernière. Que puis-je faire pour vous ?

Rosaire demeura un instant interdit, puis indiqua d'une voix hésitante :

— J'ai pris rendez-vous avec monseigneur Bruchési.

— Oui, bien sûr, mais vous comprenez, avec toutes les affaires du diocèse, il ne peut pas voir à tout en personne.

Ou plutôt, un petit marchand de la campagne ne pouvait avoir accès directement à l'homme le plus puissant de la province.

— Alors, vous allez vous asseoir et me raconter ce qui vous amène.

Le visiteur accepta la chaise qu'on désignait à son intention. Après un long silence qui causa le froncement de sourcils de son interlocuteur, il se décida :

— Il y a quelques semaines, j'ai écrit à Sa Grandeur pour lui signaler une situation scandaleuse à Douceville. Rien ne s'est passé. Je suppose que cela tient au fait que je n'ai pas signé la lettre.

— Vous savez, les lettres anonymes n'inspirent pas confiance.

— C'est pour cela que j'ai décidé de venir ici en personne aujourd'hui.

Désilets devait être du genre à aller droit au but, car les tergiversations de son interlocuteur l'agaçaient.

— Alors?

— Le vicaire de ma paroisse, Donatien Chicoine, taponne les jeunes filles.

Même si ce verbe ne figurait pas dans son gros *Larousse*, ni dans son guide du confesseur, l'ecclésiastique comprit tout de suite ce qu'il signifiait.

— Monsieur Tremblay, une accusation téméraire de ce genre représente une faute grave. Un péché mortel, même.

Au premier abord, le chanoine considérait qu'il s'agissait d'une calomnie.

— Elle n'atteint pas seulement un serviteur de Dieu, souligna-t-il, mais l'Église catholique romaine dans son ensemble.

Tremblay serra les dents au point de se faire mal. Pourtant, la répartie ne le surprenait pas. Des rumeurs sur les prêtres circulaient depuis toujours, et il n'avait aucun souvenir de mesures prises contre l'un d'eux.

— Je ne juge pas, dit le marchand. Je ne commets aucun péché, ici. Je vous informe des fautes de l'un des vôtres.

Tous les membres de l'Église se rangeaient spontanément à l'écart des autres chrétiens. Pourtant, que son interlocuteur parle ainsi «des vôtres» le gêna. En prenant les ecclésiastiques comme un groupe, il donnait à l'accusation un caractère collectif.

— Quelles sont vos preuves?

— Quelqu'un m'en a parlé.

Désilets laissa échapper un grand rire de soulagement.

— Des qu'en-dira-t-on!

Le commerçant comprit qu'il ne pourrait éviter de compromettre sa fille. Chercher un peu de justice valait-il ce prix? Pouvait-il compter sur la discrétion de ce prêtre, comme lors de la confession? Il regrettait de ne pas avoir commencé en disant: «Mon père, je m'accuse…»

— Le gars s'appelle Chicoine, répéta-t-il, pis ce cochon s'en est pris à ma fille.

Cette fois, Désilets perdit toute sa suffisance. Il balbutia pour demander:

— Elle vous l'a dit?

— Oui.

— Elle peut avoir inventé…

Le visiteur fit mine de se lever de son siège, menaçant.

— … ou avoir mal interprété un geste innocent.

— Ma femme lui a appris à reconnaître les cochons de ce genre, et à s'en défendre. De mon côté, je sais qu'elle ne ment jamais. Et moi non plus. C'est de famille.

Les mots pesèrent dans la pièce. Le chanoine avait la prétention de savoir juger les gens. Le regard de cet homme ne se dérobait pas. Comme tous les Canadiens français, il était impressionné devant une soutane. Mais malgré son malaise, il ne baissait pas les yeux.

— Écoutez, je transmettrai vos paroles à monseigneur.

— Je peux aller lui parler tout de suite. Quand une histoire passe par de nombreuses oreilles, vous savez…

— Sa Grandeur est absente. Cependant, soyez assuré que je lui répéterai tout.

Tremblay insista, sans succès. Paul Bruchési n'était pas à Montréal. Le marchand de meubles retourna à la gare avec la tête en révolte.

De son côté, le chanoine Désilets fut surpris du sérieux avec lequel l'archevêque de Montréal écouta son compte rendu de cette conversation.

Chapitre 11

Pendant le trajet de retour vers Medford, Alphonse décrivit en détail l'accueil un brin méprisant du doyen de la faculté des arts de Harvard, un Américain de vieille souche anglo-protestante, sans doute l'arrière, arrière, arrière-petit-fils d'un passager du *Mayflower*, pour un *French Canadian* diplômé du Grand Séminaire de Québec.

Clotilde se sentait mal à l'aise de lui avoir concocté un tel rendez-vous. Quand le tramway s'engagea rue Mystic, il déclara :

— Nous allons nous arrêter ici.

Il voulait dire : au collège Tufts.

— Voyons, ce n'est pas nécessaire…

L'idée de soumettre de nouveau Alphonse à la même humiliation la faisait reculer.

— Ça ne pourra pas être pire. Finalement, les porteurs de toges sont aussi prétentieux que les porteurs de soutanes, même celles ornées de la pourpre cardinalice.

Ils descendirent devant le collège Tufts. Le grand immeuble en pierre grise présentait l'allure et la taille des plus grands collèges classiques du Québec. À l'intérieur, un planton lui désigna le bureau du doyen des études. À la mi-août, le personnel revenait lentement au travail, mais les longs couloirs demeureraient presque déserts jusqu'à l'arrivée des élèves.

Quand ils passèrent devant une petite salle de réunion, le curé en fuite dit à sa compagne :

— Tu peux t'asseoir ici et m'attendre.

— Je vais t'accompagner.

— Voilà qui serait étrange.

— Je le connais peut-être…

Déjà, les relations de Clotilde dans cet établissement lui valaient le logement modeste qu'il occupait depuis trois semaines. Le défunt monsieur Donahue avait peut-être laissé un souvenir impérissable à tout le personnel de l'établissement.

— Quand même, j'y vais seul.

Alphonse revint sur ses pas pour frapper à une porte entrouverte. Le nom de Watier était affiché dessus. Un «Entrez !» impatient lui parvint.

— Monsieur Watier, je peux prendre une minute de votre temps ?

— Nous avons un rendez-vous ?

— Non. Alors, pour ne pas vous faire perdre de temps, je vais droit au but : je cherche du travail. Pour enseigner le français et le latin.

Watier s'appuya au dossier de son siège, lui désigna la chaise devant lui.

— Vous vous y connaissez en enseignement ?

— Si on veut. Vingt-cinq ans de prêche tous les dimanches, et tous les à-côtés. Il y a moins d'un mois, j'étais un curé. Catholique romain.

À Harvard, si l'insuffisance de sa formation n'avait pas rapidement mis fin à l'entretien, son statut lui aurait valu le même sort.

— Vous ne l'êtes plus ?

— J'ai rencontré madame veuve Donahue.

Ce motif paraissait certainement plus convaincant qu'une crise de la foi.

— Ah ! Alors c'est vous qui occupez une chambre d'étudiant.

Le visiteur acquiesça d'un hochement de tête. Évidemment, sa présence ne pouvait échapper à un doyen des études attentif. Clotilde était vraiment en pays de connaissance, à cet endroit.

— Présentement, il n'y a aucun poste de professeur disponible. Toutefois, je peux vous confier un cours, peut-être deux. Cela vous donnera l'occasion de faire vos preuves.

Poste existant ou non, Watier entendait d'abord savoir à quoi s'en tenir sur sa compétence. Cela permettait un certain optimisme pour l'avenir. L'universitaire annonça un salaire ridicule pour donner trois heures de cours par semaine. Alphonse accepta d'un signe de tête.

— Je sais, il s'agit d'une bagatelle. Nous offrons cela à des étudiants diplômés, d'habitude. Comme eux, vous pourriez mettre une annonce pour offrir des leçons privées. Ici sur le campus, mais aussi dans les journaux de Boston. Dans les grandes familles, apprendre le français est infiniment chic.

L'homme devait le trouver sympathique, pour lui dire tout cela.

— Je le ferai.

— Bon. Vous recevrez une lettre chez Tilda vous donnant le détail de votre embauche.

Tilda. Il la désignait par son prénom. Voilà qui expliquait sans doute son accueil si cordial.

— Toutefois, vous ne m'avez pas mentionné votre nom.

Le doyen prit une plume et attendit.

— Deslauriers. Alphonse Deslauriers.

— Plus français que ça, impossible. Voilà un nom qui inspirera confiance aux élèves. Cependant, vous direz venir de Paris.

Il marqua une pause, puis ajouta :

— Jeter un peu de poudre aux yeux ne fait jamais de mal.

Habituellement, les Canadiens français travaillaient dans les usines de textile ou de chaussures, pas dans des collèges. Son hôte se leva de son siège pour lui tendre la main. Il convenait de ne plus s'attarder. Après des salutations, le curé quitta les lieux. Clotilde surveillait certainement sa sortie, car elle le rejoignit dans le couloir.

— Alors ?

— J'ai obtenu un petit quelque chose.

Pour ne pas l'inquiéter ni la voir se mettre en frais pour lui trouver autre chose, il ajouta :

— Mais avec le temps, tout ira mieux. Je ferai bonne impression auprès de tous ces Américains.

Tout en parlant, il avait pris son bras pour l'entraîner vers la sortie. Au passage, le prêtre s'arrêta devant un panneau d'affichage. Des gens y posaient des petites annonces pour offrir un bien ou un service. L'une proposait des cours d'allemand, une autre, des cours de français. Watier ne lui avait pas menti.

Sur le seuil de la porte, Alphonse remarqua :

— Décidément, tout le monde te connaît, ici.

— Peter me traînait à diverses activités. Il faisait partie du bureau des gouverneurs de ce collège.

— Un citoyen exemplaire, prêt à servir ses compatriotes.

— Une générosité bien ordonnée, qui lui procurait des occasions d'affaires.

La maison de Clotilde était à côté du collège. Ils s'y rendirent bras dessus, bras dessous. La bonne volonté d'Alphonse pendant cette journée lui vaudrait quelques gentillesses avant l'heure du souper.

❋

Le lundi 20 août, quelqu'un frappa très tôt à la porte des Turgeon. La famille entière était réunie autour de la table pour le déjeuner.

— Je me demande qui peut bien avoir envie de nous tirer du lit, s'interrogea Évariste.

Évidemment, il exagérait, mais tout de même, personne ne faisait de visite à une heure aussi matinale. Il continua tout en se levant :

— Ça doit être une urgence. J'ai deux ou trois femmes sur le point d'accoucher.

La formulation tira un sourire à son épouse. Une oreille peu avertie se serait fait une bien curieuse opinion des mœurs du praticien. Alors qu'Aldée s'engageait dans le couloir pour aller ouvrir, son patron lui fit signe de s'abstenir. Quelques minutes plus tard, il revint dans la salle à manger avec un demi-sourire.

— Voilà la société Bell Canada à nos portes pour multiplier par deux notre équipement téléphonique.

— Ah ! Enfin, fit Délia en se levant. Je vais m'en occuper.

Corinne et Sophie s'essuyèrent la bouche avec leur serviette pour la suivre. Le médecin adressa un sourire à son fils.

— Tu ne les verras jamais s'enthousiasmer pour une automobile, ou n'importe quelle autre innovation technique. Mais le téléphone appartient à leur univers. Le papotage prendra un jour des dimensions planétaires, alors que nous ne savons presque rien du corps humain.

Georges s'avérait déjà trop prudent pour renchérir sur une affirmation de ce genre. À la place, il plaida pour sa mère :

— Avec le téléphone dans ton bureau, c'est comme si nous ne l'avions pas. C'est tout juste si nous entendons la sonnerie depuis le salon, et jamais nous ne l'utilisons quand tu es là.

— Mais le téléphone permet à mes patients de me parler. Autrement, il leur faudrait envoyer quelqu'un me chercher. Il ne sert pas aux conversations privées.

— Voilà exactement ce que je disais. C'est comme si la famille Turgeon n'avait pas le téléphone, que seul le docteur Turgeon en possédait un.

Le garçon craignit d'être allé trop loin, mais son père lui sourit tout en proposant :

— Alors, allons voir la famille Turgeon accéder à la modernité.

Le père et le fils se rendirent dans le salon pour trouver un ouvrier en vareuse affectant un air important.

— Pis, où c'que j'le mets, ma p'tite madame ?

Évidemment, un homme capable de relier une cliente au monde entier s'autorisait une certaine familiarité.

— Ah ! Évariste, te voilà. Que penses-tu de cette table ? Nous pourrions mettre une chaise juste à côté.

De son index, elle désignait le meuble occupant un angle de la pièce. Jusque-là, il avait servi à accueillir un joli vase avec des fleurs.

— Comme tu seras la première utilisatrice, tu décides.

— La première, mais pas la seule, assura Corinne.

Elle était déjà disposée à réclamer un temps d'utilisation. Sa mère lui adressa un sourire pouvant passer pour un assentiment, puis dit à l'ouvrier :

— C'est décidé : installez l'appareil sur cette table.

Le technicien de Bell se pencha sur son sac en cuir pour en sortir la colonne de cuivre se terminant par un micro. L'écouteur s'accrochait à une petite fourche, tout en haut.

— Le fil ? s'inquiéta Évariste. Où passera le fil ?

— Bin, il viendra du poteau.

— Ça, je le devine. Mais je ne veux pas le voir tendu jusqu'à la porte ou la fenêtre. Il faudra l'accrocher au même poteau que celui de mon bureau, puis vous arranger pour qu'il se rende ici discrètement. En passant sous le plancher ou alors sous les moulures.

L'ouvrier parut tout surpris que quelqu'un trouve à redire sur la présence d'un fil.

— Ça coûtera plus cher.

— Tant pis. Dissimulez-le.

— Pis, ça se vend au pied, le fil. Une ligne drette, c'est le plus court.

Évariste fixa son regard dans le sien, résolu à ne pas dire un mot de plus. L'employé de Bell marmonna :

— Bin, c'est vous qui payez.

— Exactement.

L'ouvrier alla vers sa charrette en bougonnant.

— Bon, autant tenir mon repas pour terminé, décréta le médecin. Je vais me rendre à l'hôpital tout de suite. Je te laisse la direction du chantier.

Il embrassa sa femme et sa fille, salua les autres avant de sortir.

— Alors, maman, assure-toi de cacher le fil de la discorde, blagua Georges. Moi, j'ai encore faim.

Au moins, la maîtresse de maison pouvait compter sur l'assistance de sa fille et de Sophie pour mater la résistance de l'émule d'Alexander Graham Bell.

❋

Si Medford offrait un cadre confortable, la vie y était aussi animée en semaine qu'un dimanche après-midi dans un village protestant. Cela changerait sans doute avec l'arrivée des étudiants. Ce lundi-là, Clotilde réussit à convaincre son compagnon de l'accompagner à Boston. Comme toutes les voies de la grande agglomération conduisaient à la gare

Union, située relativement près du port, ils se retrouvèrent près des quais, à contempler les navires transocéaniques.

— Je me demande si je pourrai monter sur l'un d'eux un jour, déclara pensivement Alphonse.

— Pourquoi pas ?

— Imagines-tu le coût d'une traversée, même en deuxième classe ? J'avais plus de chances d'y aller comme curé de Douceville que comme défroqué.

Clotilde s'éloigna de quelques pas, portant une main gantée sous ses yeux. Son amant afficha d'abord sa surprise, puis il s'approcha, penaud.

— Excuse-moi, je ne voulais pas dire…

— Tu n'es pas encore certain de vouloir être là. Tu gardes toutes tes options ouvertes. Au lieu de dire à ton évêque que tu quittes ta fonction, tu t'inventes une maladie. Au lieu de dire à Sophie de venir avec nous, tu paies sa pension là-bas…

Les derniers mots vinrent dans un hoquet. De nouveau, elle s'éloigna de quelques pas. Dans un instant, elle reprendrait sa menace de récupérer sa fille tout en révélant au grand jour sa paternité. Dans ce cas, il perdrait sur tous les tableaux.

En avançant, il murmura :

— Excuse-moi, Tilda. Je suppose que le port d'une robe pendant trente ans ne m'a pas permis de développer mon courage.

— J'en porte une depuis toujours, rétorqua-t-elle, et j'ai dix fois plus de courage que toi.

Alphonse accusa le coup. Après un silence, il tendit la main pour prendre le bras de Clotilde, essaya de l'attirer vers lui. Devant sa résistance, il admit :

— Tu as raison. Je suis désolé d'être qui je suis. Viens t'asseoir.

Elle se laissa entraîner vers un banc orienté vers la mer. Il reprit :

— Tu sais, rien ne vaut la prêtrise pour se planquer. À moins d'être assez sot pour s'engager comme missionnaire, on vit dans une jolie paroisse avec une ménagère aux petits soins. Cela dure jusqu'à la mort.

Tous les autres luttaient pour assurer leur subsistance, mais pas les porteurs de soutane. Clotilde semblait prête à remettre en cause son engagement envers lui. Cette éventualité l'effrayait assez pour le convaincre d'affirmer son attachement.

— Je vais m'y faire, je t'assure. Je me connais. Je laisse les événements décider, en quelque sorte. Je ne peux plus faire marche arrière, maintenant.

Il mentait, bien sûr. Un retour la tête basse et une confession complète à monseigneur Bruchési, et il récupérerait sa paroisse. Clotilde affecta pourtant de le croire.

— Sophie me manque, dit-elle après un temps.

Il passa son bras autour de ses épaules, la serra doucement contre lui.

— Nous l'aurons bientôt avec nous. Comme moi, elle est déstabilisée par les situations nouvelles. Dans deux semaines, tout au plus trois, elle nous rejoindra.

La pusillanimité en héritage. L'adolescente ne tenait certainement pas de sa mère à ce chapitre.

Finalement, Alphonse et Clotilde s'entendirent pour manger en ville. Avec tous les va-et-vient de passagers, le secteur du port comptait plusieurs bons restaurants.

❀

Déjà, l'été s'achevait. Délia voyait sans trop de plaisir le retour de la routine : les thés de cinq heures, les réunions des dames patronnesses, les activités charitables. Heureusement, aucun de ses enfants n'exigeait de longues heures de supervision pour les devoirs.

Assise dans le salon, elle entendit un bruit métallique familier dans l'entrée, un peu avant midi. Le facteur venait de glisser des lettres dans la fente. En les ramassant, elle remarqua deux enveloppes avec des timbres américains. Elle les posa sur un guéridon.

Quand les adolescentes rentrèrent d'une promenade près de la rivière, la mère de famille attira leur attention :

— Sophie, tu as du courrier.

La fille du curé esquissa une grimace en les prenant. Immanquablement, la correspondance venue des États-Unis suscitait des réactions mêlées de colère, de honte et d'un peu d'espoir. Après un instant, elle s'avisa, étonnée :

— Madame Turgeon, celle-là est pour vous.

Pourtant, il s'agissait bien de l'écriture de son père. Ensuite, elle comprit : il devait avoir posté le montant de sa pension. Sophie décida d'aller occuper sa place à table pour le dîner, remettant à plus tard la lecture de sa correspondance.

❧

Délia avait préféré, elle aussi, remettre à plus tard la lecture de la lettre d'Alphonse Grégoire. Une fois le dîner terminé, elle alla se réfugier dans la cour avec une boisson froide. Le premier paragraphe ne la surprit guère : le curé mentionnait le paiement de la pension. D'ailleurs, un chèque se trouvait dans l'enveloppe.

Puis elle lut :

Je sais bien que je ne mérite pas votre sympathie. Pourtant, j'aime Clotilde comme n'importe quel homme, et Sophie comme n'importe quel père.

« Celui qui porte une soutane et séduit une paroissienne, ce n'est pas n'importe quel homme », se rebella-t-elle dans son for intérieur. Elle ne lui donnerait pas facilement son absolution.

Sophie ne répond pas à mes lettres, ou alors de la façon la plus froide… Je la comprends de me punir, pourtant elle me manque tellement. Pourriez-vous lui expliquer que malgré les circonstances de sa naissance, je ne l'en aime pas moins ?

Délia posa la lettre sur la table, avala une gorgée de limonade. Ce faux curé ne manquait pas d'air ! Après une longue réflexion, elle reprit le feuillet pour le parcourir une nouvelle fois.

Peut-être devait-elle se montrer plus tolérante pour les âmes perdues. Plus tolérante que la plupart des prêtres, en réalité.

❀

Rares étaient les pensionnaires qui envisageaient le retour à l'école de gaieté de cœur. Il fallait trouver sa situation familiale désespérante pour rêver d'un dortoir de collège, ou de couvent, partagé avec des dizaines d'autres, et d'une nourriture tout juste mangeable. Aussi, au début du mois de septembre, Jules Nantel semblait attristé. Quand il se présenta chez les Turgeon après le dîner, Corinne l'attendait déjà sur la galerie.

— Tu veux venir t'asseoir avec moi ?

— Que dirais-tu de marcher jusqu'à la rivière ?

Qu'il veuille donner un caractère privé à l'entretien lui fit plaisir. Ce ne serait pas un « Au revoir » à la sauvette. Dans la rue, ému, il lui offrit son bras.

— Tu partiras demain ?

— Un peu avant midi, par le train. Mes parents vont m'accompagner.

Le garçon laissa entendre un ricanement, puis ajouta :

— On dirait qu'ils craignent que je prenne la fuite.

— Ou alors ils veulent rester un peu plus longtemps avec toi.

— Oui, peut-être maman.

Corinne serra son bras. Tous les pères n'étaient pas démonstratifs comme le sien. Ni toutes les mères, d'ailleurs. Près de la rivière, ils s'installèrent sur un banc. La fraîcheur du début de septembre atténuait l'odeur de boue. La jeune fille se retenait de le dire la première, aussi les mots de son compagnon la comblèrent d'aise.

— Tu vas me manquer terriblement. Nous avons passé l'été ensemble, et là…

Sa main chercha celle de la blonde. Le geste la troubla plus que de raison.

— Au moins, toi, tu restes avec ta famille.

La compagnie exclusive des collégiens, jusqu'en juin prochain, ne lui plairait guère.

— Je… j'ai peur que tu rencontres quelqu'un d'autre, avoua Corinne.

Jules s'amusa de son anxiété.

— Dans une école de gars ? Tu veux rire.

— Tu sortiras, parfois.

— Pour venir ici.

Sur le banc, entre eux, leurs mains se serrèrent. Pendant de longues minutes, aucun ne prononça un mot.

En revenant rue De Salaberry, les convenances voulaient qu'ils se lâchent la main. Déjà, se tenir le bras en public signifiait un engagement. Malgré le départ imminent de son cavalier, Corinne ne pouvait réprimer son sourire de satisfaction.

❖

Le mardi 4 septembre, au moment du déjeuner, le visage de Corinne était aussi sombre que la robe noire de son uniforme. Le jour de la rentrée, la perspective des dix mois à fréquenter le couvent la déprimait tout à fait. Que Sophie, vêtue d'une jolie robe bleue, demeure à la maison ajoutait à sa mauvaise humeur.

— Voyons, il te reste seulement une année, la raisonna Georges. Imagine-toi à ma place. Je ne quitterai pas l'université avant 1911, et je serai en stage jusqu'en 1912 !

— Toi, tu te prépares à gagner ta vie. Moi, ça ne me servira à rien.

Son acrimonie durait depuis quelques jours. Au point de lasser son père, pourtant toujours disposé à faire preuve de tolérance à l'égard de sa fille.

— Corinne, personne ne te force à y aller…

« C'est ça, ou jouer le rôle de domestique », s'enragea silencieusement l'adolescente.

— Toutefois, si tu fréquentes le couvent, ronchonner pendant dix mois ne rendra pas ton expérience plus agréable. Ni la nôtre.

Un peu de rose envahit les joues de la couventine, elle baissa les yeux sur ses rôties. Le repas se termina sans autre allusion à la scolarité. Georges donna le signal du départ. Sur le trottoir, il dit à sa sœur :

— Ce ne sera pas si terrible. D'après Sophie, tu apprendras un peu d'anglais, la façon de monter une table à la française ou à l'anglaise, et même une centaine de locutions latines.

— Si elle a apprécié, cela ne signifie pas que je doive en faire autant.

Dans la rue, ils croisèrent d'autres couventines et des collégiens. Après une centaine de verges, Corinne laissa tomber :

— Jules commence sans doute aussi ce matin, au Collège de Montréal.

— Comme tous les étudiants du cours classique de la province.

— J'aimerais qu'il vienne à Douceville toutes les fins de semaine.

— Tu sais bien que les internes ne jouissent pas d'une si grande liberté…

Après un ricanement, il poursuivit :

— … à cause de personnes comme toi. Comment veux-tu qu'il devienne prêtre, si tu l'induis en tentation ?

Tous deux savaient pourtant que pour certains, la tentation n'empêchait pas de choisir l'état ecclésiastique. Corinne choisit de considérer ces mots comme un compliment, un hommage à son charme, en quelque sorte.

— Il ne veut pas se faire prêtre.

— Ce qui n'empêchera pas son directeur spirituel de le harceler pour lui faire entendre l'appel de Dieu.

Georges rapportait la réalité. Pour récolter des vocations, l'Église ne renonçait à aucun effort.

— Je ne pourrai même pas lui écrire, le directeur des études va détruire mes lettres.

— À moins que tu ne signes «Ta maman qui t'aime», tu as raison. Et ses missives à ton intention ne sortiront pas des murs du collège.

Les Nantel pourraient toutefois rencontrer leur fils au parloir. Jules viendrait les voir tout au plus une fois par mois, sans doute beaucoup moins souvent.

— Dire que les prêtres prennent toutes ces précautions, alors qu'ils mettent de jeunes paroissiennes enceintes !

Les mésaventures de Sophie rendaient les deux adolescents cyniques à l'égard des enseignements de notre sainte mère l'Église. Tout de même, le garçon jugea bon d'intervenir :

— Ils ne sont pas tous comme ça.

— C'est vrai. Mais tu vois, je classais Grégoire parmi les curés plutôt sympathiques.

Les deux enfants Turgeon se quittèrent devant le couvent des sœurs de la Congrégation de Notre-Dame. Georges avait un peu allongé son trajet pour accompagner Corinne jusque-là.

Chapitre 12

Au cours des semaines précédentes, Clotilde n'avait cessé ses encouragements. Heureusement que son enthousiasme valait pour deux, car son compagnon n'en possédait pas beaucoup. Selon elle, entre les sermons dans une église et les cours dans une classe, il n'y avait qu'un pas.

Cependant, elle n'avait jamais été en chaire, ni à la place du maître dans une école. Debout devant une trentaine d'étudiants âgés de vingt ans, le prêtre constatait une énorme différence. Parler au nom de Dieu, promettre l'enfer aux récalcitrants demeurait très rassurant. Cependant, les jeunes hommes fréquentant le collège vivaient peut-être dans la crainte de Dieu, mais certainement pas dans celle de leurs maîtres.

Lors de ses grands prônes sur la vertu, il avait toujours fait semblant. Aussi, le 4 septembre, au début de l'après-midi, il commença à faire semblant d'être un professeur.

— Messieurs, je m'appelle Alphonse Deslauriers. Au cours des prochains mois, vous apprendrez un peu de français.

Si les visages se montraient sceptiques, aucun de ses élèves n'exprima de réelle incrédulité. Il y arriverait peut-être.

❀

La perspective de se retrouver seule dans la grande maison de la rue De Salaberry angoissait Sophie. Jusque-là, il demeurait possible de s'illusionner sur son statut : elle logeait chez son amie. Dorénavant, elle serait pensionnaire ! Pas pour apprendre, ni pour travailler. Simplement parce que personne d'autre ne voulait d'elle.

Évidemment, l'adolescente s'apitoyait sur son sort. Ils étaient deux dans la région de Medford à multiplier les lettres pour lui dire combien elle leur manquait. Maintenant, le message avait changé : « Dis-nous quand tu seras prête, et nous irons te chercher. » Pour aller vivre avec une inconnue et un homme qu'elle avait cru connaître.

Au bout d'une heure dans le salon à feuilleter un magazine, la jeune fille laissa échapper un long soupir, puis se dirigea vers la cuisine en traînant les pieds. Graziella fouillait dans le garde-manger, Aldée s'occupait de la vaisselle du matin.

— Je peux aider ?

La cuisinière se tourna vers elle.

— Bin, mam'zelle, j'commencerai pas le dîner avant une bonne heure.

— Je peux laver la vaisselle, cela permettra à mademoiselle Aldée de faire les chambres.

Les gens de la maison s'adressaient aux membres du personnel en utilisant leurs prénoms. Une telle familiarité ne convenait pas à une invitée.

— Voyons, mademoiselle, je peux faire mon travail, intervint la jeune bonne.

— Je le sais bien, mais j'aimerais m'occuper à quelque chose.

Les domestiques se consultèrent du regard, puis la cuisinière accepta.

— Bin, si vous insistez, ce s'rait pas correct de vous refuser. Mettez un tablier pour pas salir votre belle robe, pis contentez-vous.

Le ton contenait une certaine moquerie, mais son sourire exprimait plutôt la compassion. Pour quémander d'effectuer des corvées ménagères, cette gamine devait s'ennuyer vraiment. À peine avait-elle les mains dans l'eau tiède que Graziella demanda :

— Vot' oncle, le curé, y est-tu bin malade ? Betôt, ça va faire six s'maines qu'y est parti.

En réalité, son départ datait de six semaines et deux jours. Sophie les comptait.

— Dans ses lettres, il me dit se porter beaucoup mieux.

La jeune fille prenait soin de les déchirer en petits morceaux pour les faire disparaître dans la cuvette des toilettes. Qu'un prêtre l'appelle « ma très chère fille » lui faisait honte. Jamais elle ne risquerait que d'autres yeux que les siens s'y posent.

— Y est dans quel coin ?

L'interrogatoire lui faisait regretter son initiative. Elle y réfléchirait à deux fois, lors de son prochain moment de vague à l'âme.

— Medford.

Tout de suite, elle déplora d'avoir donné ce renseignement.

— Si y va mieux, y va r'venir ?

— Oui, je suppose.

Sophie montrait suffisamment de réticence pour convaincre même une curieuse comme Graziella de suspendre son interrogatoire.

Après une partie de matinée passée avec la cuisinière à subir un interrogatoire en règle, Sophie se réjouit de l'arrivée des enfants Turgeon pour le dîner. À table, Évariste observa Corinne à la dérobée. Sa fille gardait les yeux sur son assiette.

— Alors ? demanda le père.

Elle s'entêta un moment, puis admit :

— Ça ira, je suppose. Après tout, il y a déjà une demi-journée de passée.

À la fin, lassée de sa bouderie, elle releva la tête pour lui sourire.

— Ça ne ressemblera pas à une vraie année scolaire. Nous avons eu un cours de broderie, ce matin.

Le médecin fut soulagé de la voir afficher une meilleure humeur.

— Cet après-midi, nous aurons droit à de la conversation anglaise.

Alors que Graziella retournait vers la cuisine, Sophie glissa entre ses dents :

— J'ai fait ce programme l'an dernier, et j'ai passé deux heures dans la cuisine ce matin. Tu ne perds pas au change, je t'assure.

Elle s'interrompit pour reprendre aussitôt :

— Mais à toi, elle ne poserait pas de questions sur le curé en fuite.

Délia échangea un regard avec son époux. La fin des vacances signifiait qu'une nouvelle routine devrait prendre place. Une fois les deux autres à l'école, l'invitée de la maison ne pouvait passer de longues heures à tuer le temps.

Cinq jours par semaine, le collégien et la couventine viendraient dîner en vitesse, puis retourneraient en classe. Cet après-midi-là, Sophie commença par chercher un magazine dans sa chambre, pour se rendre dans le salon ensuite. Délia la trouva affalée plus qu'assise sur le canapé. La jeune fille se redressa bien vite en disant :

— Excusez-moi, je…

— Tu t'ennuyais ferme, je pense. Viens dehors avec moi. Nous allons marcher ensemble.

Dans la maison, la présence de deux domestiques rendait les conversations privées difficiles, à moins de se réfugier dans une chambre. Sur le trottoir, Délia offrit son bras à l'adolescente. Pour les observateurs, elles devaient facilement passer pour mère et fille : même taille élancée, mêmes cheveux blonds.

Bientôt, elles arrivèrent au parc. Sophie regarda longuement en direction du presbytère. Il ne s'agissait pas d'un foyer familial, elle le savait bien. Pourtant, l'illusion avait tenu pendant quelques semaines. Puis l'abbé Chicoine sortit de la grande demeure. À sa vue, elle comprit que cela n'avait jamais été le cas.

L'ecclésiastique les aperçut, maintenant assises sur un banc. Il marcha dans leur direction.

— Bon, que veut-il, celui-là ? grommela Délia.

Bientôt, elle le saurait.

— Madame Turgeon, Sophie, quelle bonne surprise ! Vous allez bien ?

— Monsieur le vicaire, dit la femme sans quitter son siège ni tendre la main. Nous allons bien.

L'adolescente se contenta de hocher la tête.

— Dieu s'est montré bon pour nous, en nous envoyant une belle température tout l'été.

— Pensez-vous qu'il s'est montré méchant pour les cultivateurs qui se sont lamentés à cause du manque de pluie?

Chicoine fronça les sourcils. Cette femme le regardait droit dans les yeux, sans ciller, comme pour le défier. Il ne se souvenait pas de l'avoir entendue à confesse, pourtant elle se présentait à la sainte table avec régularité. Lui refuser la communion lui rabaisserait certainement le caquet. Toutefois, pareil affront à une femme de notable ferait des vagues jusqu'au palais archiépiscopal.

— Lui seul connaît toutes nos âmes.

— Vos sermons remarquables suffisent certainement à maintenir les paroissiens de Douceville sur le bon chemin.

Le ton railleur de cette dame donna à Chicoine une forte envie de le faire tout de même le dimanche suivant. Il préféra tourner son attention vers la jeune fille.

— Sophie, j'aimerais te parler un moment.

Le tutoiement et le ton familier mirent celle-ci mal à l'aise. Devant ce prêtre, Délia se remémorait aisément le malaise de Corinne, des mois plus tôt. Son regard avait quelque chose de glauque.

— Vous pouvez parler devant moi, assura-t-elle. Nous ne gardons pas de secrets.

Pouvait-il réclamer un tête-à-tête en invoquant le travail de direction spirituelle? La femme le bravait du regard.

— Dans ce cas… Vous recevez certainement des nouvelles de votre oncle. Pouvez-vous m'en transmettre? Je m'inquiète sincèrement pour lui.

— J'ai reçu quelques lettres. Il va mieux, je pense.

— Il habite Medford, non? Je me suis informé, il n'y a pas de sanatorium dans cette région.

L'absence du curé préoccupait sans doute tous les Doucevilliens.

— Ça, je ne sais pas…

La voix de Sophie chevrotait. En insistant un peu, Chicoine lui tirerait des larmes. Délia prit sa main dans les siennes, pour l'aider à se ressaisir.

— Vous ne savez pas où votre oncle est soigné ?

— Si monsieur le curé n'a pas jugé bon de vous tenir au courant de ses allées et venues, intervint la femme du médecin d'un ton cassant, c'est son affaire. Essayer de soutirer des renseignements à une enfant manque tout à fait de délicatesse.

Chicoine la toisa du regard. Elle reprit :

— Est-ce le seul type de renseignement que vous cherchez à arracher aux gens ?

Cette fois, le vicaire accusa le coup. Le travail d'inquisiteur lui convenait mieux avec de toutes jeunes femmes. Tout de même, en l'affrontant, Délia risquait gros pour sa propre réputation. À la fin, l'ecclésiastique leur adressa à toutes les deux un sourire mauvais, les salua d'une inclination de la tête et continua son chemin vers l'église.

Quand il eut disparu, madame Turgeon laissa échapper un gros mot, puis s'enquit :

— Quand il te parle, tu te sens mal à l'aise, n'est-ce pas ?

— Je déteste avoir à cacher qui est vraiment… mon père, de même que son envie de quitter l'Église.

— Ça, je le comprends sans mal. Mais je voulais dire, à un niveau plus personnel. Sa présence te rend… Je ne sais pas comment dire. Inquiète ?

Un peu de rose colora les joues de Sophie. La teinte devint un peu plus foncée quand la femme précisa :

— Je veux dire, en tant que femme.

L'adolescente commença d'abord par hocher la tête.

— Son regard sur moi… Chaque fois que mon… père s'absentait du presbytère, je recherchais la proximité de la ménagère, ou au moins à sortir de son champ de vision. Je me souviens aussi d'un soir où il insistait pour me confesser.

L'allusion à la confession rappela à Délia une conversation avec Corinne. Malgré toutes ses fautes, au bout du compte, le curé Grégoire devait manquer à bien des paroissiennes.

Après un long moment de silence, elle en vint au sujet l'ayant conduite à cet endroit.

— Je ne veux pas te bousculer, tu le sais, mais maintenant, tu dois songer à rejoindre tes parents.

Sophie baissa la tête pour cacher sa tristesse.

— Je ne pense plus avoir de parents. Auparavant, j'avais un oncle, mais là…

Délia posa son bras sur le dossier du banc pour prendre Sophie par l'épaule et la rapprocher d'elle.

— Je comprends ton désarroi. Toutefois, tu as tort. Ton père s'est arrangé pour garder un œil sur toi depuis ta naissance. Évidemment, ta vie devient très difficile, trop complexe peut-être. Mais tu as un père qui tient à toi et qui réclame ta présence auprès de lui.

— Je lui en veux de me mettre dans une situation pareille. Mon père est un curé, et ma mère était l'une de ses paroissiennes !

Le silence dura un long moment.

— Je ne doute pas que si tu te présentes ainsi à la compagnie dans une soirée, tu ne passeras pas inaperçue.

La jeune fille ne put retenir un sourire à l'évocation d'une telle scène. Bien sûr, dans ce cas, elle ferait une forte impression, pas nécessairement positive.

— Puis ta mère semble avoir mis tous les efforts nécessaires pour te retrouver. Tu ne peux douter de son affection.

— Vous savez qu'elle a préparé une chambre pour moi et acheté des vêtements ?

L'attention la touchait visiblement, mais pas au point de l'amener à s'empresser de la rejoindre. Toutefois, Sophie comprenait que son hôtesse la poussait doucement vers la porte. Cela ressemblait à une seconde trahison.

— Mais je ne les connais pas, dit-elle tristement.

— Tu connais ton père, et je crois que cette femme t'a fait une première impression favorable.

Cette première rencontre avait eu lieu tout près, juste en face du presbytère. Délia avait raison. Non seulement la jeune fille s'était sentie confiante envers cette femme, mais elle lui avait trouvé un air de famille.

— L'idée de me retrouver avec ces...

Le mot «inconnus» ne passa pas ses lèvres.

— ... personnes m'effraie, mais en plus, je dois quitter des gens auxquels je suis devenue très attachée. Corinne me traite comme une sœur. Quant à Georges...

Le bon mot ne lui venait pas. Impossible de voir en lui un frère.

— Il te plaît, et tu lui plais.

Cela résumait bien la situation. Sophie acquiesça d'un hochement de la tête. Elle ne jugea pas utile de souligner son estime pour ses hôtes. Pourquoi le sort ne lui avait-il pas donné des parents comme eux?

— Je le comprends bien, il me faut aller les rejoindre. Ce matin, cela m'est apparu clairement.

Délia l'attira de nouveau vers elle, un moment la jeune fille posa sa tête sur son épaule.

— Je vais leur écrire.

— Tu n'as pas à partir demain matin.

Délia lui donnait le chaud et le froid. L'espoir dura juste un instant.

— Tu donneras mon numéro de téléphone à ton père, pour régler les détails.

Après un autre moment de silence, l'épouse du médecin se leva la première, puis l'invita :

— Rentrons à la maison maintenant.

La tristesse de Sophie l'émouvait, elle se faisait l'impression d'être un bourreau. Pourtant, il fallait mettre fin à une situation fausse, sinon la misère de la séparation, inéluctable, n'en serait que plus profonde.

❀

Tout l'après-midi, Sophie était restée dans sa chambre, au point que Graziella murmura à sa jeune collègue :

— A doit être malade. T'sais, les affaires de fille.

Le diagnostic lui parut confirmé à l'heure du souper, car l'adolescente gardait un air lugubre. Malgré quelques tentatives de la part de Délia et d'Évariste, la conversation ne décolla pas. Les deux enfants de la maison comprenaient très bien les événements à venir. Quand elles sortirent de table, Corinne prit la main de son amie pour l'entraîner vers sa chambre.

En se levant à son tour, la maîtresse des lieux murmura à l'intention de son mari :

— Allons dans ton bureau.

Ce genre d'invitation précédait toujours une conversation intime. La plupart du temps, les enfants en faisaient les frais.

Le médecin prit son siège habituel, Délia celui des patients.

— À en juger par le climat à table, je devine que le sujet du retour vers ses parents a été abordé, commença-t-il.

— Je me suis fait l'impression de me transformer en tourmenteuse.

— Je comprends que l'idée lui déplaise.

Cette façon de dire les choses s'avérait infiniment moins dramatique que la vérité. Pour la décrire, le mot «désespéré» aurait mieux convenu.

— Elle est terrorisée à la perspective de rejoindre ces étrangers.

— Tout de même, des étrangers…

Évariste était ambivalent. Quoique gentille et discrète, Sophie rompait l'équilibre habituel de la maisonnée. Son départ permettrait à tout le monde de renouer avec une routine confortable.

— Je t'imagine découvrant que ton père est monsieur le curé.

L'idée lui tira un sourire crispé.

— Plus le temps passe, moins ce sera facile, insista-t-il pourtant.

— Elle leur écrira très bientôt, peut-être demain. Je lui ai suggéré de donner mon numéro de téléphone à son père. Il sera plus facile de nous entendre de vive voix.

Maintenant, ils en étaient à «mon téléphone» et «ton téléphone». Si Évariste ne renonçait pas tout à fait à utiliser celui du salon, il s'assurait chaque fois de n'en priver personne. Après une pause, son épouse l'avertit:

— Cependant, ce ne sera pas simple pour les enfants. Heureusement que Corinne a repris l'école, sinon elle pleurerait pendant des jours. Mais Georges…

— Georges connaîtra une véritable peine d'amour.

— Tu devrais lui parler, pour rendre les choses plus faciles.

— Plus faciles!

La notion paraissait un peu ridicule au médecin. Des conseils paternels n'adouciraient pas la douleur de la séparation. Bien sûr, une première toquade ne devait pas laisser une empreinte indélébile. Pourtant, lui-même reconnaissait le charme de Sophie. La malchance de son fils était de l'avoir rencontrée trop tôt.

— Tu sauras trouver les mots pour lui faire comprendre tous les enjeux de cette situation.

Il hocha la tête pour donner son assentiment.

— Je viens de recevoir une lettre de l'un de mes anciens professeurs d'université, dit-il ensuite. Je lui ai demandé si je pouvais compter sur lui pour faire une visite guidée.

— Tu crois que révéler à Georges ses perspectives de carrière lui changera les idées ?

Délia paraissait bien sceptique.

— Peut-être pas, mais cela nous fournira l'occasion d'une conversation.

Évidemment, la conversation d'homme à homme ferait sans doute du bien au garçon. Pendant un long moment, les époux discutèrent encore de la situation, avant de retourner vers le salon.

❋

Après le repas, les jeunes gens étaient montés à l'étage afin de se soustraire au regard des autres. Quand les émotions devenaient trop vives, mieux valait se réfugier dans sa chambre afin de reprendre contenance en toute discrétion.

Son calme à peu près retrouvé, Corinne revint dans le couloir afin de frapper doucement à la porte de son amie. La réponse tarda à venir, et le « Entrez » paraissait si peu convaincu que Corinne demanda, en passant sa tête dans l'embrasure :

— Tu es certaine que je peux ?

Sophie lui présenta un visage chiffonné, encore mouillé de larmes. Elle acquiesça d'un mouvement de la tête.

— Maman n'a pas perdu de temps. La première journée où tu t'es retrouvée seule ici, elle t'a montré la porte.

Le jugement était inhabituellement sévère, pour une jeune fille généralement encline à partager l'opinion de ses parents.

— Ne sois pas injuste envers ta mère. Nous savons toutes les deux que je ne peux pas rester ici plus longtemps. J'ai des parents, et je ne peux pas en changer.

— Tu disais ne pas vouloir les rejoindre.

— Ils demeurent mes parents. Quand vous étiez dans la maison, je pouvais faire semblant de faire partie de la famille.

— Pour moi, tu en fais partie.

Corinne s'assit sur le lit pour passer un bras autour de la taille de son amie et l'embrasser sur la joue.

— Tu es comme ma sœur.

Toutes deux versèrent des larmes, mais chacune arrivait à convenir que le plus sage était de se réconcilier avec cette situation. Alphonse Grégoire s'était occupé au mieux de Sophie depuis sa naissance, compte tenu des circonstances. Il continuerait de le faire.

Au bout de quelques minutes, la fille de la maison s'enquit :

— Quand penses-tu partir ?

Sophie haussa les épaules.

— Je vais lui écrire, ce sera à lui de décider, comme il a décidé de me laisser ici au moment de son départ.

Son ton contenait un reproche implicite, et pourtant en juillet la possibilité de demeurer à Douceville lui était apparue comme une bénédiction.

— Que feras-tu là-bas ?

De nouveau, sa première réponse fut un haussement d'épaules pour signifier son ignorance. Avec un demi-sourire, elle déclara :

— À Medford, il y a peut-être une école pour jeunes filles où il voudra me placer. Sinon je resterai à la maison pour attendre les garçons, les bons soirs.

Le ton de dérision indiquait qu'il ne convenait pas de la prendre au sérieux. De toute façon, son plus grand admirateur se tenait dans une pièce de l'autre côté du couloir.

❋

Juste à ce moment, Georges refoulait difficilement ses larmes, car il se faisait exactement la même réflexion. Une aussi jolie fille ne passerait pas inaperçue parmi tous ces Américains entreprenants. Devait-il l'enlever, comme dans *Le capitaine Fracasse*, pour l'épouser ? Évidemment, la Saskatchewan était terriblement moins romantique, comme destination, qu'un grand château à Paris.

En même temps, il convenait sans mal de la puérilité d'un fantasme pareil. Seuls les désespérés allaient se réfugier sur un lot de colonisation, pas les bons garçons sages. Son destin demeurait tout tracé : fréquenter l'université, avoir son propre cabinet et, avec un peu de chance, épouser une jeune femme tout aussi sage et respectable que lui. Mais ça, ce serait dans plusieurs années.

Après de longues minutes, il quitta son lit pour aller dans le couloir. De la lumière était visible sous la porte de l'invitée de la famille. Toutefois, en s'approchant, il entendit le murmure d'une conversation. Sa sœur, sans doute. L'idée d'affronter le regard toujours narquois de Corinne ne le séduisait guère. Il essaierait de nouveau un peu plus tard.

Chapitre 13

Le lendemain matin, Sophie plaida un vilain mal de tête pour s'épargner la présence de tout le clan Turgeon. Il ne s'agissait pas d'une invention : une nuit entière passée à se lamenter sur son sort la laissait dans un piètre état. Évidemment, elle ne pourrait se terrer ainsi bien longtemps, mais elle entendait profiter au moins de la matinée.

Quand les enfants furent partis à l'école, Délia se rendit dans la cuisine :

— Graziella, pouvez-vous préparer de quoi manger pour notre invitée ?

— Bin, a mange pas beaucoup, d'habitude. Du pain beurré et de la confiture, ça f'ra-ti ? La p'tite peut y monter.

Même si Aldée avait un peu grossi au fil des dix mois passés dans cette maison, pour la cuisinière, elle demeurerait éternellement une petite maigrichonne.

— Ce sera parfait.

La patronne retourna dans le salon, désireuse de faire quelques appels téléphoniques. Le retour de l'automne l'amenait à renouer avec les bourgeoises de Douceville. Après quelques mois à jouir de la belle saison, maintenant toutes voudraient s'investir dans les bonnes œuvres.

Aldée avait entendu la requête de sa patronne. Celle-ci à peine sortie, elle chercha un morceau de toile pour s'essuyer les mains tout en disant :

— Je vais m'occuper de lui préparer ça, la vaisselle attendra un moment.

— Bin, j'vas m'en charger, chus pas encore inutile.

Les couverts du matin se trouvaient déjà dans la cuvette de tôle. La cuisinière plongea les mains dans l'eau chaude. La petite bonne coupa une bonne tranche dans une miche de pain pour la mettre à griller directement sur un rond de la cuisinière à charbon. Avec une bonne couche de beurre et un peu de confiture de fraise, l'adolescente tiendrait sans mal jusqu'à midi. Un simple verre d'eau compléta le tout.

À l'étage, Aldée frappa du bout du pied au bas de la porte de la chambre d'invité, puis dit, assez fort pour être entendue :

— J'ai les mains pleines, mademoiselle, vous devez m'ouvrir.

Après un instant, le temps de mettre un peignoir, Sophie entrebâilla la porte.

— Oh ! Ce n'était pas nécessaire, je n'ai pas vraiment faim.

— Madame n'était pas de cet avis.

La domestique esquissa un sourire chargé d'ironie. Délia Turgeon croyait savoir ce qui était bon pour tous les membres de la maisonnée. Heureusement, elle ne se trompait pas très souvent. Aldée posa le plateau sur la commode, puis fit face à l'adolescente.

— Je vous remercie, dit Sophie.

La bonne allait sortir, puis elle se retourna en fermant la porte afin que personne n'entende.

— Vous allez rejoindre votre oncle, n'est-ce pas ?

Les émotions à fleur de peau, depuis plusieurs jours, permettaient au personnel de deviner les événements à venir, même si personne n'avait mis les domestiques au courant. Sophie se raidit d'abord devant l'intrusion dans sa vie privée, mais la suite la rendit plus conciliante.

— Vous préféreriez demeurer ici, continua Aldée. Pourtant, monsieur le curé est un homme très bon.

« Mon père ! », songea l'adolescente.

— Si vous saviez…

— J'en sais assez pour savoir ça.

Aldée allait ouvrir la porte afin de quitter la pièce quand Sophie intervint :

— Vous dites cela parce qu'il vous a conseillée, quand Félix…

Au gré des précédentes semaines, Corinne avait relaté à Sophie, à mots plus ou moins couverts, les événements de sa courte existence. L'allusion troubla la domestique. Chaque indiscrétion menaçait sa réputation.

— Quand je ne distinguais plus la réalité.

Même derrière une porte close, mieux valait aborder certains sujets de façon détournée.

— Si vous saviez, répéta Sophie.

Elle résistait difficilement à l'envie de crier : « C'est mon père ! Je dois rejoindre le curé de la paroisse, qui est aussi mon père ! »

— Je sais ce que j'ai vu. Mon fiancé croit que mieux vaut se faire sa propre idée, au lieu de reprendre le jugement des autres.

Cette propension à se fier à son instinct amena la jeune fille à regarder la petite bonne comme une femme vertueuse, alors que les autres l'auraient si facilement condamnée. La bonne sortit, laissant derrière elle une adolescente songeuse.

Aldée affirmait s'être fait une idée du curé Grégoire sur la base de ce qu'elle avait vu, non de rumeurs à son sujet. Évidemment, découvrir les turpitudes sexuelles de celui qui l'avait poussée à s'éloigner du péché avec Félix changerait sans doute sa perspective.

Toutefois, songeait Sophie, tout bien considéré, même s'il était demeuré dans l'ombre, cet homme avait toujours montré son souci de la protéger. Comme un bon ange, en quelque sorte. Une fois sa colère retombée, il lui fallut en convenir. Une seule personne resterait à ses côtés, quoi qu'il arrive : lui.

Au dîner, elle présenta une meilleure figure, esquissant même quelques sourires au gré de la conversation. Puis, le repas terminé, elle confia à Délia :

— J'ai une lettre difficile à écrire. Je vais m'installer sur la galerie.

C'était une façon de demander qu'on la laisse tranquille.

— Tu trouveras des timbres dans la cuisine, demande à Graziella. Moi-même, je passerai sans doute une partie de l'après-midi au téléphone.

Peu après, la jeune fille occupait l'un des fauteuils de rotin, une plume à la main, une feuille de papier posée devant elle. Le premier mot était le plus difficile à trouver. De lui dépendrait le ton de toute la missive.

Papa,

La suite vint sans mal.

Tu as raison, il est temps pour moi de vous rejoindre. Toutefois, je sens déjà combien je m'ennuierai des Turgeon. Pendant des semaines, ces gens ont été ma famille.

La précision ressemblait à un coup de griffe. Un dernier avant de devenir la fille soumise, après avoir été la nièce irréprochable.

Quand elle s'installait à la table portant le téléphone, Délia affichait toujours un sourire victorieux. Comment faisait-elle auparavant? Le bottin des abonnés sous les yeux, elle dénicha le nom de Xavier Marcil. L'avocat devait être accessible aux clients éventuels, il ne pouvait pas se priver des services de la société Bell.

Quand la téléphoniste eut établi la communication, une voix féminine répondit:

— Allô?

— Madame Marcil?

— Oui, c'est moi…

Elle paraissait surprise.

— Délia Turgeon à l'appareil. Je viens donner suite à mon intention de vous inviter à vous joindre au comité féminin de la paroisse.

Le silence dura un bon moment, puis l'épouse de l'avocat commença:

— Je ne sais pas trop.

Délia eut envie de s'excuser et de raccrocher. Puis elle entendit:

— Madame Turgeon, puis-je vous inviter à prendre le thé?

— Quelle excellente idée!

Tout de même, son enthousiasme était très limité.

— Nous pourrons discuter de tout cela de vive voix. Vendredi, par exemple. Vers trois heures, avant le retour des enfants de l'école.

— J'y serai.

Les deux femmes échangèrent encore quelques mots sur l'état de santé de leurs enfants respectifs, puis mirent fin à la conversation.

❄

À table, dans la petite demeure des Marcil, Xavier interrogeait ses enfants sur leurs activités de la journée. Si Denise avait rejoint ses amies du couvent avec plaisir, Anselme trouvait beaucoup à redire à l'accueil des Frères des écoles chrétiennes. Après avoir décrit les attentes exagérées du frère Josaphat, il conclut :

— Pis en plus, y pue.

— Voyons, le réprimanda sa mère, je ne t'ai pas appris à parler de cette façon.

— Oui, c'est vrai, intervint le père. Tu dois dire : « Et en plus, il sent mauvais. »

Le garçon éclata de rire, alors qu'Euphémie fronçait les sourcils. Cependant, l'humeur plutôt stable de son époux depuis plusieurs jours valait bien qu'elle ferme les yeux sur ces petits écarts. D'ailleurs, la même appréciation à propos des frères et des sœurs enseignants, et des professeurs du collège, devait se répéter dans la plupart des foyers de Douceville. Tous ces frocs noirs répandaient une odeur de crasse et de sueur.

Elle préféra amener la conversation sur un autre sujet :

— Cet après-midi, j'ai reçu un appel de Délia Turgeon. Je savais bien qu'en acceptant leur invitation, il faudrait la rendre.

— La prochaine fois, je te laisserai le soin de refuser d'aller dîner chez mon futur patron.

Xavier la regardait avec un sourire ironique. Elle ne pouvait à la fois lui reprocher la médiocrité de sa carrière et les moyens qu'il prenait pour l'améliorer.

— Je l'ai invitée à prendre le thé ici, vendredi.

— Je mettrai mon plus bel habit, et je renouvellerai la provision de Earl Grey.

— Le thé, c'est entre femmes. Je te serais plutôt reconnaissante de t'occuper du côté du palais de justice. Il doit y avoir des clients, dans ce coin.

Dans ses accès de mauvaise humeur, l'épouse revenait toujours au même sujet.

— Une fois rendus là, rétorqua-t-il sans se départir de son sourire, les justiciables ont déjà leur avocat. Je ferais mieux de me tenir au poste de police.

Euphémie quitta sa place pour commencer à débarrasser la table.

— Bon, laissons ces dames à leurs occupations, et allons nous lancer la balle, proposa Xavier à son fils.

Quand ils furent dans la cour, Denise dit à sa mère :

— Moi aussi, je veux aller jouer.

— Quand nous aurons des domestiques, nous pourrons tous nous amuser.

— Pourquoi nous n'en avons pas ?

— Ton père ne pourrait pas payer leurs gages.

La jeune fille baissa les yeux. Sa mère n'allait pas en rester là.

— Quand tu seras grande, trouve-toi un mari capable de bien te faire vivre. Sinon, tu deviendras sa cuisinière et sa bonne à tout faire.

Combien de femmes faisaient la même recommandation à leurs filles ? Toutes, probablement. Tout était dans la manière.

❋

Au petit-déjeuner, Sophie avait abordé Georges dans le couloir, sur le palier, pour lui dire :

— Je dois aller rejoindre mes parents. Pour moi aussi, les grandes vacances sont terminées.

Le garçon accusa le coup. Qu'une nouvelle soit attendue ne la rendait pas nécessairement plus facile à accepter. Il tendit la main pour prendre la sienne, la serra légèrement.

— Tu vas me manquer terriblement.

Comment pouvait-il enchaîner, sauf en la prenant dans ses bras ? Toutefois, le lieu comme le moment ne convenaient pas. Bientôt, Corinne sortirait de sa chambre dans sa robe de couventine.

— Nous nous parlerons plus tard.

Cet engagement, Georges pourrait difficilement le tenir avant le soir. Pendant tout le déjeuner, la conversation ne démarra pas vraiment. Devant les mines dépitées de ses enfants, le couple Turgeon se faisait l'effet d'être bien cruel. Dans les circonstances, Sophie s'efforçait de se montrer optimiste, s'interrogeant à haute voix sur la population de Boston, la température hivernale sous cette latitude.

Le dîner ou le souper n'offrirent pas plus de discrétion aux amoureux, mais au moins, chacun se sentait plus à l'aise devant la situation. Lorsque les filles montèrent pour regagner leurs chambres, Corinne fit mine de se diriger vers celle de son amie. Celle-ci l'arrêta, rougissante :

— J'aimerais parler un moment avec lui, et ensuite…

Elle n'osa pas continuer, mais songeait qu'ensuite, un peu de solitude lui ferait peut-être du bien. Dans le cas contraire, elle frapperait à la porte juste en biais avec la sienne. La fille de la maison acquiesça d'un signe de la tête, toujours un peu surprise de la relation entre ces deux-là.

Georges se montrait gentil, la plupart du temps, mais de là à inspirer un engouement pareil…

Sophie laissa sa porte entrebâillée, pas plus d'un pouce, pour indiquer sa disponibilité. Dans les circonstances, elle n'osa pas se préparer pour la nuit. Déjà, attendre un garçon dans sa chambre s'avérait bien inconvenant. Le faire en petite tenue était impensable.

Une demi-heure plus tard, elle entendit un murmure :

— Je peux entrer ?

Il poussa la porte, comprenant l'invitation implicite, puis referma derrière lui. Les joues de l'adolescente rosirent. Le bord du lit leur servit de canapé. Qu'elle ne choisisse pas de se réfugier sur la chaise donna de l'audace à son cavalier. C'est en lui tenant la main qu'il commença :

— Depuis le début, je savais qu'on en viendrait là. Toutefois, ça ne change rien à la tristesse de la situation.

Il ne se lamentait pas contre l'injustice du destin, ni ne proposait une fuite vers l'inconnu. Son côté cartésien prenait le dessus. Pour une jeune personne à peine sortie du couvent, sa placidité se révélait rassurante. Un élan de passion aurait sans doute effrayé l'adolescente. Sa mère et son père n'avaient pas été capables d'autant de retenue, et elle en payait le prix maintenant.

— Je ne peux pas rester ici…

Délia lui avait délicatement signifié la nécessité de rejoindre ses parents. Elle continua :

— Vous allez me manquer.

Le pluriel agit comme une douche froide sur Georges. Heureusement, la suite le rasséréna un peu.

— Toi en particulier, pour une autre raison qu'une agréable vie de famille.

Ces mots eurent l'effet d'un déclencheur. Le garçon chercha sa bouche avec la sienne, elle se mit obligeamment de biais pour s'offrir. Le mouvement des lèvres accrut son émoi. Tellement que quand il l'entraîna vers l'arrière, l'adolescente se laissa faire. La main sur son flanc lui procurait une sensation inédite. Georges la remonta juste assez pour la poser sur un sein menu. Pendant quelques secondes, le contact se révéla grisant pour tous les deux. Mais la langue contre ses lèvres provoqua un sursaut de pudeur chez Sophie.

— Non, dit-elle en s'écartant.

Au moins, elle ne prononça pas : « C'est sale. » Sur ce sujet, son opinion n'était pas encore faite. Comme elle ne repoussa pas la main, Georges se crut autorisé à la laisser sur la poitrine, immobile toutefois.

— D'après les religieuses, murmura Sophie, on ne doit rien faire avant d'être passé devant monsieur le curé. Comme mon père est un prêtre, que dois-je croire ?

La remarque découragea son compagnon, le forçant à rompre le contact. Pourtant, la petite pointe de chair perceptible au creux de sa paume, malgré les épaisseurs conjuguées de la camisole et de la robe, lui donnait envie de s'y accrocher.

— Et je me vois mal aller demander conseil à ta mère à ce sujet.

L'allusion à Délia, qui monterait sans doute bientôt à sa chambre elle aussi, finit de dégriser le garçon, qui se releva. Comme sa compagne l'imita, il put passer un bras autour de sa taille, si bas que sa main fit connaissance avec une autre rondeur. Puis Sophie demanda, esquissant un sourire et avec une petite étincelle dans le regard :

— Que penses-tu qu'elle dirait ?

La question rendit son érection un peu moins douloureuse, sans toutefois la faire disparaître.

— Que nous aurons bien le temps pour l'amour, que pour le moment il convient de me consacrer à mes études pour nous créer une belle position à tous deux.

Une invitation à sublimer ses pulsions, en quelque sorte. La seconde partie de l'énoncé s'adressait exclusivement au garçon. Pour Corinne, et cela s'appliquait tout autant à Sophie, ce serait plutôt : « Développe les qualités qui te permettront d'attirer un bon parti. »

De nouveau, Georges allongea le cou pour lui faire la bise, et dit ensuite :

— Alors, je vais dans ma chambre. Dors bien.

Tout de même, Georges se permit une certaine liberté. En quittant la pièce, il ne fit rien pour dissimuler son sexe tendu. Ainsi, Sophie ne douterait ni de son désir ni de sa capacité à le mater pour demeurer à la fois le bon fils, le bon prétendant, et plus tard le bon époux.

Après son départ, la jeune fille réfléchit quelques minutes. Oui, Délia avait raison : le temps de vivre une telle passion viendrait plus tard. Alors, elle traversa le corridor pour rejoindre son amie.

❉

La semaine précédente, Alphonse Grégoire – ou Alphonse Deslauriers : il lui restait à prendre l'habitude de se présenter toujours ainsi – avait tenté de se souvenir de toutes les directives de son professeur de calligraphie, au collège, pour rédiger plusieurs copies d'une affichette. Il s'agissait d'offrir ses services pour des cours privés de français. Suivait le numéro de téléphone de Clotilde. De toute façon, il passait la plus grande partie de ses journées dans l'appartement de celle-ci.

Les annonces avaient été placées au collège Tufts, dans les universités – Boston et Harvard – et même dans les bureaux de poste. Le prêtre en avait même publié une dans le *Boston Globe*.

Finalement, son effort porta fruit. Le premier jeudi de septembre, il frappait à la porte d'une jolie maison de Cambridge. Une domestique noire vint lui ouvrir. Elle le conduisit dans un petit salon, devant une femme d'une trentaine d'années. Après une poignée de main, elle l'invita à s'asseoir.

— Vous êtes de Paris, monsieur Deslauriers ? demanda-t-elle en anglais.

Sa prononciation du patronyme le rendait incompréhensible. Pour cette Américaine, sa simple complexité lui donnait certainement un vernis d'authenticité, le rendant sans doute plus français. Il n'en était plus à une imposture près. Aussi, sans ciller, il répondit :

— Oui, du cinquième arrondissement.

Le quartier latin. Clotilde, et même le doyen du collège, l'avaient convaincu que pour les notables de Boston, évoquer Québec l'aurait disqualifié. D'autre part, dans ces milieux nantis, il risquait de tomber sur des personnes connaissant cette ville. Deux ouvrages sur la capitale française trônaient maintenant sur sa table de chevet.

— Mon époux, le docteur Adams, souhaite prendre quelques cours à la faculté, là-bas. Il est aliéniste.

Le visiteur se garda bien de demander dans quel établissement.

— Et vous aimeriez profiter de la ville.

Elle acquiesça de la tête en battant des cils. La domestique revint avec un plateau portant une théière et des tasses. Quand elle fut partie, l'hôtesse proposa, cette fois en français :

— Voulez-vous du thé ?

Elle ne partait pas de zéro. Visiblement, dans son collège de jeunes filles, on lui avait enseigné la grammaire, les conjugaisons et un peu de vocabulaire. Côté prononciation, cependant, tout restait à faire.

— Si je peux me permettre, répétez après moi : voulez-vous…

Ces dollars-là ne seraient pas difficiles à gagner. Il s'agirait de boire du thé et de faire répéter des phrases toutes simples en détachant les syllabes. Et d'espérer qu'à Paris, l'hiver prochain, un serveur trompé par son accent n'apporte pas à cette charmante femme un verre d'absinthe, plutôt qu'une boisson chaude.

❧

Le vendredi suivant, l'ambiance dans la maison des Turgeon était toujours maussade. Évariste entendait se changer les idées, et changer celles de Georges en même temps. Lors du déjeuner, il lui annonça :

— Nous allons à Montréal.

Le projet avait fait l'objet de discussions déjà, sans confirmation toutefois.

— Mais le collège…

— Ton directeur se montrait plutôt conciliant au téléphone il y a à peine une demi-heure, même si je l'ai sans doute tiré du lit.

Finalement, préparer la petite visite à l'Université Laval à Montréal avait demandé au médecin plus de temps que prévu. Au point où l'expédition s'avérait précipitée.

— Tu lui as dit que j'étais malade, je parie.

— Quelque chose du genre, oui.

— Et moi ? commença Corinne.

Il revint à Délia de l'empêcher de réclamer le même privilège.

— Ils vont à la faculté, cela ne te dirait rien. Nous irons toutes les deux. Bientôt.

Sophie baissa la tête. Toute cette commotion était liée à son départ prochain. Le père changerait les idées de son fils en lui faisant miroiter ses études universitaires, la mère ferait la même chose en montrant des dentelles à sa fille. L'adolescente se surprit à se demander si Clotilde lui réserverait les mêmes attentions.

❄

Dans le train, le père et le fils s'installèrent sur des sièges voisins. Tout autour, les conversations se déroulaient en anglais.

— Je devrais apprendre cette langue. Je veux dire, vraiment apprendre.

Les cours au collège permettaient une connaissance très approximative de la langue des autres Canadiens.

— Tu as raison. Avant d'arriver à l'université, le mieux serait de passer quelques mois dans une famille de langue anglaise.

Tout de suite, Georges s'imagina dans la région de Boston. Sophie parlait du logis de ses parents à Medford. Ceux-ci le recevraient-ils le temps d'un apprentissage? Des projets de ce genre les occupèrent pendant la majeure partie du trajet. Après tout, cette excursion était destinée à parler de son avenir. Et, surtout, à l'empêcher de prendre des décisions inconsidérées.

Arrivés à Montréal, ils prirent le tramway afin d'aller vers l'est. L'Université Laval à Montréal se trouvait rue Saint-Denis. Le médecin connaissait les lieux car il les fréquentait assez régulièrement, pour des rencontres entre collègues surtout. Il marcha directement vers le bureau du doyen de la faculté. Leur poignée de main chaleureuse témoignait de leurs bonnes relations.

— Voici mon fils, dit ensuite le visiteur. Dans deux ans, il compte bien commencer ses études ici.

— Ah! Nous nous occuperons bien de lui.

Voilà qui donnerait à Georges un petit avantage… le même que celui dont bénéficieraient les fils de toutes les connaissances de cet homme, ou d'autres professeurs de la faculté. Un minuscule avantage, tout bien compté.

— Nous pouvons y aller? s'enquit Évariste.

— J'ai averti Bilodeau de votre présence. Il ne sera pas surpris d'avoir de nouveaux spectateurs.

Georges assisterait à son premier cours d'anatomie. En début d'année, aucun étudiant ne couperait dans la chair. Ce jour-là, ils ne feraient qu'observer.

❀

L'amphithéâtre comptait tout au plus cinquante places, dont une dizaine toujours libres. Les sièges étaient disposés sur un plan très incliné, afin que tout le monde puisse voir le professeur tout en bas, et surtout la table devant lui.

— Maintenant, voilà comment c'est fait.

Le professeur Bilodeau enleva le drap d'un geste vif, théâtral, découvrant le corps d'un homme nu. Aucun son ne s'éleva. Tous les yeux se portaient sur la forme grise. Une légère odeur de pourriture incita ceux du premier rang à porter leur index sous leur nez. Évariste jeta un regard en biais vers son fils. Celui-ci regardait, fasciné.

— Il est mort d'une cirrhose du foie. Votre confesseur vous a déjà parlé des dangers de l'alcool pour le salut de votre âme. Moi, je vous parlerai du corps.

Décidément, dans la lutte antialcoolique, ce gars aurait fait fureur. Davantage que les grandes croix noires dans les salons ou les serments passés à genoux devant monsieur le curé. Avec une grande lame, il ouvrit l'abdomen du côté droit. Le docteur Turgeon se dit qu'il offrirait un cognac à son fils avant le dîner, pour que le repas passe mieux. Voilà qui gâcherait l'un des objectifs d'enseignement de Bilodeau : au lieu de produire un abstinent, un nouveau buveur sortirait de la salle de cours.

Chapitre 14

Pour se rendre chez les Marcil, Délia devait suivre la rue De Salaberry vers le nord, jusqu'à l'intersection de la rue Saint-Louis. La petite demeure se tenait là, sur sa droite, en direction de la rivière Richelieu. À une trentaine de verges, elle s'arrêta pour regarder la maison, un peu basse. Les rosiers poussant en broussaille sur la devanture lui donnaient un charme rustique. Toutefois, l'état des bardeaux de la toiture et de la peinture en façade trahissait des moyens limités.

Quand l'épouse du docteur Turgeon frappa à la porte, Euphémie ouvrit tout de suite, comme si elle attendait juste derrière.

— Madame Turgeon, je suis heureuse de vous recevoir chez moi, dit-elle posément.

Le ton et le visage ne débordaient pas d'enthousiasme.

— Tout le plaisir est pour moi.

Si l'hôtesse perçut dans la réponse une petite pointe d'ironie, rien ne parut. Elle s'effaça pour laisser passer la visiteuse, puis la guida vers la pièce servant à la fois de cuisine et de salle à manger.

— J'ai bien peur que mon foyer ne présente pas le même confort que le vôtre.

— Je ne crois pas que nous nous rencontrions pour comparer nos richesses.

— Les richesses de nos époux, en réalité.

Délia s'étonna du ton que prenait déjà cette rencontre. Elle accepta de s'asseoir. Une théière était posée sur la table, la bouilloire fumait sur le poêle. Euphémie versa l'eau sur les feuilles de thé, puis prit place à table.

— Vous vouliez me parler des œuvres charitables de la paroisse, n'est-ce pas ?

— Oui. Vous savez de quoi il s'agit : recueillir de l'argent pour l'hôpital, l'hospice, le couvent, le collège, les pauvres de la paroisse. Nous ramassons aussi de quoi payer les fleurs qui ornent l'église, certaines décorations.

— Décidément, vous devez y mettre tout votre temps !

Le ton railleur n'échappa pas à la bourgeoise.

— Pas tout à fait, mais presque.

Euphémie acquiesça d'un signe de la tête. Elle versa le thé dans les tasses, approcha une assiette contenant quelques biscuits. Quand elle parla de nouveau, elle garda les yeux baissés.

— J'ai voulu vous recevoir ici afin de vous montrer mon cadre de vie. Les activités que vous patronnez, nous n'y participons pas, faute de ressources.

Délia examina la pièce. Les meubles et la porcelaine exposaient les maigres revenus de la famille.

— Les gens contribuent dans la mesure de leurs capacités. Parfois, simplement en donnant de leur temps.

— Une situation susceptible d'écorcher leur fierté…

— Vous semblez convaincue que nous pesons la valeur des gens en fonction de leur fortune !

« Tout le monde le fait, partout », songea l'hôtesse. Plutôt que de partager cette certitude, elle se décida à évoquer le malaise ressenti une douzaine de jours plus tôt. Si elle demeurait dans les généralités, la conversation n'irait nulle part.

— Il y a quelques semaines, j'en ai voulu à Xavier d'avoir accepté l'invitation de votre mari, car cela m'obligera à vous recevoir ici par la suite. Le cadre, le menu, mes talents de cuisinière, rien ne serait à la hauteur.

Décidément, elle tenait à faire pitié.

— Inutile de me raconter tout cela, madame Marcil.

Délia se priva de préciser encore que d'habitude, on recevait des gens pour le plaisir de leur compagnie, et non pour jauger de leur richesse.

— Pour éviter tout embarras, il suffirait de ne pas nous inviter, dit-elle plutôt.

Son hôtesse accusa le coup. Évidemment, l'exercice devenait plutôt avilissant.

— L'invitation venait de votre époux, n'est-ce pas ? s'informa Euphémie.

Délia comprit tout de suite.

— Parfois, il me demande d'abord si je suis d'accord, d'autres fois, non.

— Je ne crois pas que Xavier aura cette délicatesse envers moi.

Ainsi, tout ce discours ne servait qu'à cela : convaincre la visiteuse de refuser, si une invitation venait de la part de Xavier. Euphémie crut utile de dire encore :

— Mon mari pense que le vôtre deviendra le prochain maire. Il tente de préserver son emploi.

Voilà qu'elle faisait de son époux un flagorneur, capable de bassesses pour arriver à ses fins. Selon l'adage, derrière chaque grand homme se profilait une grande femme. Sans doute que derrière chaque homme qui échouait, on découvrait une Euphémie Marcil.

— Quand nous nous sommes mariés, je l'imaginais promis… pas à de grandes choses, mais à une vraie carrière. Il travaille pour la Ville tout au plus deux jours par semaine, pour un mauvais salaire, puis une fois de temps en temps un client s'amène. Vous avez remarqué la plaque, près de la porte?

Machinalement, Délia fit signe que non.

— Vous voyez? Il ne se donne même pas la peine de la dégager pour qu'on l'aperçoive de la rue.

L'épouse de l'avocat paraissait certaine d'avoir parfaitement démontré son point de vue. Comme le carré de bois portant son nom, Marcil échappait aux regards.

— Toutes les jeunes filles pensent le plus grand bien de leur promis, dit-elle encore. Nécessairement, certaines sont déçues.

La tristesse du ton toucha la visiteuse, allégeant son envie de mettre fin au plus vite à cet entretien désagréable. Malgré une légère différence d'âge, elle avait l'impression de bavarder avec une adolescente. Son ton se fit plus conciliant quand elle expliqua:

— Parmi les dames patronnesses, certaines ne sont pas très riches. Pourtant, elles apprécient notre compagnie. Elles se font parfois des amies. Cette seule raison devrait suffire pour vous joindre à nous. Avec un peu de bonne volonté, vous auriez l'occasion d'apporter une contribution significative.

Délia n'insisterait plus, Euphémie le comprenait bien ainsi. Personne ne devait se sentir forcé de participer à des activités charitables. Tout au plus lui indiquerait-elle le lieu et l'heure de la prochaine réunion. Maintenant, mieux valait donner une nouvelle direction à la conversation, ou accepter de la voir se terminer sur un malaise.

— Mes enfants me parlent encore des vôtres. Votre fils a l'intention de poursuivre ses études?

— En médecine, comme son père.

— Il réussira, j'en suis certaine.

Ainsi, Euphémie prétendait pouvoir prédire l'avenir professionnel d'un garçon rencontré une fois, alors que quinze ans plus tôt, elle en avait été incapable devant quelques prétendants.

— Nous le lui souhaitons, son père et moi.

Ces parents préféraient souhaiter, plutôt que d'afficher une certitude qui pourrait s'avérer infondée.

— Et votre fille?

— Elle entame sans aucun enthousiasme sa dernière année chez les sœurs de la Congrégation de Notre-Dame.

— Pourtant, dans quelques années, elle saura qu'il s'agissait du plus beau moment de sa vie. Jamais elle n'aura de meilleures amies.

Délia ne partagerait jamais cette opinion, et Corinne non plus, selon toute probabilité. Peut-être fallait-il un mauvais mariage, pour se complaire ainsi dans le passé.

— Cette jeune fille, Sophie… Elle restera chez vous jusqu'au moment où monsieur le curé sera remis, je suppose.

— C'est ce qui a été convenu. Remis, ou à tout le moins suffisamment bien pour s'en occuper.

Pour la seconde fois, Euphémie exprimait son intérêt envers cette adolescente. Elle s'en expliqua:

— Je parlais des amies de couvent, il y a un instant. D'une amie, en réalité. Quand je l'ai vue, j'ai eu un choc: on dirait la jumelle de Delphine.

— À ce que je sache, elle n'a aucune sœur.

— Évidemment! Delphine a mon âge. Mais si vous l'aviez vue…

La ressemblance était peut-être approximative. Après toutes ces années, personne ne se souvenait exactement des traits de quelqu'un. L'émotion d'Euphémie, toutefois, pouvait être identique à celle ressentie, encore adolescente, devant une amie de couvent. Une amie particulière.

Les souvenirs de leur scolarité respective les occupèrent un bref instant, puis du bruit dans l'entrée attira leur attention. Anselme et Denise rentraient de l'école. La petite fille, comme tous les jours, avait attendu son frère près de l'établissement des Frères des écoles chrétiennes, afin de revenir avec lui. Comme les adultes n'avaient pas touché aux biscuits, les enfants profitèrent de l'occasion.

Puis Délia annonça son intention de partir. Son hôtesse la raccompagna jusqu'à la porte. Elle lui dit :

— Je vous remercie d'être venue.

Euphémie n'osa pas l'appeler madame, ni utiliser son prénom.

— Ce fut un plaisir.

L'hôtesse eut un sourire navré. Parfois, les formules de politesse sonnaient tout à fait faux.

— Puis-je vous inviter à notre prochaine rencontre ?

Devant l'hésitation de son interlocutrice, la femme du médecin précisa :

— Ne serait-ce que pour rompre votre solitude.

La compassion marquait son visage.

— Oui, vous avez raison. M'enfermer ici ne me vaut rien de bon.

— Alors, à bientôt.

Délia tendit la main, Euphémie l'accepta de bonne grâce. Dehors, la bourgeoise eut l'impression de mieux respirer. L'atmosphère de cette petite maison lui avait donné un léger mal de tête.

❋

Un peu après sept heures, Évariste et son fils montèrent dans le train du Grand Tronc à destination de Douceville. Cette fois encore, le fait que les passagers de la première classe parlaient presque tous en anglais apportait une certaine discrétion à leurs échanges.

— Alors, que penses-tu de la faculté de médecine ?

— Comme je n'ai pas encore digéré mon souper, quelle bonne idée de me rappeler la jolie scène de dépeçage.

Le sourire en coin de Georges indiquait qu'il ne fallait pas le prendre au pied de la lettre.

— Et au-delà de tes haut-le-cœur ?

— Je ne m'inscrirai pas en droit, ne crains rien.

Après une pause, il confia :

— Pas plus que je ne m'enfuirai en Saskatchewan avec Sophie.

Évariste entendait parler pour la première fois de cette migration, mais il comprenait sans mal : son fils avait rêvé de s'établir dans un coin perdu avec l'élue de son cœur. Heureusement, son caractère raisonnable – ou pusillanime ? – l'avait retenu de compromettre ainsi tout son avenir.

— Tu sais, avec une bonne profession, tu as plus de chances de la retrouver un jour qu'en t'enfuyant dans l'Ouest canadien.

— J'ai déjà fait le calcul. Je recevrai sans doute mes premiers patients à l'été 1912. Le problème n'est pas la profession, mais les années qui m'en séparent. Sophie aura le temps de m'oublier dix fois.

Un bref instant, le père eut envie de dire : « Si elle t'aime, elle t'attendra. » Il n'osa pas. En réalité, il conseillerait plutôt à Georges de voir d'autres jeunes filles, de ne pas s'isoler pendant des années à cause d'un premier coup de cœur survenu à l'adolescence. Alphonse Grégoire ferait sans doute de même avec sa fille.

— Nous nous sommes rencontrés trop tôt, conclut Georges.

Ce constat lui revenait sans cesse à l'esprit.

— Tu as raison, mais pas seulement comme tu te l'imagines. Tu ne connais aucune autre jeune femme.

— Voyons…

— Tu sais ce que je veux dire.

Oui, Georges comprenait. Prendre la première venue, ce n'était pas vraiment choisir. Quel que soit son charme. Son père crut bon d'insister :

— La vie vous ramènera peut-être l'un vers l'autre, mais vous ne pouvez pas vous mettre sous une cloche de verre, ni l'un ni l'autre.

Le garçon hocha la tête pour donner son assentiment. Toutefois, il murmura :

— Mais je sais que c'est la bonne.

Le père jugea préférable de rester silencieux. Lui-même la trouvait charmante. Le désarroi de son fils lui paraissait totalement justifié.

❋

La situation ne se présentait sans doute pas très souvent : un époux reprochant à sa femme une trop grande religiosité.

— Bin, tu peux pas slacquer, avec ton curé ?

Déjà, Elzéar Morin était allé à la grand-messe en matinée. Pour lui, cela représentait une réserve de dévotions bonne pour au moins la semaine à venir. Que sa nouvelle épouse ressente encore le besoin de se rendre à la sacristie pour rencontrer Donatien Chicoine lui paraissait bien étrange.

— Moé, ça m'intéresse, la religion. T'es d'venu protestant, dernièrement ?

Le nouvel enthousiasme de Malvina n'allait toutefois pas jusqu'à demander à son mari de l'accompagner à l'église. Pas de trace de prosélytisme, il s'agissait d'une activité individuelle, non de couple.

— J'pensais jusse pas m'marier avec une mangeuse de balustre.

Morin se tenait sur la galerie du logement occupant le rez-de-chaussée d'un petit immeuble situé à deux pas de l'usine Willcox & Gibbs. Même avec le temps devenu plus frais, il préférait rester dehors. Les meubles dépareillés de l'appartement, les murs à la peinture écaillée finissaient par le déprimer.

— Bon, si t'as rien de plus intéressant à dire, j'y vas.

De toute façon, même avec un meilleur sens de la conversation, Elzéar n'aurait pas su la retenir. Avec son chemisier, sa jupe de couleur brune et son petit chapeau perché sur la tête, Malvina semblait se préparer à aller aux vêpres. Il était toutefois trop tôt pour cela.

La femme se dirigea vers l'église d'un bon pas. Une fois rendue, elle passa tout de suite dans la sacristie, sans s'attarder dans la nef. La porte de la pièce faisant office de bureau était ouverte. Quand elle se présenta dans l'embrasure, le prêtre releva la tête :

— Ah ! Vous voilà, madame Morin.

Le vicaire conservait son ton habituel lorsqu'il s'adressait à une paroissienne.

— Bonjour, monsieur le curé.

Elle penchait la tête vers le plancher, intimidée.

— Venez vous agenouiller.

Malvina prit soin de fermer la porte. En faisant un petit détour pour ne pas passer à portée de ses mains, elle s'agenouilla sur le prie-Dieu en prenant bien soin de dégager le bas de sa robe. Ainsi, il serait plus facile de la trousser sur ses reins. Au cours du mois précédent, une routine s'était installée : placé derrière Malvina, l'ecclésiastique détachait sa soutane. Depuis son arrivée, une solide érection apparaissait à son bas-ventre. Nul besoin de le stimuler.

— Ce n'est pas péché, ma sœur. Dieu vous demande d'aider ses serviteurs. Vous lui rendez grâce.

Le prêtre ne croyait pas à ces paroles, peut-être sa paroissienne faisait-elle seulement semblant. Les avant-bras posés sur le prie-Dieu, la femme creusait les reins. Un râle souligna la pénétration. Maintenant, dans le cas d'une grossesse, Elzéar accueillerait l'heureux événement. Inutile de prendre la moindre précaution.

❧

D'habitude, le courrier mettait deux jours à couvrir la distance entre Douceville et Medford. La lettre de Sophie, mise à la poste un mercredi, arriva le lundi en fin de matinée. Son père lui avait demandé d'adresser ses missives à sa maîtresse, car la semaine précédente, il avait dû quitter sa pension pour étudiants et chercher un petit hôtel plus minable encore.

Clotilde contempla l'enveloppe pendant trente longues secondes. Son instinct lui disait qu'il s'agissait d'une communication importante. Aussi, après avoir mis son plus beau chapeau sur sa coiffure compliquée et enfilé des gants de dentelle, elle se dirigea vers le collège Tufts. Les étudiants étaient en classe pour quelques minutes encore. Quand une sonnerie retentit, des jeunes gens envahirent le couloir. Tous s'étonnèrent de sa présence, certains la saluèrent d'une inclination de la tête, ou alors d'un : « Bonjour, m'dame. »

Une fois la pièce la plus proche vidée de ses étudiants, elle entra pour trouver Alphonse debout sur une petite estrade, récupérant des documents sur son pupitre.

— Que fais-tu ici ? s'étonna-t-il.

— Je pense que c'est important.

La femme tendait la lettre reçue moins d'une heure plus tôt. Le prêtre déchira le rabat, déplia un feuillet. Il la lut une première fois, puis lut :

Tu as raison, il est temps pour moi de vous rejoindre.

Il poursuivit un instant, même si les mots suivants, concernant la gentillesse des Turgeon, ne l'intéressaient guère.

— Elle veut nous rejoindre. Si nous prenons le train tout de suite, nous serons là-bas demain matin.

— Nous ne pouvons pas débarquer comme ça, il faut lui laisser du temps.

— Du temps ? Voilà une éternité qu'elle me manque !

La femme avait élevé la voix. Heureusement qu'ils parlaient en français, car deux étudiants passèrent la tête dans l'embrasure de la porte pour voir ce qui se passait.

— Je peux vous aider ? demanda le prêtre, en anglais cette fois, sans aucune aménité.

Les jeunes gens disparurent. Il continua, s'adressant cette fois à sa compagne :

— Tu iras la chercher toi-même. Ce soir, nous téléphonerons là-bas pour nous entendre sur le moment le plus propice.

Elle prit le temps de réfléchir, puis hocha la tête pour accepter.

— Et maintenant, pour fêter ça, allons manger.

De nouveau, Clotilde acquiesça, puis s'accrocha à son bras.

Ce lundi, comme d'habitude, Évariste quitta la maison pour se rendre au conseil municipal avec des sentiments mitigés. Son désir de changement se trouvait sans cesse frustré par l'opposition du maire. Pourtant, il réalisait quelques progrès.

La réunion devait juste commencer à l'hôtel de ville quand le téléphone sonna dans le salon. Le timbre s'entendait à peine de la chambre des maîtres. Comme il se pouvait bien que ce soit une urgence, Délia referma son livre et alla décrocher. À son « Allô », une voix connue répondit :

— Madame Turgeon, vous vous portez bien, j'espère.

Comme elle ne dit rien, son interlocuteur précisa :

— Ici Alphonse Deslauriers.

— Vous voulez dire Grégoire.

— Oui. Enfin, j'ai cru préférable de prendre le même patronyme que Sophie. Ce sera plus simple, vous comprenez.

— Je ne crois pas comprendre grand-chose à votre situation, mais je veux bien admettre que d'ordinaire, un père porte le même patronyme que sa fille. Toutefois, il lui donne le sien.

L'épouse du médecin ne pouvait abandonner son ton sarcastique quand elle s'adressait à son ancien curé. Il resta coi quelques instants, puis reprit :

— Pouvez-vous me dire comment se porte Sophie ?

— Dans les circonstances, elle va bien. Évidemment, le sentiment d'avoir été trahie demeurera tenace encore longtemps, mais sa colère retombe.

— Dans sa dernière lettre, elle se disait prête à venir nous rejoindre.

À ce sujet, Délia se sentait toujours mal à l'aise. Si l'adolescente se montrait disposée à partir, c'était après avoir été poussée vers la porte.

— Nous ne pouvons pas l'adopter, elle a des parents, fit Délia. Alors mieux vaut qu'elle les rejoigne.

Elle entendait le faire payer pour ces années d'hypocrisie où, du haut de la chaire et au confessionnal, il avait prêché la vertu. Puis, en toute honnêteté, elle lui faisait aussi payer les fautes de l'abbé Chicoine. Ses gestes intolérables envers Corinne lui restaient en travers de la gorge. Le scénario paraissait susceptible de se reproduire. À l'autre bout du fil, Alphonse faisait les plus grands efforts pour garder son calme.

— Nous pourrions venir la chercher en fin de semaine prochaine, samedi ou dimanche. Enfin, Clotilde pourrait venir.

— Vous avez raison, elle attirera moins l'attention que vous, dans les rues de Douceville.

— Je peux lui parler ?

Le curé en fuite se lassait du ton revêche de la femme du médecin. Et la perspective de mettre fin à la conversation ne déplaisait guère à celle-ci.

— Attendez, je vais voir. Cela peut prendre un moment, elle se trouve dans sa chambre.

— Merci, madame Turgeon.

Délia posa le cornet sur le sous-main, puis quitta la pièce. Depuis le bas de l'escalier, elle dit d'une voix forte :

— Sophie ? Ton…

Ton père ? Ton oncle ?

— Monsieur Grégoire aimerait te parler. Acceptes-tu de prendre l'appel ?

— Oui, bien sûr.

Elle descendit aussitôt l'escalier. Son visage ne manifestait toutefois aucune joie particulière.

— Tu raccrocheras, après avoir terminé.

Quand l'adolescente fut au salon, Délia retourna dans sa chambre. Corinne l'y rejoignit.

— Cette fois, c'est vrai ? Elle s'en va ?

— Sa mère veut venir la chercher en fin de semaine.

— Sa mère…

L'intolérance pour les histoires d'amour illicites devait être héréditaire. Mère et fille partageaient la même attitude.

❀

Sophie porta le cornet à son oreille, puis se pencha vers l'appareil.

— Mon oncle… Enfin, je veux dire…

Pourtant, elle ne le dit pas.

— Tu vas t'y faire, tu verras. Dans ta lettre, tu disais souhaiter venir nous rejoindre.

— Oui.

— Tu as probablement le trac. Mais tu vas voir, tu te plairas ici.

Que souhaitait-il entendre ? « Oui, bien sûr. J'ai tellement hâte. » L'adolescente demeura silencieuse.

— Clotilde… je veux dire, ta mère se rendra à Douceville samedi prochain. Vous pourrez faire le trajet ensemble, dimanche. Nous nous retrouverons en soirée, dans moins d'une semaine.

— D'accord.

Le père tenta de poursuivre la conversation, mais les réponses en un seul mot le découragèrent. Après avoir raccroché, Sophie monta directement à sa chambre sans chercher à parler à qui que ce soit.

Chapitre 15

Les réunions du conseil municipal devenaient de plus en plus tendues depuis que le maire Pinsonneault suspectait, avec raison, une mutinerie à venir. La situation avait tout de même quelque chose de bon : chacun pouvait rentrer à la maison plus tôt.

Ce soir-là, ce ne serait pas le cas pour tous. En quittant son siège, le maire dit au secrétaire, d'une voix bourrue :

— Marcil, viens faire un tour à mon bureau.

L'avocat jeta un regard en direction d'Évariste, vaguement inquiet, puis il suivit le premier magistrat. Dès leur arrivée dans sa pièce de travail, celui-ci déclara :

— Tu sais qui te verse un salaire chaque semaine ?

— … La municipalité.

— Ça, c'est moé.

« Jusqu'à la prochaine élection », se rebiffa silencieusement le secrétaire. Le maire suivit le cours de ses pensées.

— Jusqu'en février, en tout cas. D'ici là, si ça me chante, tu pars comme ça.

Il claqua des doigts pour bien se faire comprendre.

— J'espère que cela ne se produira pas.

— Pour ça, tu vas te rendre utile. Le docteur, tu le vois encore ?

— … Au conseil.

Le regard mauvais de Pinsonneault l'amena à se justifier.

— Il m'a invité à dîner une fois. Nous ne nous fréquentons pas pour autant.

— Bin, c'est d'valeur, ça. Du si bon monde. T'as pas rendu l'invitation ?

— Ma femme n'est pas chaude à l'idée, alors non.

— Qui c'est qui porte les culottes, chez vous ?

Avec une solide dose de vin tonique, Xavier arrivait à se convaincre que c'était lui. Une fois l'effet estompé, cela lui paraissait moins évident.

— Moé, j'aimerais que tu le fréquentes, pis que tu me dises c'qu'y trame.

L'avocat hocha la tête en guise d'assentiment. Tout de même, il tint à préciser :

— Pour nous, les grands dîners représentent une dépense importante.

— Si tu fais bin ça, la ville f'ra peut-être un p'tit effort.

Le secrétaire se demanda à quel compte de dépenses serait porté le petit effort en question. À ses autres fonctions, il venait d'ajouter celle d'informateur. Comme Pinsonneault se penchait sur un dossier, il comprit que la conversation était terminée.

— Bonne fin de soirée, monsieur le maire.

Un grognement fit office de réponse à ses souhaits.

❖

Tandis que Xavier Marcil se dirigeait vers son domicile, la base de son crâne élançait. Pourtant, ce ne fut pas pour cette raison qu'il effectua un petit crochet pour se rendre chez les Turgeon. Une visite à cette heure tardive paraîtrait bien cavalière, mais la lumière aux fenêtres du salon lui donna le toupet nécessaire.

Ses trois coups contre la porte restèrent tout de même un moment sans réponse. Il allait tourner les talons quand la porte s'ouvrit. Comme Aldée était déjà montée, le maître de la maison l'accueillit lui-même.

— Monsieur le secrétaire, je peux faire quelque chose pour vous ?

Le ton abrupt lui fit regretter d'être venu.

— Je voulais juste vous dire un mot.

Évariste se déplaça pour le laisser entrer.

— Venez dans mon bureau.

Le praticien imaginait déjà une consultation médicale.

— Non, ce ne sera pas nécessaire, j'en ai pour un instant. Tout à l'heure, le maire voulait me parler en toute discrétion. Il m'a demandé de vous fréquenter, histoire de le renseigner sur vos projets politiques.

Évariste haussa les sourcils, surpris. Puis il esquissa un sourire.

— Et vous avez jugé utile de m'en informer.

Un hochement de la tête servit de réponse. Le médecin devinait les motifs de son visiteur. Dans sa situation, mieux valait garder de bonnes relations avec le maire actuel, et avec celui qui serait peut-être le prochain.

— Bon, le conseil n'est pas mauvais, nous pourrions nous fréquenter.

Inutile de préciser que dans ce cas, les renseignements devraient aller dans les deux sens.

— Je pourrais commencer par vous rendre votre charmante invitation à dîner.

— Nous vous rendrons visite avec plaisir.

Dans ce cas précis, le médecin aurait dû éviter le pluriel. Compte tenu de l'accueil que lui avait réservé Euphémie quand elle l'avait reçue pour le thé, Délia ne se réjouirait pas de retourner s'asseoir dans la cuisine des Marcil.

— J'en discuterai avec ma femme, afin d'arrêter une date, conclut l'avocat. Je ne vous dérangerai pas plus longtemps. Bonne nuit, docteur.

— Bonne nuit.

Marcil se tenait toujours près de la porte, son hôte lui ouvrit pour le laisser partir. Il était déjà dehors quand Évariste lança :

— Merci, Xavier.

— C'est tout naturel.

Sur le chemin de la maison, l'avocat sentit sa migraine s'intensifier. La vie d'agent double ne serait pas de tout repos. Il força le pas pour aller ingurgiter au plus vite sa dose de laudanum.

❊

Après avoir parlé à Sophie, Alphonse était demeuré longuement silencieux. Puis, histoire de rompre le silence devenu trop lourd, il échangea quelques propos avec Clotilde sur les miracles de la modernité, qui permettaient de se parler ainsi d'un pays à l'autre. Toutefois, chacun pensait à cette réunion prochaine avec espoir et inquiétude à la fois.

Puis le prêtre murmura :

— Elle se sentirait mieux si elle arrivait chez un couple marié.

Sa compagne le regarda en plissant le front.

— Tu voudrais que nous nous mariions ?

— Puisque nous formons une famille, autant se mettre en règle.

Il s'attendait à ce que Clotilde lui saute au cou. Mais la surprise la laissait totalement hébétée. Tellement qu'il demanda, cette fois anxieux :

— Tu as changé d'idée ?

Après tout, ses propres hésitations, son peu d'enthousiasme l'avaient peut-être découragée.

— Non. Bien sûr que non. Tu m'as surprise.

— Je ne sais pas ce qui conviendra le mieux. Nous pourrions peut-être trouver un vieux religieux qui se contentera de l'acte de naissance que je me suis concocté et de la preuve de ton veuvage. Quelqu'un qui n'aura pas la curiosité d'écrire au prochain curé de Douceville pour vérifier mon histoire.

Quelle était la probabilité qu'un tel plan fonctionne ? Faible, sans doute. Aussi Alphonse se montra plus candide :

— Dans ma situation, je ne suis pas certain d'avoir envie de tenter le diable. La liste de mes hypocrisies est plutôt longue.

Il voulait dire : se présenter à un prêtre pour mentir, et mentir ensuite tout au long de sa vie sur son identité et sur son passé.

— Aux États-Unis, nous pouvons nous marier devant un officier de justice, n'est-ce pas ?

Dans la province de Québec, l'Église catholique serait montée aux barricades pour empêcher que cela se produise.

— Oui. Au Massachusetts, c'est devant un juge de paix.

— Tu sais comment on fait ?

— Il faut obtenir une licence, attendre quelques jours, puis se présenter à une cour municipale.

— Combien de jours ?

— Trois.

En comptant très juste, le prêtre songea que la cérémonie – comme le terme convenait mal à cette procédure ! – pouvait avoir lieu avant l'arrivée de Sophie. Les pensées de Clotilde allaient exactement dans la même direction.

En arrivant à la maison, Xavier posa son porte-documents dans son bureau, puis il prit la petite bouteille de laudanum dans le tiroir du bas. Dans la cuisine, il trouva Euphémie plongée dans un livre.

— C'est bon ?

Même si l'épouse parut agacée par son intervention, elle répondit :

— Pas vraiment. Comme je dois me contenter de la collection du cabinet de lecture paroissial, je ne trouve que des bondieuseries.

Xavier comprit le sous-entendu contenu dans cette réponse. Elle lui soulignait que ses moyens ne lui permettaient pas d'acheter des romans chez les libraires de Montréal.

— Celui-là parle des vierges et martyres de l'Empire romain. Je m'attends à trouver mon prénom d'une page à l'autre.

Aucune petite fille de la province de Québec n'ignorait le sort de sa sainte patronne. Marcil marcha directement vers la pompe à queue afin de remplir un petit verre à moitié. Puis il y ajouta quelques gouttes de son laudanum.

— Pourquoi caches-tu ce médicament dans ton bureau, au lieu de le mettre dans la salle de toilette ?

Une minuscule armoire contenait quelques médicaments pour la toux et de l'aspirine.

— Selon Turgeon, une goutte de trop, et on ne se réveille pas. Je ne voudrais pas que les enfants mettent la main dessus.

« Et puis, il tient compagnie à mon vin fortifiant », songea-t-il.

— À propos de Turgeon, dit-il encore, tu sais que des échevins parlent de lui pour succéder à Pinsonneault.

L'argument lui avait permis d'imposer à sa famille le dîner chez le médecin. Sa compagne exprima son agacement par un geste de la main, comme pour chasser un moustique. Cela pouvait passer pour une réponse positive.

— Ce soir, monsieur le maire m'a demandé de continuer de fréquenter le bon docteur, pour ensuite l'informer de ses ambitions politiques, et de ses plans pour y arriver.

Cette fois, il obtint toute l'attention de son épouse.

— Tu inventes ça pour me convaincre de les inviter.

— Voyons, tu sais bien que je n'ai pas assez d'imagination pour penser à un plan de ce genre !

Il la défia des yeux, un sourire gouailleur sur les lèvres.

— Mais tu ne sais pas encore le meilleur, poursuivit-il. Je me suis arrêté chez Turgeon pour le lui dire. Et lui n'a rien trouvé de mieux que de me demander de le tenir au courant des intentions de monsieur le maire.

Euphémie devait bien en convenir, Xavier ne saurait inventer un scénario tordu à ce point. Tôt ou tard, il utiliserait cette circonstance pour l'inciter à rendre l'invitation.

— Que vas-tu faire ?

— Que veux-tu que je fasse ? Je ne peux pas dire non à mon patron actuel, ni à celui qui le deviendra peut-être.

— Déjà, je ne te vois pas faire l'espion, et là tu jouerais double jeu ?

— Pourtant, ce sera très facile : je dis à Turgeon que Pinsonneault veut l'espionner, et à Pinsonneault que Turgeon veut l'espionner.

D'un trait, il avala son médicament. Dans une heure, il s'endormirait comme une masse.

— Je vais remettra ça à sa place.

Des yeux, il désignait le laudanum.

— Moi, je vais monter tout de suite.

Euphémie n'entendait pas poursuivre cette conversation. Il lui faudrait remettre l'invitation à dîner sur le tapis.

❋

L'hôtel de ville de Medford était un petit édifice en brique orné de tourelles, d'un style gothique plutôt fantaisiste. Le couple craignit de faire tapisserie un long moment. Heureusement, un employé de la cour de comté put les recevoir dans son bureau presque aussitôt.

— Nous voulons nous marier, annonça Alphonse après avoir pris un siège. Nous devons avoir une licence, je crois.

— Vous avez un accent français, vous êtes donc catholiques.

Le fonctionnaire fronçait les sourcils, soupçonneux. Il continua :

— Pourquoi ne vous adressez-vous pas à votre curé ?

— Je suis un peu fâché avec mon Église.

— Les papistes ! Moi, je n'endurerais pas leur sort une seule journée.

Dans une région où les immigrants irlandais et italiens affluaient, les hostilités entre les membres des diverses confessions devenaient plus intenses. Sachant que ce genre de discussion pouvait très vite dégénérer, Clotilde intervint :

— J'ai le certificat de décès de mon premier époux avec moi. Vous en aurez besoin. Et un certificat de naissance.

Elle sortit les documents de son sac pour les poser sur le pupitre.

— Madame Donahue, vous habitez toujours dans la rue Forest ? interrogea le fonctionnaire en parcourant le dossier.

— Oui.

— Et vous, monsieur ?

Le prêtre chercha son certificat de naissance dans la poche intérieure de sa veste. Ce dernier document écrit en français ramena immédiatement le doute dans l'esprit du fonctionnaire.

— Je n'y comprends rien.

— Je vais vous le traduire.

La femme tendit sa main gantée de dentelle pour reprendre la feuille de papier, son meilleur sourire sur le visage. Sa robe rouge et son chapeau assorti produisaient aussi leur petit effet.

— Ça vient du curé de Douceville. Mon fiancé y est né en 1856…

Avec application, en suivant les mots du bout du doigt comme si son interlocuteur pouvait les saisir, elle enchaîna avec les noms des parents, la date du baptême.

— Rien du gouvernement ?

— Au Canada, les choses se passent ainsi.

L'employé se priva de faire un nouveau commentaire sur les papistes. À la place, il regarda Alphonse et demanda :

— Vous n'avez jamais été marié ? La bigamie est punie sévèrement au Massachusetts.

Clotilde rit comme s'il venait de faire une bonne blague.

— Vous croyez que je suis du genre à me contenter de la seconde place ?

« Sans doute pas », admit silencieusement le bonhomme. Il reprit le certificat de baptême en affirmant :

— Je vais examiner ça.

Il mettait ainsi fin à l'entretien.

— Pourrons-nous nous marier vendredi ? s'informa Clotilde.

— Vous êtes si pressés ?

— Elle sans doute pas, ironisa l'ecclésiastique, mais moi, oui. Regardez l'âge que j'ai.

Cette fois, l'employé s'amusa franchement. Il comprenait sans mal qu'un homme de cinquante ans, célibataire jusque-là, souhaite se marier au plus tôt.

Quand le couple sortit sur le trottoir, Alphonse exprima son incertitude :

— Tu crois qu'il nous donnera cette foutue licence ? S'il vérifie…

— Voyons, il n'en a rien à faire, que des Canadiens français se marient ou pas. Comme tous les fonctionnaires, il ne fera pas le moindre effort.

Leur sort dépendait donc du manque de professionnalisme des employés municipaux de Medford. Cela leur permettait un optimisme mitigé.

❋

Que trois bouteilles de vin à la coca s'épuisent aussi vite désespérait Xavier. Cette nouvelle habitude lui coûtait aussi cher que toute la nourriture de la famille. Combien de temps pourrait-il dissimuler cette dépense ? À tous les motifs d'Euphémie pour lui en vouloir s'en ajouterait un autre : il dilapidait les ressources déjà très limitées du ménage pour satisfaire un vice. Tout le monde le jugerait plus cruellement que s'il buvait. Abuser du gin ou du whisky lui aurait valu la compréhension de tout le monde. Pas devenir dépendant d'un mauvais vin relevé avec des feuilles de coca.

Ces pensées le rendaient plus mélancolique encore. Aussi, au moment du souper, il enfila un troisième verre, puis rejoignit sa famille à table, souriant, et même carrément drôle. Du moins se percevait-il ainsi.

❋

Finalement, ils n'auraient pas dû douter. Non seulement récupérèrent-ils leur licence le vendredi matin, mais le fonctionnaire accepta de les unir en début d'après-midi. Quand ils revinrent à l'édifice municipal, Alphonse remarqua :

— Je me sens tout de même mal à l'aise. Nous pourrions retarder cela de quelques jours, pour que Sophie y assiste.

— Là, tu me déçois. Tu es prêt à retarder ta première nuit à l'appartement ?

Clotilde était demeurée inflexible à ce sujet. Une veuve respectable ne recevait pas un homme pour la nuit. Comme son promis ne se déridait pas, elle insista :

— Crois-moi, elle ne rate rien. Comme nous n'avons même pas de témoins, il va demander au concierge.

Clotilde ne se trompait pas. L'homme chargé de faire le ménage apposa bien sa signature au bas d'un document, de même qu'un commis aux écritures. Ils quittèrent la petite salle du tribunal mi-figue, mi-raisin. Une union comme celle-là ne valait sans doute pas celle des sauvages, qui au moins invoquaient les esprits ou le grand manitou. Mais de toute façon, pour un prêtre, aucune cérémonie ne pouvait laver le sacrilège.

Dehors, Alphonse prit un ton faussement joyeux :

— Maintenant, allons nous acheter des alliances. Malheureusement, nous devrons nous montrer raisonnables sur le prix.

Son nouveau statut d'homme marié l'incitait à gérer encore plus prudemment son mince patrimoine.

❀

En descendant du train, la nouvelle madame Clotilde Deslauriers laissa échapper un gros mot. Malgré les banquettes bien rembourrées de la première classe, dix heures de train lui avaient mis les reins en compote. Et dès le lendemain, elle referait le trajet dans l'autre sens.

Son sac de voyage à la main, bien sanglée dans une robe grise et une veste un ton plus foncé, elle parcourut

les quelques dizaines de verges séparant la gare du Grand
Tronc et l'hôtel National, dans la rue Richelieu. Quand elle
demanda si elle pouvait louer une chambre pour la nuit, le
commis répondit :

— Oui, bien sûr.

Lorsqu'il leva les yeux, il s'exclama :

— Mais je vous connais, vous ! Vous étiez à Douceville
au début de l'été.

— Quelle bonne mémoire !

— Je n'oublie pas le visage des plus charmantes clientes.

Tout de suite, le rouge lui monta aux joues. Si sa petite
imitation de Casanova agaçait cette femme et qu'elle s'en
plaignait à son gérant, celui-ci le mettrait à la porte dans
l'heure suivante.

— Ah ! Quel charmeur !

Il se sentit rassuré.

— Vous pouvez me donner la même chambre ?

Elle lui rappela le numéro. Un instant plus tard, le jeune
séducteur tournait le grand registre dans sa direction, puis
la plume. Tout en enlevant son gant droit, elle précisa :

— Je suis bien la même personne, mais avec un nouveau
nom. Je me suis mariée hier.

Avec un sourire moqueur, elle lui mit son annulaire sous
le nez.

— Alors, trop tard pour vous. Nous, les Américaines,
conservons nos époux au moins un an avant d'en changer.

Un bref instant, elle regretta sa mauvaise blague, puis
balaya cette préoccupation. Demain, elle reprendrait le
chemin de Medford. Elle allait signer Tilda Don… D'un
coup de plume, elle biffa les trois dernières lettres pour
écrire Deslauriers.

— Pouvons-nous téléphoner, dans cet hôtel ?

— Évidemment. La cabine est juste là.

Du doigt, il indiquait un cagibi qui servait sans doute à ranger les balais avant l'invention de monsieur Bell.

— Alors, je monte déposer ça, et je redescends téléphoner.

En se dirigeant vers l'escalier, Clotilde força l'ondulation de ses hanches. L'employé le méritait bien.

❀

L'expression « déposer ça », qu'avait utilisée Clotilde, s'avérait élastique, car elle incluait un long passage à la salle de bain, puis un arrêt devant un miroir pour se recoiffer. Ensuite seulement, Clotilde descendit s'enfermer dans la cabine téléphonique. Quand elle demanda d'être mise en communication avec le docteur Turgeon, l'employée de Bell s'informa :

— Avec son cabinet ou son domicile privé ?

— Son domicile.

Un moment plus tard, une voix féminine répondait.

— Madame Turgeon ?

— … Oui, confirma Délia.

— Ici Clotilde… Deslauriers. La mère de Sophie.

— Oh ! Bonjour madame.

Cette bourgeoise devait adopter le même ton pour parler à son boucher. La suite prit donc la nouvelle mariée tout à fait au dépourvu.

— Vous venez d'arriver, je suppose. Peut-être aimeriez-vous souper avec nous ?

Décidément, Délia était une femme du monde, pour surmonter ainsi une inimitié épidermique.

— Je descends tout juste du train, il me faudra toute la soirée avant de me rendre présentable. Toutefois, je vous remercie de votre amabilité.

La femme du médecin eut l'impression que Clotilde l'avait devinée sans mal : une invitation pour la forme, et l'espoir d'entendre un refus.

— Je peux parler à ma fille un moment ?

— Oui, elle est assise juste devant moi.

Dans le salon des Turgeon, Délia fit signe à Sophie de venir prendre sa place devant la table portant l'appareil téléphonique. Puis elle entraîna ses enfants :

— Allons aider Graziella et Aldée à mettre le couvert.

Corinne et Georges comprirent qu'elle souhaitait donner un moment d'intimité à leur amie. D'ailleurs, Sophie attendit leur départ avant de murmurer :

— Allô.

— Ah ! Ma belle, si tu savais combien entendre ta voix me fait plaisir, après toutes ces semaines.

Que pouvait répondre la jeune fille à cela, sinon : «Moi aussi.» Sa mère rit brièvement.

— Tu es vraiment une bonne fille. Demain, nous aurons une dizaine d'heures pour que cela devienne vrai. Que préfères-tu ? Venir me rejoindre à la gare, ou que je me présente chez ces gens ?

Le premier scénario signifiait parcourir les rues escortée de toute la famille Turgeon, dont au moins un membre en pleurs, et les autres avec des mines d'enterrement.

— J'irai vous rejoindre.

— *Tu* viendras me rejoindre.

Sophie mit un moment avant de comprendre.

— Je viendrai te rejoindre.

Après un «À demain» chuchoté, la jeune fille raccrocha. Ses hôtes eurent la bonne idée de rester dans la salle à manger afin de lui donner le temps de retrouver sa contenance.

Chapitre 16

L'atmosphère de la maison des Turgeon menaçait de redevenir lugubre. Évariste en venait à se réjouir de l'imminence du départ, pour que la famille retrouve un climat plus calme. Pourtant, en hôte parfait, il leva son verre en disant :

— Buvons à la santé de notre visiteuse.

Puis, en regardant Sophie dans les yeux :

— Je te souhaite, en mon nom et en celui de tous, un excellent voyage. Notre porte te sera toujours ouverte, comme il convient avec une amie.

L'adolescente murmura un « merci » inaudible, puis trempa ses lèvres dans le vin de Bordeaux. Depuis l'été précédent, les parents autorisaient les enfants à partager cette boisson de grandes personnes lors des occasions spéciales, à condition que ce soit avec modération. La précision valait d'être faite. Délia fronçait les sourcils après un demi-verre, et s'inquiéterait vraiment si ces jeunes personnes se mettaient en tête de vider le leur.

— Oh oui ! renchérit Corinne, tu viendras nous rendre visite, n'est-ce pas ?

Le sujet revenait tous les jours depuis l'annonce du départ de la jeune fille, pour recevoir toujours la même réponse.

— Bien sûr… si mon oncle ne s'y oppose pas.

Au moment d'évoquer cet homme, elle hésitait toujours un peu, de peur de commettre un impair. Devant Graziella qui tendait volontiers l'oreille aux conversations, une erreur ne pardonnerait pas. D'ailleurs, celle-ci osa demander, au moment de verser la soupe :

— Pis, vous allez prendre le train tu seule ?

De nouveau, il lui fallut prendre garde.

— Oui, c'est ce qui est prévu.

— Jusqu'aux États ? Ça vous fait pas peur ?

Délia jugea utile d'intervenir.

— Vous savez, Graziella, elle montera dans un wagon à Douceville, pour redescendre là-bas. Ce n'est pas comme si elle devait se promener en ville.

— Si vous le dites. Bin moé qui a pus seize ans depuis une éternité, j'pense pas que j'aimerais ça. A parle même pas anglais, je suppose.

— Nous avons des cours au couvent, la contredit Corinne. Cette année, ça va occuper la moitié de mon temps.

— Ouais.

La vieille cuisinière se montrait volontiers sceptique sur l'utilité de ce que les religieuses enseignaient aux jeunes filles. Elle termina de servir la soupe, puis retourna dans la cuisine.

— Plus le temps passe, plus j'apprécie la timidité d'Aldée, murmura la maîtresse de maison.

La vie dans le pays voisin occupa la conversation jusqu'à la fin du repas. Les enfants Turgeon multiplièrent les descriptions enthousiastes de la vie américaine, sans doute pour encourager Sophie. À les entendre, on aurait pu penser qu'ils y avaient eux-mêmes vécu pendant plusieurs années.

Au moment de passer au salon, le cœur n'y était plus. Pendant une heure, les grands soupirs prirent plus de place que la conversation. Peu après huit heures, les jeunes gens montèrent à l'étage.

❁

Pendant son séjour dans la maison du docteur Turgeon, Sophie avait eu le temps d'amasser quelques livres et de nouveaux vêtements. Si, à son arrivée, un petit sac de voyage avait suffi à tout emporter, elle quittait les lieux avec en plus une vieille valise héritée d'un parent de Délia.

— Pa… Mon oncle la paiera, j'en suis certaine, répéta la jeune fille.

— Je t'assure que ce ne sera pas nécessaire, affirma son hôtesse. Depuis que je l'ai, elle ne sert qu'à ramasser la poussière. S'il tient à dépenser de l'argent, qu'il en donne aux bonnes œuvres.

Tout le monde était rassemblé dans l'entrée. L'heure de la messe approchait, aussi Évariste prit les épaules de la jeune fille, l'embrassa sur les deux joues, puis lui répéta :

— Tu seras toujours la bienvenue chez nous.

Ces mots désavouaient son envie de revenir à la routine de la vie familiale. Délia serra Sophie dans ses bras pour répéter les mêmes paroles, toutefois un peu plus senties. Puis le couple sortit.

— Tu es certaine que je ne peux pas t'accompagner ? insista encore Corinne tout en l'enlaçant.

— Oui. Nous aurions l'air de deux Madeleine, et je n'aime pas attirer l'attention.

— Puis ça te donne l'occasion d'un tête-à-tête avec lui.

Le ton contenait une grande part de reproche. Seul Georges se rendrait à la gare avec Sophie.

— Je ne peux tout de même pas la laisser porter ça, grommela le garçon en désignant le sac et la valise.

Toutefois, ces paroles ne trompaient personne. Le rôle de porteur lui fournissait le prétexte idéal pour un dernier moment d'intimité. Corinne rejoignit ses parents en essuyant des larmes avec sa manche. Pendant l'homélie, elle reniflerait encore.

Après avoir attendu deux minutes afin de laisser le clan s'éloigner, le garçon saisit les bagages en murmurant :

— Autant nous mettre en route, sinon les domestiques viendront te répéter leurs adieux.

Une heure plus tôt, Sophie s'était présentée à la cuisine pour les remercier. Les usages de la vie dans le beau monde exigeaient qu'elle leur laisse un généreux pourboire pour le surcroît de travail occasionné par sa présence. Pour une adolescente sans un cent à elle, on lui en fit grâce.

Dans la rue, ils progressèrent en silence. Quand ils arrivèrent sur le quai de la gare, Clotilde Deslauriers s'élança vers eux :

— Te voilà enfin ! Je songeais à aller te chercher.

Ce fut Georges qui répondit, un peu abrasif :

— Nous sommes en avance d'une vingtaine de minutes.

La répartie amena l'étrangère à se reprendre, un ton plus bas :

— C'est que je m'inquiétais.

Sophie lui présenta Georges comme un « excellent ami », ce qui rendit au garçon sa placidité habituelle. Prenant son bras, il l'entraîna à l'écart.

— Il est temps de se dire au revoir, maintenant, dit-il.

— Sinon l'abbé Chicoine va t'apostropher du haut de la chaire, poursuivit sa compagne en esquissant un sourire guère convaincu.

L'un des aspects positifs de son départ de Douceville était certainement qu'elle prendrait ses distances avec le vicaire. Et aussi, dans une certaine mesure, qu'elle s'éloignerait de Georges. Ils s'appréciaient trop l'un l'autre pour vivre sous le même toit sans être mariés. Déjà, les jeux de main s'avéraient coquins.

— Pourtant, j'entends bien prendre congé de lui encore une fois.

Il prit une grande inspiration afin d'être sûr de maîtriser ses émotions.

— Tu vas me manquer.

— À moi aussi.

Aucun des deux n'eut le courage de murmurer un «je t'aime». De toute façon, la seule présence de la mère multipliait par dix leur timidité respective. Du coin de l'œil, Georges l'examina. Il se surprenait de ne pas la trouver tellement différente des autres femmes. Sa robe était bien un peu voyante, sa démarche plus ondulante. Mais cela pouvait venir de son imagination. Sachant qu'à peine plus âgée que Sophie aujourd'hui, elle était devenue la maîtresse d'un prêtre, spontanément le jeune bourgeois lui prêtait des qualités de courtisane.

Pour mettre fin au silence embarrassé, il se pencha pour embrasser son amie, lui murmura un dernier au revoir, puis s'éloigna. Avant de rejoindre Clotilde, Sophie s'essuya les yeux de sa main gantée. Sa mère eut le bon goût de rester coite jusqu'à l'arrivée du train, pour respecter sa peine.

❖

En s'asseyant dans un compartiment, Sophie éprouva le sentiment étrange d'être enfin à sa place. La femme à ses côtés était sa mère, ce lien demeurerait indéfectible. Les circonstances honteuses de sa naissance n'y changeraient rien.

Après de longues minutes, Clotilde souffla :

— Ce garçon est amoureux de toi.

Le ton ne contenait aucun reproche, mais peut-être un brin d'agacement. Devant le silence de la jeune fille, la femme continua :

— Est-ce à cause de lui que tu voulais demeurer chez les Turgeon?

— … Non.

Puis Sophie eut envie de donner un petit coup de griffe.

— Mais l'idée d'aller vivre chez un curé et sa…

Jamais le mot « maîtresse » n'avait franchi ses lèvres.

— C'est pour cela que ton père a voulu que tu viennes vivre chez ta mère et son époux, Alphonse Deslauriers.

Elle n'habiterait pas chez son père, mais chez sa mère. La précision semblait nécessaire. Clotilde enleva son gant pour lui montrer son annulaire.

— Nous nous sommes mariés vendredi dernier. Ton père tenait à te faire entrer dans un foyer respectable.

— … C'est un prêtre, il ne peut pas se marier.

— Pour un juge de paix de Boston, cela ne faisait pas obstacle.

De nouveau, elle éditait soigneusement le récit de sa vie. Jamais Alphonse n'avait fait allusion à son état réel lorsqu'ils avaient rencontré le fonctionnaire municipal.

— Ce n'est pas un vrai mariage. Pas d'église, pas de prêtre…

— Pourtant, dans le pays où j'habite, des millions de personnes s'en contentent. Je m'en serais contentée il y a vingt ans.

Bien sûr, aux États-Unis, les choses ne se passaient pas de la même manière qu'au Canada. Et désormais, Sophie vivrait dans ce pays. Après que le train eut passé la frontière, elle reprit la parole.

— Tu as dit Deslauriers.

— Je pense qu'il ne voulait pas te troubler avec un changement de nom, alors c'est lui qui a changé le sien. Puis tu sais qu'il existe un bottin de tous les prêtres de la province ? L'homme marié, père d'une grande jeune fille, ne voulait pas qu'on y découvre son nom.

À chaque mille parcouru, Sophie estimait sa situation de plus en plus ambiguë.

❁

— Avoir su, j'aurais prévu quelque chose, ronchonna Évariste. Une petite expédition à Montréal, par exemple.

Après le retour de l'église, les enfants avaient boudé les activités familiales, pour monter à leurs chambres dès la fin du repas.

— Non, laisse-les vivre leur chagrin. Ta fille vient de perdre sa sœur d'adoption, ton fils celle qu'il pense être la femme de sa vie.

— C'est peut-être elle.

— Nous le saurons dans cinq ans.

Autant dire dans une éternité. Tout pouvait survenir d'ici là.

❁

Pour une personne n'ayant jamais voyagé – Sophie ne se souvenait pas du trajet entre Lowell et Douceville, dix ans plus tôt –, toutes ces heures à bord d'un train parurent interminables. Pour tromper l'ennui, mais aussi pour créer un lien entre elles, Clotilde lui fit le récit de son existence.

Peu de temps après avoir changé de train, les deux femmes descendirent à la gare de Medford. Sur le quai, Sophie se retrouva face à face avec son père. Tous deux partageaient le même trac. Le voir pour la première fois vêtu d'un complet de couleur brune aiguisait l'étrangeté de la situation. Puis, quand il ouvrit les bras, elle s'y réfugia.

— Mon… papa.

Il lui était impossible de continuer à bouder. Malgré la distance du presbytère au couvent et l'obstacle de la soutane, la présence du curé avait été la seule constante dans sa vie.

— Ça fait longtemps.

— Trop longtemps, admit le prêtre, mais ça n'arrivera plus.

Alphonse se promettait de ne plus la voir s'absenter. Clotilde attendit son tour pour enlacer son mari. Puis, en offrant son bras à sa fille, il prit les deux bagages d'une main. Des cochers s'alignaient juste en face de la gare. L'un d'eux les conduirait jusqu'à la rue Forest, au-delà d'un pont.

— Ça, c'est la rivière Mystic, ensuite nous prendrons la rue Mystic, pour longer le parc Mystic.

À peu de chose près, il reprenait les mots qu'avait prononcés Clotilde le jour de sa propre arrivée.

— Ce grand immeuble, c'est le collège Tufts. Ton père y donne un cours de français.

— Je n'y vois pas grand-chose.

À presque neuf heures, il faisait sombre, sans compter que des arbres cachaient en partie l'édifice.

— Demain, nous marcherons ensemble dans les rues, afin de te familiariser avec tout cela.

La voiture s'arrêta rue Forest et ils en descendirent. Un moment, Sophie resta immobile sur le trottoir, les yeux fixés sur l'immeuble.

— Il y a trois appartements, nous vivons au second.

La maison des Turgeon était vieillotte, aussi la modernité de cet édifice en brique l'impressionnait beaucoup. Que de tous côtés le promoteur en ait repris le modèle ajoutait à son impression favorable : un quartier uniforme, très propre, visiblement prospère. Ici, aucune odeur de bécosse, toutes les rues étaient pavées, éclairées à l'électricité, nettoyées avec soin.

— Viens, je vais te faire visiter les lieux.

Les présentations à Beata furent l'affaire d'une minute, la visite de l'appartement ne s'allongea guère plus. Puis Clotilde lui offrit :

— Veux-tu manger quelque chose ? La nourriture du train ne valait rien.

— Non, je n'ai pas faim. J'aimerais aller au lit. Je suis fatiguée.

— Oui, bien sûr. Auparavant, tu peux prendre un bon bain. Cela permettra de te détendre.

Sophie accepta d'un hochement de la tête.

Dans la chambre, quand elle pendit sa robe, elle regarda celles que sa mère avait achetées pour elle. Certaines étaient devenues beaucoup trop petites, leur achat datant de deux, peut-être trois ans. La situation la déstabilisait et l'émouvait beaucoup.

❁

Assise dans le salon, Clotilde demanda à voix basse à Alphonse :

— Tu crois que ça ira ?

Le caractère inédit de la situation promettait une adaptation difficile.

— Nous l'aimons vraiment, beaucoup d'enfants n'ont pas cette chance.

Son expérience de confesseur lui permettait de bien connaître la vie intime de ses contemporains. Et de toute façon, l'adolescente n'avait guère d'autre choix. Son tempérament ne la rendait pas encline à sauter dans un train de marchandises pour aller se construire une nouvelle existence ailleurs.

❊

Dans sa chambre, Sophie gardait les yeux grands ouverts. Le lit, le jeu des ombres dans la pièce, les odeurs, tous les petits bruits, tant ceux de la maison que ceux de la rue, accroissaient son malaise.

Ces deux-là voulaient son bien, elle n'en doutait pas. Il s'agissait de ses parents. Toutefois, un prêtre en rupture de vocation et une ancienne paroissienne mariés civilement ne constituaient pas une famille. Pas vraiment.

❊

Après une très mauvaise nuit, Sophie vint rejoindre ses parents dans la salle à manger. Le baiser de sa mère ne la surprit pas, le même geste de la part de son père la troubla. Quand il portait sa soutane, il gardait toujours une certaine distance, comme si le moindre contact risquait d'être suspect. Débarrassé de cette armure, il tentait d'improviser une relation filiale empreinte de tendresse.

— Si tu veux, aujourd'hui nous regarderons ensemble tous tes vêtements, puis nous irons en ville afin d'acheter ce qui manque, proposa Clotilde.

— Je ne sais pas…

— Tu as d'autres projets ?

Rougissante, elle secoua la tête de gauche à droite. Évidemment, impossible de s'enfermer dans cet appartement.

— Mais en attendant, autant faire honneur au petit-déjeuner.

L'adolescente trouva un goût étrange aux flocons de maïs du docteur Kellogg, mais sa mère paraissait absolument convaincue qu'il s'agissait d'un produit essentiel au maintien d'une bonne santé. Alphonse évoqua le cours qu'il lui faudrait donner en matinée. Il se faisait lentement à cette nouvelle activité.

Un peu après neuf heures, Clotilde étalait des robes sur le lit.

— Certaines sont trop petites, remarqua l'adolescente.

— Et celles que j'ai achetées récemment, sans doute trop grandes. Je les ai sélectionnées en essayant de me souvenir de ma taille à dix-sept ans. Tu as un corps plus fin.

— Le résultat de la nourriture du couvent.

L'adolescente eut un ricanement amer. Maintenant, elle se souvenait de cette institution comme d'un havre de paix.

— J'ai pu échapper à ça. Tiens, essaie celle-là, je crois qu'elle t'ira.

Clotilde lui tendait une robe bleue. Elle l'accepta, mais ne bougea pas. Après un instant, la mère demanda :

— Elle ne te plaît pas ?

— Ce n'est pas ça… Je vais aller dans la salle de bain.

— Oh ! Mais je suis une femme, ta mère, qui plus est.

Pour une couventine, la précision ne comptait pas. Elle se rendit dans la pièce à côté, revint.

— Oui, c'est un peu grand, là.

Elle désignait la poitrine.

— Je pourrai la rétrécir. Tiens, maintenant, essaie celle-là.

La scène se répéta à quelques reprises, avec une autre robe, des chemisiers, des jupes. Aucune de ses camarades de Douceville ne devait posséder autant de vêtements, pas même Corinne.

— Bon, cela ira pour un temps. Tout de même, allons chercher des vêtements plus adaptés à la mauvaise saison. Un manteau, par exemple.

— Nous sommes en septembre.

Autrement dit, surtout sous la latitude de Boston, elle n'en aurait nul besoin avant novembre.

— Cela nous donnera l'occasion d'une balade dans la grande ville.

«Comme une mère le fait avec sa fille, songea l'adolescente. Comme Corinne et madame Turgeon.» Cette pensée lui tira un sourire sincère.

❖

L'été précédent, le grand magasin Morgan l'avait fort impressionnée. Ceux de Boston, enfin, ceux que fréquentait Clotilde, ne lui cédaient rien quant au luxe. À la fin de l'après-midi, mère et fille occupaient une table dans le restaurant d'un hôtel luxueux, quelques sacs posés à leurs pieds.

— Je n'avais pas vraiment besoin de tout ça.

Sophie buvait son thé à petites gorgées.

— Tu pourras te changer tous les jours.

Déjà, elle devinait que courir les magasins prendrait beaucoup de place dans sa nouvelle existence.

— Il y a quelques mois, je portais toujours une petite robe noire, en laine. L'uniforme du couvent. En réalité, j'en avais deux, car les jours de lessive, les sœurs ne pouvaient me laisser me promener en petite tenue.

— Elles t'ont appris à être scrupuleuse.

«Pas tant que ça», se défendit silencieusement l'ancienne élève de la Congrégation de Notre-Dame. Le jugement la vexait un peu.

— Maintenant, nous allons rentrer à la maison.

Après avoir réglé la facture, elles se dirigèrent vers la sortie. En passant devant le bar de l'hôtel, Clotilde lui souffla à mi-voix:

— Tu as beau te comporter comme une oie blanche, les hommes te remarquent.

— Que veux-tu dire?

— Regarde ces deux-là.

Des hommes se tenaient à la sortie de l'espace enfumé. Leurs regards se portaient effectivement dans leur direction.

— Ce doit être… toi, dit Sophie.

Le tutoiement ne lui était pas familier : elle butait parfois encore sur le mot.

— Je veux bien le prendre comme un compliment, alors je te remercie. Mais que tu le veuilles ou non, tu promets d'être une jolie femme.

Pendant tout le trajet de retour en tramway, Sophie songea que Georges la trouvait déjà très jolie.

Pendant tout son cours, Alphonse s'empêtra dans ses explications. L'arrivée de sa fille à la maison la veille le laissait songeur. Quand il revint à l'appartement, sa décision était prise.

Bientôt, la mère et la fille rentrèrent de leur expédition de magasinage, des sacs à la main.

— Montre tes achats à ton père, suggéra Clotilde.

Embarrassée, Sophie s'exécuta. L'un et l'autre n'avaient aucune expérience de cet exercice. Très pudique, elle présentait les pièces de vêtement en les tenant devant son corps, pendant que le prêtre murmurait « Comme c'est beau », ou « Cela t'ira très bien. »

Quand la jeune fille alla tout ranger dans sa chambre, il confia à voix basse à son épouse :

— Demain matin, je vais écrire à monseigneur Bruchési, pour lui faire mes adieux.

Une petite lueur passa dans le regard de sa compagne.

— Fais-le tout de suite, tu as le temps avant le souper.

Évidemment, elle ne lui laisserait pas le loisir de changer d'idée. Déjà, ses multiples hésitations lui avaient tapé sur les nerfs. Dans l'impossibilité de reculer, autant obtempérer et miser sur ses bons sentiments.

— Bon, alors j'y vais.

Dans le couloir, il croisa Sophie.

— Tu… Tu vas te faire à cette vie ? s'enquit-il avec douceur.

— Si je dois aller dans les magasins tous les jours, j'y survivrai.

Son demi-sourire le rassura. Il lui donna le courage nécessaire pour accomplir le dernier geste de rupture avec son ancienne existence. Pourtant, dans le bureau de Peter Donahue, il réfléchit longtemps, une plume à la main. Écrire : « Je viens de me marier avec une jolie Franco-Américaine » ferait son effet sur le prélat, mais la provocation ne servirait à rien. En définitive, sa lettre se résumerait à ces quelques mots :

Monseigneur,
Les contraintes de la vie ecclésiastique me pèsent trop, je renonce au sacerdoce.
Alphonse Grégoire

Il contempla le feuillet. Clotilde vint le rejoindre à l'heure du souper, intriguée de son absence si longue. D'un regard, elle prit connaissance du texte, puis posa ses lèvres sur son front.

— Tout ira bien, tu verras.

Elle chercha une enveloppe dans un tiroir du pupitre, y glissa la missive.

— Demain, je la mettrai à la poste en allant faire des courses.

Ainsi, il ne pourrait changer d'idée. Sa femme ne prendrait certainement pas le risque de le perdre de nouveau.

Chapitre 17

Après une réunion du conseil plutôt routinière, Horace Pinsonneault pria de nouveau Xavier Marcil de le suivre dans son bureau. L'avocat échangea un regard avec Évariste, puis obtempéra.

— Bien sûr, monsieur le maire.

Il le suivit dans les couloirs de l'hôtel de ville, jusque dans le grand bureau de fonction.

— L'aut' jour, j't'ai demandé de me tenir au courant des activités du bon docteur, rappela Pinsonneault en s'asseyant dans son fauteuil habituel. Pis tu m'as pas dit un mot.

Le secrétaire du conseil attendit une invitation à s'asseoir qui ne vint pas.

— Je souhaite l'inviter à dîner, je vous l'ai déjà dit. Mais pour moi, c'est une grosse dépense.

— Quand même, t'es spécial. Un avocat pas capable d'inviter un voisin.

Xavier Marcil sentit une douleur à la base de son crâne. Le mépris de son supérieur suffisait à raviver sa migraine.

— Douceville, ce n'est pas Montréal. Les crimes y sont rares, et les causes au civil aussi.

— Tu sais, faire ami-ami avec le gars qui veut remplacer ton employeur, y en a qui verraient ça comme un manque de loyauté. J't'offre l'occasion de prouver ta fidélité en te rendant utile.

— Vous aviez aussi parlé d'un petit… dédommagement.

— Bin commence par l'inviter, pis on en reparlera.

Tout aussi condescendant que lors de leur première conversation sur le sujet, ou peut-être un peu plus à cause de l'inaction de Marcil pendant la semaine écoulée, le maire se pencha sur un dossier sans même lui dire bonsoir.

Un peu plus tard, dans le domicile de la rue Saint-Louis, Xavier revenait à son tour à la charge auprès de sa femme.

— Tout à l'heure, il a parlé de loyauté. À ses yeux, je suis trop proche du futur aspirant à la mairie. Mon emploi est en jeu.

Euphémie eut un soupir exaspéré.

— Mais regarde autour de toi ! Tu ne comprends pas que j'ai honte de les recevoir dans un tel environnement ?

Assise dans une berçante, elle désignait la cuisine des yeux.

— Si je perds cet emploi, rétorqua son époux, notre environnement sera bien vite pire encore.

Dans une pareille éventualité, ils en seraient réduits à vendre leurs possessions pour subsister au jour le jour. Dans un soupir, elle consentit en disant :

— J'y penserai.

Pour elle, cela constituait presque un engagement. Xavier actionna la pompe à queue pour remplir un verre à demi. Ensuite, dans son bureau, il y versa quelques gouttes de laudanum.

Le lendemain, Euphémie pestait contre le désir du maire, plutôt celui de son époux, sans doute, de la voir inviter les

Turgeon. Déjà, le cadre de son existence la déprimait. Devoir y recevoir des gens la renfrognait plus encore. Son trouble monta d'un cran quand Xavier lui annonça, depuis l'entrée de son bureau :

— Phémie, l'appel est pour toi.

Elle le rejoignit dans la pièce située en façade, déplaça le téléphone afin de pouvoir s'asseoir sur la chaise réservée aux trop rares clients, puis, après avoir porté le cornet à son oreille, elle dit :

— Oui, je vous écoute.

— Madame Marcil, fit une voix féminine, j'espère que vous allez bien.

Il lui fallut un moment avant de reconnaître son interlocutrice.

— Bonjour, madame Turgeon. Oui, je vais bien.

Un instant, elle soupçonna que son mari avait contacté cette bourgeoise afin de la gagner à son projet. Du regard, elle lui intima de quitter la pièce.

— Je vous disais, au moment de ma visite chez vous, que je vous ferais signe lors de la reprise des activités des dames patronnesses. Une première réunion se tiendra chez madame Nantel, jeudi prochain, en après-midi.

Madame la juge. Une rencontre avec elle servirait-elle les intérêts de Xavier ? Un instant, elle imagina cette dernière dire à son époux : « Sa femme est tellement charmante, tu ne peux pas lui avoir un emploi au bureau du procureur de la province ? Ça leur donnerait la chance de retourner à Québec. » La vie ne lui avait pas donné l'habitude de ce genre de cadeau. Pourtant, elle ne pouvait dire non.

Son hésitation dura suffisamment longtemps pour que Délia insiste :

— Je ne crois pas que vous regretterez de sortir de votre isolement.

— Oui, c'est d'accord.

— Bravo. Si vous le souhaitez, vous pourrez passer chez moi à une heure trente, et nous ferons le trajet ensemble.

Cela lui faciliterait certainement l'exercice.

— Je vous remercie, madame Turgeon.

Après quelques mots encore au sujet de cette rencontre, toutes deux raccrochèrent.

Euphémie découvrit Xavier planté devant la fenêtre de la cuisine, perdu dans la contemplation de son jardin en broussaille. Le vin tonique ne l'avait pas requinqué au point de le convaincre de saisir une bêche pour retourner la terre et faire des semis.

— Après-demain, je me joindrai aux dames patronnesses, alors que ce serait à moi de profiter de leurs largesses.

— Là, tu exagères. Nous vivons tout de même mieux que les deux tiers des habitants de cette ville.

Il disait vrai. De nombreux travailleurs gagnaient tout au plus trois cents dollars par année. Toutefois, sa situation s'avérait si éloignée de ses aspirations lors de son mariage ! Malgré son amertume, elle répondit :

— Quand je regarde cette maison, je mesure toute la chance que j'ai eue.

Plutôt que d'endurer son humeur, l'homme préféra trouver refuge dans son bureau.

❧

Le jeudi suivant, Euphémie joua avec sa nourriture pendant tout le dîner, tellement l'activité de l'après-midi la dérangeait. Puis, vêtue de sa meilleure robe et d'un manteau pas trop démodé, elle se dirigea vers la rue De Salaberry.

Quand elle frappa à la porte de chez les Turgeon, ce fut la jeune domestique qui vint répondre. Aldée, si son souvenir était bon. Comme pour justifier sa présence, la femme de l'avocat annonça :

— Je viens rejoindre madame Turgeon.

— Elle est toujours en haut. Venez l'attendre au salon.

La domestique se déplaça pour la laisser passer, puis attendit de pouvoir l'aider à enlever son manteau et l'accrocher dans la penderie. L'attente ne dura que trois ou quatre minutes, assez longtemps pour permettre à Euphémie de faire l'inventaire de la pièce. Le tapis venait de Turquie ou de Perse, les meubles avaient été fabriqués par de bons manufacturiers. Des plantes vertes dans des pots de laiton donnaient une petite touche de raffinement supplémentaire.

— Euphémie, je suis contente de vous revoir.

Délia se tenait dans l'embrasure de la porte, vêtue d'une robe élégante, un chapeau orné d'une longue plume d'autruche sur la tête. La visiteuse se leva.

— Moi aussi.

Il y eut un silence embarrassé. Délia le rompit.

— Mettons-nous en route, Floranette fronce les sourcils devant les retardataires.

— Floranette ?

— Madame Nantel. Alors, quand vous vous sentirez intimidée, rappelez-vous son prénom. Cela devrait vous réconforter un peu.

Dans l'entrée, chacune endossa son manteau, puis elles marchèrent ensemble. Sur leur chemin, elles croisèrent d'autres femmes. Même si toutes se connaissaient au moins de vue parce qu'elles se rencontraient sur le parvis de l'église chaque semaine, Délia se donna la peine de faire les présentations.

❖

Chez madame la juge, une vingtaine de femmes occupaient le salon. L'épouse du médecin serra la main de l'hôtesse, s'enquit de l'état de santé de tous les membres de la maisonnée, puis elle enchaîna :

— Floranette, vous connaissez certainement l'épouse de maître Marcil, Euphémie.

Cette dernière eut l'impression que madame Nantel plissait un peu le nez en entendant le nom de son mari.

— Oui, bien sûr. Bienvenue chez moi. Venez vous asseoir.

La sanction, pour arriver parmi les dernières, était de se contenter d'une chaise droite apportée de la salle à manger. La maîtresse de maison joignit ses efforts à ceux d'une domestique pour servir le thé. Des assiettes de biscuits se trouvaient sur les tables ou les guéridons. Les plus gourmandes se servaient, les autres, frugales ou soucieuses de leur tour de taille, se contentaient de la boisson chaude.

Floranette prit place sur un fauteuil, puis présenta Euphémie à l'assemblée :

— Aujourd'hui, nous accueillons madame Marcil parmi nous.

Dans un murmure, certaines murmurèrent « Bonjour madame » en la détaillant du regard. La nouvelle venue, gênée, répondait plus bas encore. Cette formalité accomplie, madame la mairesse cessa de mastiquer une tête-de-nègre pour se renseigner :

— Madame Turgeon, votre invitée a quitté votre maison, n'est-ce pas ?

Le départ datait seulement du dimanche précédent, pourtant tout le monde le savait déjà. La seule absence de Sophie à la messe valait une annonce du haut de la chaire. La nièce de monsieur le curé ne pouvait négliger son devoir dominical, à moins d'être à l'article de la mort.

— Oui. Son oncle l'a rappelée auprès de lui.

— Là où il est, il peut fournir le logement à une jeune fille ?

La question de la cohabitation d'un saint homme avec une jolie demoiselle avait occupé les pensées des paroissiennes les plus dévotes pendant une partie de l'été. Jusque-là, jamais Félanire Pinsonneault ne s'était affichée comme une grenouille de bénitier. Délia soupçonnait qu'elle désirait plutôt l'impliquer par association dans une situation suspecte.

— Je ne sais pas dans quel genre d'établissement notre pasteur se soigne actuellement. Je suppose que s'il veut profiter de la présence d'une parente, il dispose d'un logis assez grand.

— Je comprends qu'il souhaite la présence d'une parente auprès de lui, intervint Euphémie, s'il est en convalescence. Ce n'est pas plaisant de recevoir les soins d'inconnus.

Puis le rouge monta aux joues de la nouvelle venue. Elle n'avait pu se retenir de défendre la réputation de la jolie adolescente.

— Madame Marcil a raison, souligna l'hôtesse. Personnellement, je préférerais l'aide d'une connaissance en cas de maladie.

— Mais pas d'un garçon de seize ou dix-sept ans, ronchonna l'épouse d'un quincaillier de la rue Richelieu.

Un adolescent pour une femme, une adolescente pour un homme : deux situations immorales. Cette voisine et la femme du maire pouvaient s'être concertées en venant à la réunion, pour souligner si nettement le côté incongru de la situation.

— D'un autre côté, ça vaut p't'êt' mieux, commenta Félanire Pinsonneault. Des amoureux occupant des chambres voisines, ça peut faire jaser.

Cette fois, Délia Turgeon accusa le coup. Sophie et Georges s'étaient suffisamment promenés ensemble dans la ville pour laisser des badauds deviner une tendre inclination entre eux.

Décidément, cette grosse bourgeoise menait campagne pour discréditer un adversaire potentiel de son époux. Et à ce jeu, elle se montrait redoutable.

— Que voulez-vous dire, madame la mairesse ? releva l'épouse du quincaillier.

La voisine du marchand de charbon ne le cédait en rien, posant les bonnes questions au bon moment. Le scénario avait certainement été écrit à l'avance.

— Bin, c't'évident que le gars des Turgeon voyait pus rien d'autre que c'te p'tite femme.

Elle décrivait bien l'engouement de Georges.

— Insinuez-vous que mon fils se soit mal conduit, madame Pinsonneault ? gronda Délia. Le jeu des calomnies est dangereux. Quand on crache en l'air, cela nous revient souvent au visage.

Le visage de l'épouse du médecin pâlissait. On devinait en elle la tigresse capable de défendre ses enfants. Encore un mot, et les indélicatesses du fils du maire deviendraient le sujet de conversation de ce petit aréopage.

Floranette intervint :

— Mon fils a beaucoup fréquenté mademoiselle Turgeon. Alimente-t-il aussi des ragots ?

Les défenderesses de la vertu auraient pu souligner que quelques promenades dans les rues de Douceville avec une adolescente accrochée au bras ne se comparaient guère avec la cohabitation des dernières semaines chez les Turgeon. Toutefois, cela aurait été mettre en doute la compétence de ces notables à préserver la moralité sous leur toit. De quoi susciter des haines susceptibles de s'étendre sur plusieurs générations.

Le silence dura assez longtemps pour gêner toutes les femmes présentes. Quand elle eut retrouvé sa contenance, madame Nantel en vint au sujet de leur réunion.

— La directrice de l'hôpital m'a fait part des besoins de son établissement pour l'année à venir. Comme vous le savez, les honoraires versés par les malades, les dons charitables et la mince contribution de la municipalité ne suffisent pas à en assurer le fonctionnement.

D'habitude, les familles s'occupaient de leurs vieillards et de leurs infirmes. Toutefois, certains de ces indigents dépendaient de la charité publique pendant des décennies.

— Nous pourrons tenir trois, peut-être quatre soirées de cartes, mais l'euchre ne fait plus autant recette. Au mieux, nous récolterons une centaine de dollars dans l'année.

— À Saint-Hyacinthe, ils font des rafles, selon ma cousine, lança quelqu'un.

Dans ce cas, des notables se défaisaient de quelques biens susceptibles d'exciter la convoitise, qui étaient ensuite attribués par tirage au sort. La vente des billets permettait d'amasser de quoi nourrir quelques anciens pendant une année. D'autres femmes mentionnèrent encore les pique-niques et les tombolas. Cependant, le curé Grégoire, sa nièce et le séjour de celle-ci chez les Turgeon occupaient encore tous les esprits. Le ton demeura tendu et, une fois le programme d'activités établi, chacune abrégea la période de papotage pour rentrer à la maison.

En soirée, le sujet mobiliserait les conversations dans les chaumières.

❀

Lorsque Délia quitta la maison des Nantel flanquée d'Euphémie, Floranette tendit la main à l'épouse de l'avocat en affirmant :

— Je suis enchantée d'avoir fait votre connaissance, madame Marcil.

— Merci de m'avoir reçue.

Puis l'hôtesse fit la bise à la femme du médecin. Avoir des enfants qui se plaisaient l'un l'autre amenait ces gestes d'intimité. Madame Nantel murmura :

— Je passerai demain.

— À demain, alors.

En marchant en direction de la rue De Salaberry, Euphémie confia à Délia :

— Vous aviez raison, finalement, je m'en faisais pour rien. Je suis passée totalement inaperçue.

— Aujourd'hui, j'ai été le centre d'intérêt.

— Cette femme est absolument odieuse… Enfin, je l'ai trouvée odieuse.

Délia retrouva son sourire aussitôt.

— Je savais que nous avions quelque chose en commun.

Elle marqua une pause avant de continuer :

— Je l'ai déjà vue utiliser sa langue acérée contre son mari, cela me l'avait rendue sympathique. Aujourd'hui, je constate que malgré tous les travers d'Horace, elle se montre disposée à monter aux barricades pour assurer sa réélection.

— Il ne s'agissait que de ça ? Sa réélection ?

— Elle devait prendre un plaisir coupable à jouer à la garce, mais elle a trouvé les bons mots pour écorcher la réputation de bonne moralité des Turgeon. Vous savez combien les électeurs apprécient ce genre de choses.

— En réalité, non. La politique et moi, nous ne faisons pas bon ménage.

Puisqu'elle était privée du droit de vote, Euphémie considérait la politique comme un jeu mesquin réservé aux hommes.

Peu après, elles arrivèrent devant la grande maison de la rue De Salaberry.

— Délia, vous savez que le maire s'attend à ce que nous vous invitions à souper. Si Xavier vous le propose, accepterez-vous?

— Si Xavier et vous souhaitez notre présence, nous accepterons. Mais si c'est pour faire plaisir à Son Honneur, c'est une autre histoire.

Euphémie hésita juste un moment avant d'affirmer:

— Cela nous fera plaisir.

— Dans ce cas, invitez-nous. Je vous souhaite une bonne fin de journée.

L'épouse de l'avocat lui rendit ses salutations, puis se dirigea vers la rue Saint-Louis.

❀

Après souper, le couple Marcil se réfugia dans son salon aux meubles élimés. Une couverture avait été posée sur le dossier du vieux canapé pour cacher une déchirure. Comme tout le reste, il venait du père de l'avocat. En réalité, Xavier n'avait rien acheté de neuf, en fait de mobilier, au cours des douze dernières années.

En quelques mots, Euphémie lui avait rendu compte de son après-midi chez madame Nantel.

—Vraiment, elle a évoqué une aventure entre le fils Turgeon et la nièce du curé?

— Tout cela en sous-entendus. Crois-tu que cela puisse vraiment lui faire du tort?

— Certainement. Pour l'instant, tout le monde pense à Turgeon comme à un bon docteur venu en politique pour faire le bien. L'accueil de cette Sophie chez lui faisait déjà jaser. Ajouter une histoire de cœur à l'équation lui fera perdre les votes des bons chrétiens.

Dans un endroit comme Douceville, cela représentait une forte proportion de la population. Assez pour faire la différence entre la victoire et la défaite.

— Dans ce cas, mieux vaudrait ne pas mettre le maire en colère contre toi.

La femme connaissait sa répartie à l'avance.

— C'est pour cela que je souhaitais les inviter à la maison.

— Alors, fais-le.

— Mais… tu ne voulais pas.

De la main, elle balaya son objection. Il voulut protester, rappeler la répugnance d'Euphémie à les recevoir.

— Tu pourras les inviter dimanche prochain, pour la semaine suivante. Juste les parents. Nous n'avons pas de place pour huit personnes à table, et je ne saurais pas cuisiner pour tant de monde.

Marcil hocha la tête de bas en haut. Ensuite, la lecture du *Canada français* ne suffit plus à retenir son attention.

— Nous pourrions aller dans la chambre, proposa-t-il.

Xavier ne songeait pas à dormir tout de suite. À la fin, la femme accepta.

❀

Chez les Turgeon aussi, le couple regagna sa chambre un peu plus tôt que d'habitude. Comme Délia présentait un visage fermé depuis le souper, Évariste ne s'attendait guère à un rapprochement amoureux. Et après avoir entendu le récit de l'assemblée des dames patronnesses, il partageait la colère de son épouse.

— La…, commença-t-il sur un ton hargneux.

Mais même dans les circonstances, sa bonne éducation fut la plus forte. Un gentilhomme ne traitait pas l'épouse d'un adversaire politique de garce ou de salope. Il se reprit :

— Et moi qui me donne la peine de l'accepter comme partenaire pour les parties d'euchre.

— La prochaine fois, tu perdras encore en sa compagnie. Tu es si gentil.

— Pas à l'égard de quelqu'un qui risque de nuire à mes enfants.

Tout en lui parlant, la femme lui avait présenté son dos pour qu'il détache les boutons de sa robe. Tout compte fait, elle se montrerait sans doute plus réceptive que prévu.

— D'après toi, si les turpitudes de notre curé sont connues un jour, le fait d'avoir accueilli Sophie nuira-t-il à notre réputation ? s'inquiéta-t-il tout haut.

— Si les gens savent que nous étions au courant et que nous avons tout de même rendu service au pécheur, oui, certainement.

Quand ils avaient accueilli Sophie, cela leur paraissait être la chose à faire, mais après-coup, il devenait possible de mesurer combien c'était imprudent. En quelque sorte, ils avaient aidé monsieur le curé à vivre une lune de miel avec une femme de mauvaise vie.

— Pourtant, si on regardait de près les transactions de notre premier magistrat, tout ne serait pas reluisant.

— Des magouilles, des détournements d'argent peut-être ? Cela fait partie de notre vie politique. Et rappelle-toi, l'abbé Chicoine s'évertue à nous dire chaque dimanche qu'il n'y a pas de péché plus détestable que l'impureté.

Cela devenait obsessionnel. Si Grégoire avait assassiné trois personnes et n'avait engendré aucun bâtard, il demeurerait respectable. Père d'une demoiselle et amoureux de la mère de celle-ci, il devenait aussi peu fréquentable qu'un lépreux.

Évariste prit son épouse par la taille, lui embrassa l'épaule droite dénudée, puis murmura :

— Profiter des avantages légitimes du mariage n'écorchera pas notre réputation.

— Légitimes ? Si je me risque dans son confessionnal, Chicoine me signalera l'âge de mon dernier enfant, et voudra savoir comment il se fait que je n'en ai pas eu d'autre.

— Tu lui diras que nous avons fait vœu de chasteté.

Certains époux se vouaient ainsi à l'abstinence, mais à en juger par son attitude pendant l'heure suivante, le médecin n'en faisait pas partie.

Chapitre 18

Bien qu'il eut obtenu l'assentiment de son épouse pour faire des invitations, Xavier restait empêtré dans son manque de ressources. Le maire avait promis son aide, mais l'idée d'une nouvelle confrontation avec lui le rebutait.

Depuis quelques semaines, la même solution s'imposait pour toutes ses difficultés : le vin tonique. Aussi, il commença par se réfugier dans son bureau pour s'en verser un verre. Puis un second, car Pinsonneault suscitait en lui une anxiété beaucoup trop grande.

Un vendredi, le maire ne travaillait sans doute pas à l'hôtel de ville. Mieux valait passer d'abord par son commerce de charbon. Le gros homme se tenait en effet derrière son comptoir, vêtu d'un mauvais costume. De toute façon, dans son secteur d'activité, aucun dandy n'aurait conservé son élégance plus d'une heure. Une poussière noirâtre envahissait tout. L'endroit servait d'entrepôt, la saleté se déposait partout.

— Marcil, si tu viens icitte pour me convaincre de faire un procès à mes fournisseurs, c'est non. Paraît qu'les prix montent à cause des grèves en Nouvelle-Écosse.

L'entrée en matière tira un sourire au visiteur.

— Les patrons n'ont qu'à mieux payer les mineurs.

Décidément, l'extrait de feuille de coca faisait des miracles sur sa pusillanimité.

— Moi aussi, je viens vous parler argent. Ma femme m'a suggéré d'inviter les Turgeon…

— Seigneur! C'est qui l'homme, dans ta maison?

Le maire posait la question pour la deuxième fois. Le remède ne pouvait pas le blinder contre des remarques de ce genre, à moins de forcer la dose au point de ne pouvoir s'en remettre.

— Vous m'avez dit que vous aideriez, financièrement. Après tout, ce jour-là, je serai à votre service.

Pinsonneault le toisa, un sourire sarcastique sur les lèvres. Il se gratta la joue, dessinant des traces avec ses ongles dans la poussière de charbon.

— Bon, j'suppose que c'est le prix à payer pour la loyauté des employés municipaux.

L'avocat eut une envie de meurtre et de vol. Son supérieur chercha dans sa poche, sortit un rouleau de billets de banque au diamètre impressionnant. Il lui tendit un billet de dix dollars, le salaire de deux semaines pour certains ouvriers.

— J'espère qu'ce s'ra assez. Vous boirez du vin français à ma santé. Au prix que ça me coûte, j'espère que j'en aurai pour mon argent.

Xavier le prit en soulignant:

— Si je gagnais un meilleur salaire, je n'aurais pas besoin de quémander de cette façon.

— Pis si j't'augmente pas, vas-tu t'mettre en grève comme les mineurs de la Nouvelle-Écosse?

Combien de professionnels de Douceville rêvaient d'un revenu régulier en échange d'une journée de travail, deux quand les échevins se perdaient en vaines discussions? La faiblesse de la rémunération était sa seule garantie que personne n'essaierait de lui ravir son emploi.

— Je ne peux pas fréquenter ces gens avec mes ressources habituelles.

— Si tu travailles pas plus, j'vois pas pourquoi la ville te paierait plus.

Des clients entrèrent dans le commerce. Pinsonneault se tourna aussitôt vers eux, un sourire engageant sur le visage.

— Bin si c'est pas Fafard père et fils. Vous voulez du charbon pour l'hiver ?

Xavier comprit que son plaidoyer pour une augmentation était terminé. Il chiffonna le billet de banque et le mit au fond de sa poche.

Rue Richelieu, Xavier cligna des yeux tellement le soleil lui sembla éblouissant. Pourtant, dans une dizaine de jours, on serait en octobre. Le maire avait parlé de vin. En ajoutant le mot « français », il signifiait la bonne qualité.

Pourtant, les pas de l'avocat le portèrent machinalement vers la pharmacie située à deux pas de l'hôtel National. Afin de limiter les commérages sur l'importance de sa consommation, il avait cherché un second fournisseur.

De l'autre côté de la rue, il contempla l'établissement. Une jambe de bois placée dans la vitrine servait à en indiquer la spécialité. Avec dix dollars, il pourrait renouveler sa provision pour les deux semaines à venir. Puis il s'arracha à son poste d'observation. Les bars et les hôtels vendaient de l'alcool à la bouteille. Les Turgeon profiteraient finalement des largesses du maire.

Floranette Nantel avait annoncé sa visite la veille sans préciser le moment, mais Délia avait deviné que ce serait à l'heure du thé. Aussi, elle vaqua à ses occupations sans s'en soucier, s'assurant simplement d'être disponible à quatre heures. Quand elle entendit les coups contre la porte, elle se dirigea vers l'entrée tout en lançant à Aldée, dans la cuisine :

— Je m'en occupe, préparez-nous du thé !

— Bonjour, salua-t-elle ensuite la visiteuse, je t'attendais.

L'épouse du juge connaissait son rang dans la petite société de Douceville, aussi sa robe grise et son grand chapeau assorti auraient bien convenu dans le carré Saint-Louis à Montréal, le quartier des notables de langue française.

— Je ne suis pas en retard ?

— Non, juste au bon moment.

À cause du rebord exagérément grand de son couvre-chef, l'échange de bises exigea de se tordre le cou. Dans le salon, les deux femmes prirent place de part et d'autre de la table à cartes, couverte pour l'occasion d'une belle nappe en dentelle.

— Hier, madame Pinsonneault a été…

Madame la juge ne trouvait pas de mots pour qualifier une pareille indélicatesse.

— D'un autre côté, admit Délia sans que sa visiteuse ait terminé sa phrase, nous devons admirer son dévouement pour la carrière de son époux. Derrière chaque grand homme…

— … se trouve une femme talentueuse.

Floranette ne doutait pas non plus des motifs de cette crise de moralité : Félanire Pinsonneault faisait du « travail d'élection ».

— Tout de même, je te remercie d'être venue à mon secours en évoquant Jules et Corinne.

— Ce n'est rien, dit Floranette.

Cependant, si jamais le scandale touchait la famille Turgeon, elle serait la première à préserver son grand garçon d'une mésalliance en l'empêchant de voir l'adolescente.

266

La visiteuse marqua une pause, puis déclara :

— Malgré tout, impossible de nier que le curé Grégoire a multiplié les maladresses.

— Voilà un euphémisme.

Le mot lui fit penser à Euphémie.

— Sa nièce a quitté votre maison dimanche dernier, n'est-ce pas ?

Même les grandes dames souhaitaient satisfaire leur curiosité. Comme tous ses voisins connaissaient la réponse à cette question, il n'aurait servi à rien de nier. Mais Délia se résolut à ne confier que ce que tout le monde savait à Douceville.

— Oui, en direction de Medford. C'est près de Boston.

Les employés de la poste avaient déjà répandu cette information.

— Il y a là un sanatorium ? Un hôpital ?

— Ça, je ne le sais pas.

— Ce que je dis là est ridicule. Si le curé résidait dans un établissement de santé, il ne pourrait s'encombrer d'une jeune fille.

Ce commentaire ne nécessitait aucune réponse. Heureusement, Aldée entra à ce moment avec un plateau. Délia versa le thé, présenta l'assiette de biscuits à son invitée, qui déclina. Sa mince silhouette s'expliquait par des privations. À la fin, Floranette poussa un soupir, puis demanda à Délia :

— Tu lui as parlé ? Tu sais s'il va bien ?

— Au téléphone, sa voix ne trahissait aucune fatigue particulière.

— S'il la veut avec lui, c'est qu'il peut s'en occuper.

Après un silence, la visiteuse dit encore :

— Hier soir, mon époux m'a téléphoné depuis Montréal. Il garde de bons contacts avec l'archevêché et il est allé voir

Sa Grandeur. À mots couverts et avec toutes les prudences possibles…

Cela était nécessaire à cause de la présence d'une téléphoniste très probablement indiscrète sur la ligne. Après une hésitation, elle reprit :

— Il m'a confié que notre curé ne reviendrait plus ici, ni dans aucune autre paroisse. Je suis surprise que cet homme quitte la vie ecclésiastique, il me semblait tout à fait bien dans son rôle. Posé, profondément humain.

Délia serra les lèvres, refoula ses confidences. Elle connaissait des secrets susceptibles de jeter la consternation dans toute la ville. Mais aucune révélation ne viendrait de sa bouche.

— Tu crois qu'il a défroqué simplement parce qu'il voulait vivre avec cette jeune parente ? voulut savoir Floranette. L'été dernier, l'archevêque voulait la chasser du presbytère.

Décidément, monsieur le juge était très bien informé.

— Cela se peut bien.

En tout cas, à ce moment, cela lui semblait une meilleure raison que de suivre une Franco-Américaine. Évariste abandonnerait certainement son métier s'il le fallait, pour ne pas être séparé de ses enfants.

La femme du juge retrouva son sourire pour s'enquérir encore :

— Félanire avait raison, pour Georges ?

— Jules et lui connaissent les mêmes émois.

— Corinne et Sophie sont de charmantes filles.

— Mais ce sont encore des enfants. Tous peuvent rencontrer l'amour de leur vie une demi-douzaine de fois avant d'avoir atteint l'âge du mariage.

À ce moment, la remarque d'Évariste lui revint en mémoire : Georges et Sophie avaient l'âge de Roméo et Juliette. Peut-être ces amours résisteraient-ils au temps.

Chacune en avait assez du curé, ou de l'ex-curé Grégoire. La visiteuse se montra ironique en demandant :

— Madame la mairesse a-t-elle raison de vouloir nuire à la réputation de monsieur Turgeon ?

La formulation ne s'avérait pas la meilleure.

— Je veux dire : se présentera-t-il à la mairie ?

— Des échevins en parlent, et à ma grande surprise, l'idée paraît·lui plaire.

— Nous profiterons tous du changement.

— Oh ! Il ne peut pas faire pire que Pinsonneault.

Délia pouffa de rire. Exprimée ainsi, son opinion ne se révélait pas vraiment élogieuse. Elle se cala dans sa chaise, avala un peu de thé avant de poursuivre :

— Depuis que je le connais, son engagement politique se limite à voter quand on le lui demande. Même quand nous avons des hommes à table, il évite le sujet. Puis le voilà prêt à occuper le poste le plus important de la ville.

— Une très petite ville.

Évidemment, la mairie de Douceville ne représentait pas un bien grand accomplissement. Floranette ajouta :

— Siméon va lui donner son appui, s'il se présente. Son opinion compte, en haut lieu.

Bientôt, le juge Nantel, ou plutôt sa femme, se présenterait comme un faiseur de roi, responsable du choix des électeurs.

— Pour l'instant, il n'est même pas candidat.

— Mais tu le disais, l'idée le séduit.

— Nous verrons.

La conversation porta sur la campagne à venir. Ce ne fut que lorsque la porte s'ouvrit à l'arrivée des enfants que la visiteuse se ressaisit :

— Mon Dieu, comme le temps passe ! Je dois rentrer à la maison, sinon mon mari la trouvera vide.

Elle s'attarda néanmoins encore suffisamment pour que Georges et Corinne viennent la saluer poliment, de l'entrée de la pièce. La jeune fille se sentit audacieuse et dit :

— Madame, avez-vous reçu des nouvelles de Jules ?

— Non. L'année scolaire vient tout juste de commencer, et il n'est pas porté sur l'écriture. Enfin, pas avec sa mère.

La déception sur le visage de la jeune fille parut émouvoir la visiteuse.

— Mais je suis certaine qu'il se porte très bien.

Bientôt, elle regagnait son domicile. Siméon la trouverait bien assise dans son fauteuil favori, à l'attendre, comme il convenait pour une épouse irréprochable.

❖

Donatien Chicoine prenait ses aises comme curé de Douceville, même s'il n'en portait pas le titre. Évidemment, sans aide, la tâche était éreintante, mais il était jeune et ne ménageait pas ses efforts. En conséquence, les paroissiens enduraient des sermons de plus en plus longs.

Après la messe, sur le parvis de l'église, Xavier s'empressa en direction des Turgeon, la main tendue.

— Évariste…

Le « monsieur » ne s'imposait plus, entre conspirateurs.

— … nous feriez-vous le plaisir, à ma femme et à moi, de venir dîner à la maison dimanche prochain ?

Le médecin s'attendait à l'invitation. Non seulement Délia lui avait rapporté la conversation tenue quelques jours plus tôt, mais l'avocat lui-même lui avait fait part du désir de Pinsonneault de le voir se rapprocher de lui.

— Ce sera avec plaisir.

Marcil eut une petite hésitation, son regard se porta sur Georges et Corinne qui se tenaient un peu en retrait.

— Cependant, notre maison est toute petite, aussi nous envisageons une réception entre adultes.

— Nous comprenons, et ces jeunes gens profiteront certainement de notre absence.

— Dans ce cas, c'est entendu. Alors, à demain au conseil. Madame, les enfants.

Il les salua en portant la main au bord de son chapeau, et Euphémie inclina la tête. Quant à Anselme et Denise, ils se contentèrent d'ouvrir de grands yeux. Puis le petit groupe s'éloigna. Quand ils eurent parcouru une douzaine de verges, Évariste se tourna vers les siens pour mentionner, avec un sourire moqueur :

— Les enfants, vous me pardonnerez de ne pas avoir insisté pour vous inclure dans l'invitation.

— Nous te pardonnerons, rassure-toi, promit Georges.

— Moi, j'aime bien Denise.

Personne ne se rappelait avoir entendu Corinne prononcer une parole négative sur un enfant.

— Alors, tu devras faire un effort pour lui parler à l'école, commenta Délia en la prenant par le bras.

Toutes deux fréquentaient le couvent des sœurs de la Congrégation de Notre-Dame, mais une grande et une petite avaient peu de chances de se croiser.

❖

Une semaine plus tard, les Turgeon s'entassèrent dans le vestibule de leur demeure, afin d'enfiler leurs manteaux. Évariste déclara à sa fille, un sourire de connivence sur les lèvres :

— Tu dois mener une bonne vie, pour être chanceuse à ce point. Dès la première visite de Jules à ses parents depuis le début de l'année scolaire, tu reçois une invitation à dîner.

— Tu sais bien que je suis une couventine exemplaire.

À ce moment, le plaisir lui rosissait les joues. Corinne aimait penser que cette invitation marquait son acceptation dans le clan des Nantel. De leur côté, les parents comprenaient que ces notables considéraient leur fille comme un parti très acceptable. Surtout, ils appréciaient la portée symbolique du geste. Floranette avait affirmé que son époux donnerait son soutien au médecin dans la course à la mairie. Homme de principe, le juge montrait combien les doutes, non pas sur la moralité mais sur le sens commun du médecin, lui paraissaient ridicules.

Dans cet esprit, non seulement Délia s'assurerait que Corinne adresse une lettre de remerciement au père et à la mère de Jules, mais elle-même écrirait un petit mot reconnaissant à Floranette.

Lorsque la famille s'engagea sur le trottoir, Évariste s'intéressa à son aîné :

— Cet après-midi, tu pourras t'occuper sans nous ?

— Le curé ne m'a pas invité à manger avec sa fille, laissa tomber le garçon d'une voix grinçante.

D'un geste de la main, son père lui fit signe de baisser le ton. Parmi les ouailles se rendant à l'église, quelqu'un jouissait peut-être d'une ouïe particulièrement aiguisée.

— Je vais écrire à Sophie, puis me consacrer à mes devoirs. Les pères me jugeront particulièrement bien préparé lors des contrôles, cette semaine.

Ses yeux se portaient sur sa sœur marchant dix verges plus loin en tenant le bras de sa mère, toute à son excitation. Même si la jalousie figurait dans la liste des péchés capitaux, il ne s'en confesserait pas à l'abbé Chicoine.

Tous les dimanches, les Tremblay comptaient aussi parmi les paroissiens maintenant confiés à Donatien Chicoine. Pour Aline, le malaise demeurait toujours aussi grand. Non seulement le souvenir des mains baladeuses du prêtre restait imprimé dans sa mémoire, mais surtout l'événement était la cause d'une fracture irrémédiable au sein de sa famille.

Quant à son père, l'écoute, toutes les semaines, d'un sermon soulignant invariablement la chasteté alimentait sa colère. Toutefois, ce fut le jeune frère qui raviva les blessures en remarquant, en traversant le parvis :

— Aline, t'es pas allée communier. T'as faite un péché mortel ?

Didace avait fait sa première communion le printemps précédent, et sa préparation à la confirmation développait en lui un petit inquisiteur. L'adolescente ne répondit pas, l'autre ne lâcha pas le morceau.

— C'est quoi, ton péché ?

— C'est pas des questions à poser, ça, l'arrêta le père.

— Bin quoi ? Le frère Dosité nous dit d'aller communier tous les jours, si on peut.

— C'est pas une raison pour embêter ta sœur.

Le garçon parut réfléchir. La situation lui paraissait incompréhensible.

— Si t'a faite de quoi de mal, t'as juste à te confesser. Ça prend cinq minutes, pis t'es correcte.

— Moé non plus, j'suis pas allé communier, grommela Rosaire d'une voix impatiente. Tu penses que je fais des péchés ?

Cette fois, le garçon se le tint pour dit. Soupçonner sa sœur de trahir certains commandements de Dieu pouvait se confondre avec une simple taquinerie. Faire de même avec son père confinait au sacrilège.

— Parle pas de ça. C'est une affaire privée, la confession.

Aline effectua tout le reste du trajet les yeux baissés, et se réfugia dans sa chambre tout de suite après le dîner.

Dès le mercredi précédent, Euphémie avait commencé à s'inquiéter. Graziella, la cuisinière des Turgeon, avait une réputation de compétence dans la rue De Salaberry. Jamais elle ne serait capable de la concurrencer. À la fin, elle se résolut à aller vers le plus simple. Ce ne serait pas délicieux, mais tout à fait convenable.

Cependant, l'approche du moment fatidique augmentait son anxiété. Non seulement la femme s'était agitée dans la cuisine à une heure très matinale, mais elle avait requis les services de son époux afin qu'il l'assiste dans les préparatifs.

— Nous pourrions leur confectionner un repas rapide, et les envoyer jouer dehors.

Xavier parlait de leurs deux enfants.

— Je ne veux pas les condamner à tuer le temps dans le jardin pendant des heures, en attendant le départ des Turgeon. Madame Ouimet veut bien leur donner à manger et les garder tout l'après-midi.

Il s'agissait d'une voisine particulièrement généreuse de son temps, qui était elle-même mère de trois enfants. Le père jugeait indélicat de chasser sa progéniture de la maison pour faire plus de place à des invités.

Avant de partir pour l'église, Euphémie avait mis le rôti dans le four, espérant que le feu ne s'éteigne pas pendant la messe, ni qu'un mauvais ange ajoute une bûche pour tout gâcher.

Une semaine après l'invitation, les deux couples se rejoignirent sur le parvis de l'église. Les enfants Turgeon ne se joignirent à eux que le temps de formuler des salutations polies, puis ils s'éloignèrent. Corinne se trouva bien vite flanquée de Jules, qui profitait d'un premier congé auprès de ses parents depuis le début de septembre. Georges continua seul, les épaules tombantes.

— Je me sens tout de même gêné de les priver de votre présence à midi, commenta Xavier Marcil.

— Tu ne devrais pas. Ma fille se réjouit de manger à la table de monsieur le juge Nantel.

L'avocat sans clientèle ressentit une pointe de jalousie. Il suffisait de beaux yeux bleus et d'un sourire timide pour accéder ainsi aux détenteurs du pouvoir. Trop dépité, il ne songea même pas à s'informer du sort du fils.

— Allons-y, maintenant.

Les deux hommes s'engagèrent les premiers sur le trottoir, laissant les femmes les suivre. Délia offrit son bras à sa compagne. Les observateurs les prendraient pour des amies sincères.

— Je me sens aussi intimidée qu'au début de mon mariage, lorsque j'ai reçu ma belle-famille, confia Euphémie.

— Je ne sais pas si je dois prendre cela comme un compliment.

— Ce n'en est pas un, mais plutôt un nouvel exercice d'autoflagellation.

Elle émit un ricanement d'autodérision. Depuis le parvis de l'église, Horace Pinsonneault les regarda s'éloigner. Enfin, songea-t-il, le jeune avocat se mettait au travail.

Quand ils pénétrèrent dans la petite maison de la rue Saint-Louis, Euphémie se sentit terriblement mal à l'aise.

— Xavier va vous accompagner au salon, je dois m'affairer dans la cuisine.

— Puis-je vous aider ?

— Non, non, allez avec les hommes, je vais m'occuper de la cuisine.

L'hôtesse s'empressa de regagner son poste de travail. Tous les couverts avaient été disposés à leur place dès le matin. Les patates attendaient dans un chaudron sur la table, le rôti cuisait à feu doux. Elle ajouta du bois dans le poêle.

Dans le salon, Délia constata :

— Je n'ai pas vu les enfants à l'église, ni ici. Ils vont bien, j'espère.

— Ils allaient très bien ce matin, assura Xavier, j'espère que c'est toujours le cas.

L'avocat arborait l'air exalté qui lui était familier depuis quelques semaines. D'ailleurs, il comptait bien profiter d'un passage à la salle de bain afin d'avaler une petite rasade, pour maintenir sa bonne humeur.

— Je les ai accompagnés à la basse messe dès le lever, maintenant une voisine s'en occupe. Nous les récupérerons cet après-midi.

— Ça me gêne un peu de les chasser de la maison, mentionna Évariste.

— Nous n'avons pas de place pour six personnes à table, ils auraient dû manger dans mon bureau. Présentement, ils s'amusent avec des gamins de leur âge.

Le couple Turgeon était assis sur un petit canapé. Une couverture de laine en dissimulait le dossier et une partie des coussins. Sur les murs, des gravures représentant des paysages anglais ou des monuments exotiques décoraient les murs. Le médecin avait sous les yeux l'image d'une pyramide d'Égypte avec deux chameaux en premier plan. Le tout témoignait de modestes moyens.

Marcil remarqua l'intérêt de son invité pour son cadre d'existence. Il expliqua :

— J'ai hérité cette maison de mon père, je n'ai rien changé au décor depuis mon arrivée à Douceville. Je devrais penser à tout rafraîchir.

Les deux hommes savaient qu'il n'en avait pas les moyens.

— Vous n'êtes pas de Québec ? s'enquit Délia.

— Non, moi je suis né ici, dans la paroisse. Je suis parti à douze ans pour fréquenter le Séminaire de Québec. Ma mère venait de mourir, et pour mon père, il était plus simple de me mettre en pension.

— Êtes-vous revenu ici au terme de vos études ?

— Quelques mois plus tard, quand mon père est décédé. Le travail à la ville ne me disait rien, j'ai profité de cette opportunité.

Plus exactement, six mois après la remise des diplômes, il se cherchait toujours un emploi. Hériter d'une maison représentait une aubaine extraordinaire. Il était venu tenter sa chance dans la vallée du Richelieu.

— Je me suis marié une semaine avant de revenir ici.

Bientôt, une Euphémie au front couvert de sueur, les cheveux un peu en désordre, vint se placer dans l'embrasure de la porte.

— Si vous voulez venir vous asseoir, c'est prêt.

Malheureusement, elle crut nécessaire d'ajouter :

— J'espère que le tout vous conviendra.

Pendant les quatre-vingt-dix minutes suivantes, sous le regard anxieux de la cuisinière, les invités eurent droit à un repas copieux, correctement préparé. Le vin français se révéla un parfait complément à la nourriture. Xavier devrait remercier le maire dès le lendemain.

Le repas se déroula sans anicroche. L'hôtesse devait faire le service, alors elle mangea très peu, entre ses diverses tâches. Quand tous les convives quittèrent la table, Euphémie poussa un soupir de soulagement.

Chapitre 19

Pendant le trajet vers le domicile du juge Nantel, Corinne avait marché en tenant le bras du fils, quelques pas derrière les parents de celui-ci. Jules évoqua les péripéties de son premier mois au séminaire. L'adolescente sentait la chaleur sur ses joues. Elle retrouvait le garçon dans le même état d'esprit que l'été précédent. Peut-être même encore plus attentionné.

Dans la grande demeure, tout le monde se réunit au salon en attendant que le dîner soit servi. Même si l'invitation était venue de Floranette, l'invitée, une fois assise, regarda son hôte pour lui exprimer sa reconnaissance :

— Monsieur, je suis très heureuse d'être ici. Je vous remercie sincèrement.

L'automne avait commencé une semaine plus tôt, alors la jeune fille avait abandonné les teintes pastel pour revêtir une robe d'un bleu soutenu. Ses cheveux remontés sur sa tête dégageaient des traits délicats. Depuis le carême précédent, elle avait réussi à éviter toutes les sucreries, aussi sa silhouette s'était affinée. Toutefois, son sourire et surtout ses yeux bleus avaient de quoi attendrir le cœur des magistrats les plus revêches.

— Je suis très heureux de vous recevoir chez moi, mais mon fils est le véritable initiateur de l'occasion.

Elle fixa le jeune homme assis à ses côtés sur le canapé, lui adressa son plus gentil sourire.

— Puis j'ai beaucoup d'estime pour votre père, vous savez.

Les joues de la visiteuse passèrent à un rose encore plus foncé. Décidément, cette journée serait à marquer d'une pierre blanche. Et comme elle répéterait à son père les paroles du juge mot pour mot, Évariste aurait la certitude de l'appui de ce notable.

Elle se demandait si elle devait quitter son siège pour embrasser le juge sur les deux joues quand une domestique vint annoncer que le repas était servi, interrompant sa réflexion. Heureusement, car le juge n'avait guère l'habitude de ces élans d'affection.

❀

Dans la plupart des dîners entre partenaires d'affaires ou entre parents, les hommes sortaient de table pour aller fumer, laissant aux femmes le soin de desservir. Comme aucun des deux représentants du sexe fort n'affectionnait le tabac, ce fut avec un cognac à la main qu'Évariste et Xavier se réfugièrent dans le bureau de l'avocat. Les dix dollars du maire Pinsonneault lui permettaient de se montrer un hôte attentionné.

— Ma femme m'a raconté, commença le médecin, le déroulement de la rencontre des dames patronnesses chez madame Nantel. La vôtre a dû faire la même chose. Le maire s'est déjà mis en campagne.

— Plutôt, son épouse s'est mise en campagne.

— Mais Pinsonneault lui a donné le signal.

Pourtant, Félanire avait paru trouver un plaisir bien personnel à entamer la lutte.

— De votre côté, avez-vous pris une décision ?

Évariste contempla un moment son verre de cognac, puis confessa :

— Jusqu'à ce jour, je n'ai pas observé de mouvement de masse en ma faveur. Devries a abordé le sujet avec moi, toi aussi. Pourtant, je me vois mal déclarer : «Je veux me porter candidat», si seulement deux personnes me soutiennent.

En même temps, le médecin devinait bien que l'appui devait être assez large, si le juge Nantel ne craignait pas de s'afficher. Celui-là avait été nommé par le premier ministre Wilfrid Laurier. Il ne pouvait s'engager sans s'être assuré de l'accord des dirigeants du Parti libéral. Que ce soit pour les postes d'échevins, de marguilliers ou de commissaires d'école, les grands partis politiques bougeaient leurs pions.

— Je vous assure que les appuis sont importants, au conseil et ailleurs.

— Quand ils se manifesteront, s'ils se manifestent, j'irai de l'avant.

— En réalité, il existe déjà une preuve de ce soutien avec les nouveaux règlements d'hygiène, dont une bonne proportion est acceptée. Pinsonneault se lance dans la bataille parce qu'il craint pour son poste.

L'argument porta. Spontanément, on prêtait au maire un certain flair politique. S'il s'inquiétait, cela signifiait que les idées du médecin gagnaient en popularité.

— Ce sont quelques réformes qui commencent à faire consensus, argua-t-il pourtant. Un début très modeste.

Le médecin épargna à son interlocuteur l'énumération des mesures d'hygiène publique lui paraissant essentielles, mais tout de même battues. Xavier n'abandonnait pas son idée :

— Un consensus qui s'étendra à la personne qui incarnera ces changements.

Peut-être. Malgré ces assurances, Évariste n'entendait pas s'engager sur-le-champ. Aussi il décida d'orienter la conversation dans une direction nouvelle.

— Tu me jugeras sans doute intrusif, mais je veux te parler en médecin. Ce que tu fais là est dangereux.

— Je ne comprends pas.

— Après t'avoir vu déprimé, mélancolique, je te trouve maintenant exalté.

— C'est parce que je dors mieux. Un peu de laudanum au coucher, et je me lève tout pimpant au matin.

Le regard de l'avocat dévia en direction du tiroir du bas de son pupitre. Sa petite réserve de bonne humeur se cachait là, dans des bouteilles de couleur brune.

— Dans ma pratique, je vois parfois des transformations de ce genre, parfois. D'habitude, elles sont dues à la consommation de l'un ou l'autre des vins tonifiants dont on voit la publicité dans les journaux.

— Vous parlez du vin Mariani ? Je n'en prends pas.

Xavier ne mentait pas, son choix s'était porté vers un produit plus efficace, selon le pharmacien.

— Pour conserver leur effet, il faut augmenter les doses de ces produits. À la longue, on obtient le résultat inverse.

— Pourtant, même le pape Léon XIII en vante les mérites.

Le «J'en prends aussi» se lisait entre les lignes. Ces mots s'avéraient un aveu.

— Je ne voudrais pas te voir tomber dans une situation plus difficile.

Cette fois, Xavier sentit la piqûre à son amour-propre. Son cadre de vie médiocre n'échappait pas à son interlocuteur, et il lui prédisait des circonstances plus pénibles encore.

— Voyons, je ne suis plus un enfant. Je sais m'occuper de moi-même.

Le ton cassant exigeait qu'on abandonne le sujet. Faire la morale à un patient venu en consultation dans son cabinet était une chose, profiter d'une invitation courtoise pour le morigéner, une autre.

❀

Quand elle serait de retour chez elle, Corinne pourrait confirmer à Graziella que la cuisinière des Nantel ne savait pas préparer un repas à la hauteur des siens. Une telle confidence lui vaudrait une reconnaissance éternelle. Ils en étaient au dessert quand le juge demanda :

— Il y a déjà un moment que la jeune demoiselle Deslauriers a quitté votre domicile, n'est-ce pas ?

— Deux semaines aujourd'hui.

— Vous savez où elle est maintenant ?

La jeune fille prit le temps d'avaler une bouchée de tarte aux fraises avant de répondre :

— Je lui écris à Medford. Je sais seulement que c'est une petite ville près de Boston.

Sous ses allures de jeune fille insouciante, Corinne connaissait bien le poids des convenances dans une petite ville catholique. Sans se départir de son sourire, elle se mit immédiatement en mode censure.

— Il y a un sanatorium dans cette région ? demanda encore le magistrat.

— Je ne sais pas.

Son regard se porta sur Jules, assis juste en face d'elle, de l'autre côté de la table. Le garçon lui présenta un regard désolé. Il ne s'était pas attendu à voir sa compagne soumise à la question.

— Tout de même, votre amie doit vous dire où elle habite.

Corinne devinait que ses joues devenaient cramoisies. Elle rassembla son courage pour affirmer :

— Je me révélerais une bien mauvaise amie si je répétais toutes ses paroles.

Le juge fixa sur elle des yeux sévères. Néanmoins, elle continua :

— Comme je m'avérerais une bien mauvaise invitée si je racontais ce que je vois, ou ce que j'entends, chez mes hôtes. Et une bien mauvaise fille si je révélais ici tout ce qui se passe à la maison.

De nouveau, elle adressa un regard navré à son ami d'abord, puis aux parents de celui-ci. Elle sentit son cœur se serrer. Une belle histoire semblait devoir se terminer avant d'avoir vraiment commencé.

Puis un sourire discret apparut sur les lèvres de Siméon Nantel.

— Mademoiselle Turgeon, je constate que vous êtes une bonne amie, une bonne invitée et une bonne fille. Je suis heureux de vous avoir à ma table.

Finalement, à la tête de son tribunal, le magistrat se révélait peut-être un bon juge des âmes. L'adolescente voulut dire merci, mais, craignant que sa voix ne se brise, elle se contenta de hocher la tête. Après un moment, Floranette rompit le silence pour dire d'un ton léger :

— Corinne, Jules me disait que tu retournais au couvent à contrecœur, cette année.

— Heureusement pour moi, j'ai très vite changé d'attitude. Sinon, je trouverais le temps très long d'ici juin prochain.

— Je me souviens de ma dernière année au pensionnat, dit encore la dame. Nous en avions terminé avec les longs devoirs, les contrôles de connaissances. Il s'agissait d'acquérir certaines habiletés sociales.

— Rien n'a changé.

Un moment, la conversation porta sur une comparaison des programmes de l'ultime année de formation, d'une génération à l'autre. Corinne récupéra son ton enjoué, son sourire aimable et son charme juvénile.

En s'installant sur son canapé élimé, Euphémie ressentit un malaise. Même si une couverture dissimulait les déchirures, son invitée devinait la supercherie. Au moins, le thé se révéla parfait.

Toutefois, Délia accentua sa gêne en lui demandant :

— Finalement, l'exercice fut-il aussi difficile que vous le pensiez ?

L'hôtesse fut troublée au point d'être forcée à déposer sa tasse.

— Je suis certaine que vous comprenez ce que je ressens.

— Non, pas vraiment. J'ai l'impression que vous cherchez à ce que l'on vous confirme la médiocrité de votre condition. Je ne vois ici qu'un professionnel en début de carrière et sa femme.

— Mon mari a largement dépassé trente ans, et moi aussi.

— Quand bien même.

Dans ses vêtements chics, venue de sa belle maison où deux domestiques assumaient toutes les tâches ménagères, Délia incitait Euphémie à avaler son petit pain. En même temps, la plus jeune rêvait de se jeter dans ses bras pour se faire consoler. Autant attirer l'attention sur un autre sujet.

— Je suppose que Sophie vous manque.

Délia fronça les sourcils, peu désireuse de devoir rejouer l'incident de la dernière réunion des dames patronnesses. La suite la rassura à ce sujet.

— Elle m'a semblé une jeune fille accomplie, charmante et bien élevée. Toutes les mères voudraient l'avoir pour fille.

— J'ai déjà une fille charmante et bien élevée, et vous aussi. De toute façon, Sophie se sent certainement mieux auprès de sa… famille.

La femme avait buté sur le dernier mot. Elle se reprit bien vite :

— Elle regrette sûrement de n'avoir ni parents, ni frère, ni sœur, mais son oncle m'a semblé déterminé à bien s'occuper d'elle.

— Je veux bien, mais cela ne constitue pas une famille. Je me demande comment ce vieux garçon s'arrange avec elle.

Euphémie ne cherchait pas à souligner une situation scabreuse pour donner le mauvais rôle soit au curé, soit aux Turgeon. Elle s'inquiétait sincèrement du sort de l'adolescente.

— En vérité, je n'ai pas reçu de ses nouvelles depuis son départ, alors je ne sais pas comment ça se passe.

L'invitée commettait un petit accroc à la vérité. Si Sophie ne lui avait pas écrit, il n'en allait pas de même pour Corinne et Georges. Selon cet échange de missives, la jeune fille faisait contre mauvaise fortune bon cœur.

❀

Les Turgeon quittèrent les lieux à trois heures trente. Comme s'ils surveillaient leurs mouvements d'une fenêtre, les enfants revinrent aussitôt. Euphémie leur répéta que ni Georges, ni Corinne, ni Sophie n'étaient venus dîner, qu'ainsi ils n'avaient rien raté d'intéressant ; la présence des adultes les laissait totalement indifférents.

Xavier Marcil, quant à lui, ne connaissait qu'un moyen d'oublier l'intrusion du docteur Turgeon dans sa vie privée : se verser une rasade de vin de coca. Le médecin n'y connaissait visiblement rien, car tout de suite il se sentit ragaillardi. Après la seconde rasade, il émergea de son bureau presque de bonne humeur.

— Ça s'est bien passé, tu ne trouves pas ? demanda-t-il.

Sa femme lavait la vaisselle, Denise s'occupait de l'essuyer. L'absence d'Anselme n'était pas la conséquence d'un rejet des tâches féminines, au contraire il avait offert ses services. Cependant, sa mère trouvait déjà son ensemble de couverts incomplet, elle ne souhaitait pas perdre d'autres pièces.

— Je n'ai jamais été aussi gênée.

— En tout cas, tu as réussi. La viande était à point, les pommes de terre aussi, de même que la tarte.

— Je suis heureuse que tu aies aimé, car ce soir tu te contenteras des restes.

Le ton demeurait posé, l'humeur égale. Xavier se prit à espérer que ce soit le prélude à une rencontre intime. Mais auparavant, Euphémie tenait à obtenir une récompense pour sa bonne volonté.

— Je ne suis pas allée à Québec depuis trois ans, dit-elle. L'échange de lettres permet de partager des nouvelles, mais ce n'est pas comme prendre les membres de ma famille dans mes bras.

— Les enfants ne peuvent manquer l'école pendant plusieurs jours.

— Voilà pourquoi je te les confie.

Denise avait espéré participer à cette expédition. Ses espoirs furent aussitôt déçus. Quelques semaines plus tôt, la perspective de s'occuper seul de ses rejetons aurait donné le trac à l'avocat. Maintenant, sa relation avec eux se portait mieux. Du moins, il aimait le percevoir ainsi. Cependant, un autre obstacle lui paraissait insurmontable.

— Un déplacement de ce genre coûte cher.

— L'aller-retour en train ne représente que le tiers ou le quart du coût de ce dîner.

— C'est le maire qui a payé !

— Alors, tu pourras bien me permettre de voir mes parents pendant quelques jours, en guise de remerciement.

Dans les circonstances, impossible de refuser.

— Bon, quand je passerai à la banque je prévoirai la somme requise. Quand souhaites-tu partir ?

— Dans deux semaines. Tout de même, je ne peux pas me présenter chez eux à l'improviste. Je leur écrirai pour leur exprimer mon désir de les revoir, j'espère recevoir une invitation par retour du courrier.

Évidemment, la plupart des Doucevilliens auraient réglé la chose par un coup de fil. Mais les appels interurbains coûtaient cher. Il ne fallait pas discuter longtemps avant que la facture soit comparable au coût du billet de train.

❋

Le lendemain matin, Xavier Marcil amorça sa journée en avalant un verre de remontant, puis il décida de passer à la banque afin de retirer un peu d'argent. Autrement, Euphémie lui répéterait la même demande jusqu'au jour de son départ.

La Banque de Montréal se situait rue Richelieu, comme la plupart des établissements commerciaux importants. En passant devant l'entrepôt de charbon, il se souvint de l'attitude méprisante de Pinsonneault dix jours plus tôt. Le maire avait eu bien raison de se moquer d'un professionnel incapable de recevoir dignement un collègue. Un bref instant, il songea à entrer pour rendre compte au magistrat de la journée de la veille, puis il choisit de remettre cette corvée à plus tard.

Bientôt, il passait la porte de la succursale pour se diriger vers le comptoir. Il demanda quelques dollars. Quand le commis lui rendit son carnet, ce fut l'occasion de constater combien le contenu de son compte fondait rapidement. Sa nouvelle habitude grugeait ses économies. Au moment de quitter les lieux, il entendit :

— Monsieur Marcil, que faites-vous ici ?

Formulée en anglais, la question ne pouvait venir que du directeur, Percy Devries. Devait-il répondre : « Je dilapide tout ce que je possède » ?

— Des affaires, répondit-il laconiquement.

— Suis-je bête. C'est pour cela que les gens viennent ici.

« À un cent près, il sait combien je possède », songea l'avocat. L'idée lui fit honte.

— Venez dans mon bureau un instant.

« Pourquoi ? se demanda l'avocat. Je n'ai pas de déficit. » Pourtant, il suivit le directeur de la banque. Impossible de dire non à quelqu'un manipulant des milliers de dollars tous les jours. Devries lui désigna une chaise, puis s'assit dans la sienne.

— Depuis un bout de temps, monsieur le maire semble vous surveiller de près, commença Devries. Après toutes les réunions, il vous entraîne dans son bureau.

— Sans doute ne veut-il pas que je fraternise avec les forces de l'opposition.

Devries hocha la tête. La réponse ne le surprenait pas.

— Actuellement, remarqua-t-il, notre candidat vedette se montre très hésitant.

— Ça ressemble à l'histoire du gars et de la fille tous deux trop timides pour faire le premier pas. Si personne ne se décide, le mariage n'aura pas lieu.

— Alors, il faudra que notre bon docteur se sente désiré.

Dans une petite ville, la politique suscitait les mêmes passions, les mêmes complots que dans les grands empires. Aussi Xavier trouva l'occasion propice à la cueillette d'informations.

— Si j'ai bien compris, les Anglais de la ville sont prêts à le soutenir.

— Lui, ou un autre susceptible de défendre quelques idées de réforme.

— Et les autres conseillers ?

— Sur les questions importantes, Pinsonneault rallie toujours la majorité.

Dans les circonstances, l'importance se mesurait en dollars. Pendant quelques minutes, les deux hommes firent l'inventaire des dernières mesures adoptées par le conseil, rappelèrent la distribution des votes pour chacune. Puis l'avocat mit fin à l'entretien et retourna chez lui.

❧

Deux semaines représentaient une très courte période dans une vie. Sophie montrait cependant une bonne capacité d'adaptation. Les adultes partageant son existence voulaient sincèrement la voir heureuse. Ces bonnes dispositions la rassuraient.

Tout de suite après le souper, l'adolescente aida à desservir la table. Lorsque les adultes passèrent au salon, elle s'excusa en disant :

— J'ai reçu une lettre de Corinne ce matin. Je désire lui répondre. Je peux occuper le bureau ?

— Évidemment, approuva Alphonse. J'irai corriger mes devoirs quand tu seras couchée.

L'enseignement venait avec son lot de corvées, celle-là n'était pas des plus plaisantes. Quand Sophie fut sortie, Clotilde murmura :

— Hier, c'était une lettre de ce garçon, Georges. Chaque fois, je crains qu'elle ne nous demande la permission de retourner vivre là-bas.

Les Turgeon lui apparaissaient toujours comme des compétiteurs susceptibles de lui soutirer l'affection de sa fille.

— Ce sont de bons enfants. Je suis heureux qu'elle se lie à des gens de son âge.

— J'aimerais qu'elle se fasse des amis ici.

— Elle parle très peu anglais…

— Justement, son apprentissage serait pour elle l'occasion de connaître des gens.

Alphonse convenait que dans la région de Boston, la maîtrise de la langue anglaise s'avérait une nécessité. Avec un sourire amusé, il énonça :

— Peut-être que je pourrais troquer mes leçons de français à une bourgeoise contre des leçons d'anglais à ma fille. Je me vois très bien enseigner à madame Adams, que son mari veut amener à Paris cet hiver, et lui demander ensuite de parler de ses dahlias à Sophie.

— Si elle veut faire de l'horticulture un jour, ce sera parfait.

Le tout était de faire la conversation, le sujet importait peu. Alphonse s'informerait dès le lendemain des possibilités de lui offrir une formation de ce genre. Ensuite, il essaya de se concentrer sur la lecture du journal, sans beaucoup de succès.

— À Montréal, on a sûrement reçu ma lettre.

— Avec tous les timbres que j'ai fait mettre dessus, le commis m'a assuré une livraison dans les vingt-quatre heures.

Clotilde avait même eu envie de porter la lettre elle-même jusqu'à Montréal, pour être certaine que l'archevêque Bruchési la reçoive.

— Mais je n'ai pas eu de réponse.

— Tu t'attendais à des souhaits, du genre : « Soyez heureux et peuplez la terre » ?

— Pourquoi pas ?

Alphonse ne savait trop à quoi il s'était attendu. Peut-être à des remerciements pour dix ans de bons services. Ou à une menace de damnation éternelle. Enfin, à un signe pour consommer la rupture.

❁

En soirée, la réunion du conseil se déroula dans l'atmosphère tendue devenue habituelle. Les spectateurs aiguisaient le malaise. Pinsonneault s'assurait de rallier les marchands contre toutes les mesures susceptibles d'augmenter leurs taxes. Leur présence intimidait les échevins les plus pusillanimes.

Comme le gérant de la Banque de Montréal l'avait souligné en matinée, le maire conclut de nouveau la séance avec une convocation :

— Marcil, j'veux te voir une minute.

Puis il sortit de la salle, le secrétaire sur les talons.

— Ceux-là ne se quittent plus, observa Devries d'un ton narquois à l'intention de Turgeon.

— L'un est le patron, l'autre, l'employé.

Un instant, Évariste eut envie de lui révéler que Marcil agissait comme informateur.

— Je n'aimerais pas être à sa place.

Donc, Devries connaissait bien la situation. Il continua :

— En février, serez-vous prêt à vous présenter aux élections ?

L'un des deux amoureux se manifestait.

— Oui, si j'ai des appuis.

— Alors, je vous reviendrai à ce sujet. Bonne soirée.

Le médecin lui retourna son souhait, puis rejoignit les siens.

❋

Dans son bureau, Pinsonneault grommela au secrétaire :

— Pis, t'as quoi à me donner, pour mes dix piasses ?

Le ton convainquit tout de suite Xavier que son commanditaire serait déçu.

— Il hésite, il n'est pas certain de vouloir s'engager. Selon lui, ses partisans ne sont pas suffisamment nombreux.

— C'est certain qu'personne va suivre ce bouffon.

Puis le marchand baissa le ton pour ajouter :

— Mais si du monde le *backait*, y s'présenterait ?

— Oui. Et je connais le nom de son organisateur en chef.

Cette fois, il capta toute l'attention de son patron.

— Aujourd'hui, je me suis arrêté à la banque. Le gérant m'a dit que les Anglais soutenaient ses idées. Pas nécessairement Turgeon lui-même, mais un programme de réformes. Si vous repreniez ses projets, vous auriez leur appui…

— Pis mettre toutes mes voisins dans l'chemin à cause de nouvelles taxes ? Moé, j'représente pas les docteurs pis les avocats, mais des vendeurs, des gens qui tiennent des boutiques. Du monde qu'l'odeur des bécosses dérange pas trop.

Le maire connaissait sa base électorale. Il poursuivit son analyse.

—Pis même si j'avais exactement le même programme, le monde qui parle avec la bouche en cul de poule voterait pas pour moé, mais pour lui. Tu l'vois toujours propre, bin habillé, pis sa femme pis sa fille qui paradent dans les rues avec des belles robes de Montréal !

Ainsi, l'opposition du premier magistrat aux idées du médecin se fondait en réalité sur des motifs personnels où Délia jouait un rôle, Corinne aussi, de même que son propre fils, Félix. L'exclusion de son rejeton par les Turgeon lui restait sur le cœur.

— Moé, quand ce monde-là parle, j'comprends pas toute. Pis eux autres non plus, y m'comprennent pas. Ceux qui m'comprennent vont voter pour moé. L'monde ordinaire.

Pinsonneault se promettait de cultiver leur soutien en ne proposant plus rien qui soit susceptible de leur déplaire.

— Bon, c'est correct, Marcil. Tu continueras de les garder à l'œil.

Jamais le maire n'irait plus loin pour exprimer sa satis-faction. L'avocat décida de tenter sa chance de nouveau :

— Le problème, c'est mon salaire. J'peux pas les suivre.

— J't'ai dit que j'y penserais. Pour avoir une augmenta-tion, faut travailler plus. Bon, pis là, laisse-moé travailler.

Insister ne donnerait rien. Après un « bonsoir » sans réponse, l'avocat quitta l'hôtel de ville.

❊

Le plus simple aurait été de téléphoner à Québec. Le fait d'entendre la voix de son amie lui aurait tellement plu ! Toutefois, après des années à faire attention à la moindre dépense, elle ne pouvait pas se le permettre. À la place, une fois assise sur la chaise de son mari, elle chercha du papier. Malgré ses efforts, le grand tiroir du bas du pupitre ne s'ouvrit pas.

— Tu as des petits secrets ? maugréa-t-elle pour elle-même. Tu ne caches certainement pas des dossiers de clients, tu n'en as pas.

— Maman ?

La voix de Denise, un peu inquiète, venait de l'étage. Mieux valait perdre l'habitude de parler ainsi à haute voix.

— Ce n'est rien, ma belle. Je me raconte une histoire. Plus tard, je te la répéterai.

294

Bien sûr, un jour, elle lui raconterait l'histoire de l'avocat raté, ne serait-ce que pour l'avertir des dangers de ruine sociale menaçant toute jeune fille, mais ce ne serait pas ce soir-là.

Le matériel pour écrire était rangé dans le tiroir sous le sous-main.

Ma chère, très chère Delphine,
Je me suis décidée à lui demander de me rendre à Québec. Imagine, après toutes ces années à tout lui laisser, j'ai obtenu le prix d'un billet de train. Dès que tu me diras que tu souhaites me voir, j'irai.
J'ai tellement hâte de te prendre dans mes bras de nouveau, comme quand nous étions jeunes. Tu te souviens du couvent ?

Pendant ces années au pensionnat, aucune lettre n'échappait à la censure des religieuses. Peut-être en allait-il de même au sein de la famille de Delphine Parent.

Je t'en dirai plus, beaucoup plus, quand nous nous verrons. À bientôt, ma belle amie.
Euphémie

Elle se priva d'ajouter « qui t'aime ». Cela aussi paraîtrait bien suspect. Après avoir écrit l'adresse et cacheté l'enveloppe, Euphémie alla la dissimuler dans sa chambre, sous ses vêtements, dans un tiroir de sa commode. En arrivant dans la cuisine, elle se plaça au pied de l'escalier pour lancer :
— Alors, êtes-vous prêts pour cette histoire ?
Le « Oui ! » enthousiaste des enfants lui fit chaud au cœur.

Depuis les remarques de son frère Didace sur le perron de l'église, Aline présentait un visage encore plus triste que d'habitude. La questionner sur l'état de son âme! Le pire, c'était qu'il avait bien raison : sa colère contre le vicaire la maintenait constamment en état de péché mortel.

Profitant d'un moment où il n'y avait aucun client dans le commerce, son père vint la rejoindre devant la vitrine.

— T'es aussi bien d'aller à Iberville. Ça va te prendre quoi, vingt minutes pour traverser le pont ?

— Tu te rends compte ? Obligée de me confesser dans la paroisse d'à côté parce que je ne veux pas me trouver près de mon curé.

Le dépit rendait sa voix chevrotante. D'un geste brusque, elle essuya une larme perlant au coin de son œil droit.

— Bin, si tu fais pas ça, tu vas être obligée de devenir protestante.

La blague de Rosaire Tremblay tomba à plat. Il allait retourner vers son bureau quand sa fille murmura :

— Je ne sais même pas s'il y a des confessions aujourd'hui.

— Y a un téléphone dans mon bureau, ça te prendra une minute pour le savoir.

Bientôt, elle revenait près de son père.

— La ménagère m'a dit que le curé ne s'éloignerait pas de son confessionnal d'ici midi.

— Un vendredi d'octobre, on verra sans doute pas un chat icitte. Je pourrai me passer de toi pendant une heure.

Comme elle se dirigeait vers la porte du commerce, il lui lança :

— Pas beaucoup plus, par exemple. Tu d'viens meilleure que moé pour la vente.

Peut-être pas meilleure, mais aussi bonne. Devant un acheteur potentiel, elle retrouvait son sourire, pour le perdre aussitôt après son départ. Elle remercia son père d'un mouvement de la tête. Dans la rue Richelieu, des pères devaient dire à leur fils : « R'garde la p'tite Tremblay, elle va aider le gars qui va la marier dans ses affaires. » Elle ne rêvait plus d'un professionnel. Un jeune commerçant saurait mieux l'apprécier.

En plus du pont permettant le passage des trains du Grand Tronc, un autre donnait aux piétons et aux voitures un accès au village voisin. Aline s'y engagea d'un pas plutôt lent. Que dirait-elle à ce prêtre inconnu ? Son père était allé dénoncer Chicoine à l'archevêque, sans succès. Un autre ecclésiastique la croirait-il ? Le trajet se révéla suffisamment long pour la convaincre que sa colère était justifiée, qu'elle n'était dans l'obligation ni d'en donner la raison ni même de s'en confesser. Ou, si elle le faisait, ce serait en termes généraux, comme pour évoquer son mauvais caractère.

L'église de la paroisse d'Iberville s'avérait plus modeste que sa voisine. À en juger par le timbre de sa voix, le prêtre devait avoir quarante ans. Son ton lui parut bon enfant, sa curiosité pas trop perverse. Sur le chemin de retour vers le commerce, un sourire sur les lèvres, la jeune fille en arrivait à s'imaginer résider un jour en permanence dans ce village.

Chapitre 20

Deux jours après être allée confesser ses fautes au curé du village d'Iberville, Aline Tremblay se rendit à son église paroissiale avec un meilleur entrain. Lors de la communion, après un regard chargé d'ironie à son frère Didace, elle quitta le banc familial pour se diriger vers la sainte table. Finalement, elle s'agenouilla entre le gamin et son père.

À l'autre bout de la balustrade, l'abbé Chicoine présentait un morceau de pain béni à ses paroissiens en marmottant des paroles en latin. Ceux-ci tiraient la langue pour recevoir l'hostie. Un servant de messe le suivait en plaçant une patène sous le menton de chacun. L'adolescente le regardait s'approcher avec une terreur dans le regard. En la reconnaissant, il la montrerait du doigt en criant : « Pécheresse ! Salope ! »

Puis le prêtre fut devant elle. Quand il posa l'hostie, le pouce et l'index touchèrent sa langue. Le contact lui souleva le cœur. Elle réfréna avec difficulté son envie de vomir. À sa gauche, son père surveillait l'ecclésiastique, les poings serrés. Quand ce fut son tour, il ouvrit la bouche avec un moment de retard.

L'instant d'après, la famille regagnait son banc. Une fois assis, Rosaire prit la main d'Aline un bref instant, pour la serrer. Celle-ci réalisait qu'au moment des confessions au couvent, le prêtre devait accabler plusieurs adolescentes de ses attentions lubriques. Pour lui, elle se confondait avec toutes les autres, il ne devait même pas l'identifier comme l'une de ses victimes.

En sortant sur le parvis de l'église, Aline se sentait toujours aussi troublée. Le hasard la plaça juste en face de Corinne. Un dimanche sur deux, celle-ci saluait Aline d'un simple geste de la tête ; c'était à ce contact que se résumaient leurs rapports des dernières semaines.

Les parents Turgeon conversaient avec un couple ; Georges s'intéressa à un camarade de collège pour les laisser en tête-à-tête. Depuis le thé dansant qui avait marqué la fin de l'année scolaire, au mois de juin précédent, ce serait leur première véritable conversation.

— Bonjour, dit à Aline la fille du médecin. Tu vas bien ?

Ce fut au tour de Rosaire Tremblay de s'éloigner par souci de discrétion.

— Oui.

La réponse manquait un peu de conviction, mais son malaise devant le vicaire ferait un bien mauvais sujet de discussion, juste en face du temple.

— Et toi ? retourna Aline.

— Oh ! Oui, ça va bien. Dimanche dernier, je suis allée manger chez monsieur et madame Nantel.

Encore toute à son plaisir malgré la semaine écoulée, la blonde oubliait que son amie s'était pâmée la première sur le grand jeune homme qu'était le fils du juge.

— J'en suis heureuse pour toi.

La voix sonnait tout à fait faux, mais il s'agissait de la chose à dire.

— C'est devenu ton prétendant ? poursuivit la fille du marchand.

— … À notre âge, on ne parle pas encore de prétendant.

Son ton disait toute sa déception. Corinne proposa :

— Si tu veux, nous pourrions nous retrouver cette semaine pour en parler.

Aline jeta un regard de côté pour savoir où se tenaient son père et son jeune frère. Elle préférait un peu de discrétion pour mentir.

— Non, je n'ai plus de temps à moi. Je travaille toute la journée avec mon père, dans son commerce.

— … Bon, c'est dommage. Si jamais l'occasion se présente, cela me fera plaisir de te revoir.

— À moi aussi. Mais là, papa m'attend. Au revoir.

— Oui, au revoir.

Quand les Tremblay eurent fait quelques pas, Rosaire s'informa :

— Alors, Corinne se porte bien ?

— On dirait. Dans le temps, elle s'intéressait au fils Pinsonneault, maintenant, toute son attention va au fils du juge.

L'homme laissa échapper un petit sifflement pour signifier son admiration. Cette petite blonde attirait l'attention des meilleurs partis.

— Vous allez vous revoir ?

Rosaire avait tout de même perçu des bribes de la conversation.

— Je ne pense pas.

— Pourtant, dans l'temps vous passiez tout votre temps ensemble.

— Je ne suis plus vraiment disponible, avec tout le travail au magasin.

— J'te fais pas travailler tant que ça.

Aline se tut, puis elle dit à voix basse :

— Pendant des mois, je me suis demandé si elle me voyait vraiment, sur le perron de l'église. La nièce du curé s'accrochait à son bras. Maintenant que la belle est partie, elle redécouvre mon existence.

Tremblay hocha la tête sans ajouter un mot. Évidemment, la société doucevillienne se déclinait en plusieurs tons. Si le couvent réunissait des jeunes filles de diverses origines, la vie les dispersait bien vite.

Euphémie,

Après des années sans se voir, la jeune femme se serait attendue à plus de chaleur.

Quand j'ai vu ton nom sur le rabat de la lettre, je n'en croyais pas mes yeux. Je pensais que tu m'avais totalement oubliée. Évidemment, tu as un époux, des enfants. Une autre vie, quoi.

Delphine lui en voulait donc pour cette longue période de silence. Pourtant, quoi de plus naturel que de souhaiter fonder une famille ? Pour y arriver, il lui avait toutefois fallu enfermer ses souvenirs dans un petit coin de son cerveau.

Si tu viens à Québec, oui, je voudrai bien te voir.
Delphine

Maintenant, il lui faudrait reconstruire une amitié.

— Maman, tu vas rester absente longtemps ?

Denise Marcil reprenait sa voix geignarde, celle qui, parfois, arrivait à fléchir la décision de l'un ou l'autre de ses parents.

— Quelques jours, moins d'une semaine.

— Pourquoi nous n'allons pas avec toi ?

Ici, le « nous » incluait son frère, personne d'autre.

— Vous avez tous les deux de l'école.

— Mais si c'est seulement pour quelques jours, ça ne nous retardera pas dans nos devoirs. Nous ne voyons jamais nos grands-parents.

Au fil des ans, les Gignac étaient venus trois fois à Douceville. L'expédition leur apportant peu de plaisir, ils n'avaient pas voulu la renouveler trop souvent.

— Alors, nous essaierons d'augmenter le nombre de visites. Tu veux m'aider ? Mets cette robe dans ma valise.

Euphémie lui donna le vêtement, la fillette le plia pour le ranger dans une vilaine valise en carton.

— Je ne veux pas passer tout ce temps seule avec papa.

— … Mais tu ne seras pas seule.

La mère comprenait toutefois le sens de ces paroles. Anselme était encore plus démuni que sa grande sœur devant leur père.

— Tu sais bien que papa se porte mieux depuis quelques semaines. Il saura s'occuper de vous.

La fillette renifla bruyamment. L'argument ne la convainquait pas tout à fait.

— Puis maintenant tu sais faire un peu la cuisine. Comme ça, il ne vous empoisonnera pas.

La perspective de les laisser avec Xavier l'ennuyait bien un peu. Cependant, jamais celui-ci n'avait montré d'agressivité. Au pire, il s'enfermait dans sa mélancolie. Un peu gauchement, elle prit sa fille pour la presser contre son corps.

— Ne t'inquiète pas, je reviendrai bien vite. J'ai besoin de ce petit congé.

Denise eut envie de crier : « Nous aussi ! » Pourtant, bonne fille, elle hocha la tête de bas en haut.

❁

Tous les dimanches, depuis plusieurs semaines, Donatien Chicoine devait enfiler les cérémonies religieuses. Cela commençait avec la basse messe, puis la grande. Les vêpres suivaient en fin d'après-midi. Toutefois, cela ne pouvait durer très longtemps. Tôt ou tard, à l'archevêché, on reconnaîtrait son mérite. Peut-être même aurait-il son propre vicaire avant Noël.

Avant de partir pour l'église, à six heures du matin – les pécheurs aussi se levaient tôt pour se confesser –, il croisa sa ménagère dans le vestibule.

— J'suppose que cette semaine non plus, j'vous verrai pus le soir.

— Que voulez-vous, Cédalie, le travail paroissial a ses exigences. Ne me dites pas que je vais vous manquer !

La vieille femme réussit à maîtriser son mouvement de colère.

— Bin moé, j'dois savoir où vous êtes. Si jamais y a une urgence.

Personne ne choisissait le moment de sa mort, ni celui où il recevrait les derniers sacrements.

— Alors, je vous donnerai une liste détaillée de mes visites avant la fin de la journée.

La domestique s'éloigna en ronchonnant. Le prêtre se lassait de son visage renfrogné et de sa mauvaise volonté. Il s'agissait de la servante d'Alphonse Grégoire, pas de la sienne. Quand il hériterait de cette cure, la bonne femme disparaîtrait pour céder sa place à une petite sœur de la Sainte-Famille, une congrégation vouée au service domestique.

Puis, en marchant vers l'église, il changea d'idée : ces religieuses devaient coûter plus cher qu'une vieille dame acariâtre.

❀

Pendant le sermon, le vicaire entretint ses ouailles de la crainte du péché et de la nécessité de connaître une bonne mort. Comme on célébrerait bientôt la Toussaint, le thème convenait tout à fait. Puis il annonça :

— Cette semaine, je continuerai ma visite paroissiale dans la rue Richelieu, de la rue Saint-Charles à la rue Saint-Thomas.

Sur le banc familial, Aline regarda son père. Leur domicile était situé dans ce quartier.

— Chaque matin, je téléphonerai à ceux que je verrai le soir. Je comprends que pour certains d'entre vous, cela signifiera une fermeture de votre commerce un peu plus tôt, mais vos clients comprendront.

Le prêtre descendit le petit escalier très raide, puis reprit l'office religieux.

— Je ne veux pas le voir, murmura Aline entre ses dents.

— Nous serons là, ta mère et moi.

Cela ne la rassurait qu'à demi.

❀

Le lundi 15 octobre, les enfants Marcil se tenaient dans le couloir, près de la porte.

— Quand reviendras-tu, maman ?

Anselme était au bord des larmes.

— Dans quelques jours. Vendredi, quand tu reviendras de l'école, je serai en train de préparer le souper.

Vues de la hauteur de ses dix ans, ces quatre soirées sans sa mère paraissaient interminables.

— Vous verrez, intervint Xavier, nous allons nous amuser. Tenez, après le conseil, je vous lirai *Le petit chaperon rouge*.

— Nous connaissons cette histoire, papa.

— Peut-être, mais pas moi.

Cela lui valut l'esquisse d'un sourire.

— Bon, intervint Euphémie, maintenant vous devez partir pour l'école, sinon vous serez en retard.

Les accolades et les baisers prirent un petit moment, puis les enfants quittèrent la maison. Ils coururent jusqu'au coin de la rue la plus proche, plus pour cacher leurs larmes que pour éviter un retard.

—Tout de même, maugréa l'avocat après leur départ, en voilà tout un drame ! Comme si je ne pouvais pas m'occuper d'eux pendant quelques jours.

— C'est probablement parce que tu ne nous as pas donné souvent l'occasion de voir tes compétences. Bon, maintenant, j'y vais.

Euphémie saisit sa petite valise posée contre le mur.

— Ton train ne partira pas avant une heure, même un peu plus.

— J'aime autant l'attendre à la gare.

Comme si l'idée de passer ce temps avec lui la révulsait. Pour adoucir ses mots, elle ajouta :

— Comme ça, tu pourras travailler tranquille.

Ils échangèrent un long regard.

— Dans ce cas, je te souhaite un bon séjour à Québec. Vendredi, tu retrouveras tes enfants en bonne santé.

Elle fit le geste de lui faire la bise, pour faire baisser un peu la tension. Il recula jusqu'à s'appuyer contre le mur derrière lui afin d'éviter le contact. Ce départ le mettait en colère.

— Alors, à bientôt.

La femme partit à son tour.

La gare, comme tous les autres services à Douceville, était tout près. Quelques bancs permettaient de s'asseoir. Elle était passée acheter son billet dès la semaine précédente. Elle le tira de son sac pour le glisser dans la paume de sa main gauche, sous le tissu du gant.

Le va-et-vient des autres voyageurs la passionna pendant toute la durée de l'attente. Ils lui faisaient l'impression d'être libres, capables de se déplacer comme bon leur semblait. Ce jour-là, elle échappait à son existence médiocre. L'idée lui vint de changer sa destination, d'aller aussi loin que ses derniers dollars le lui permettaient, pour tout recommencer là-bas. Une femme relativement instruite devait être en mesure de gagner sa vie. Un fantasme irréalisable, à cause de l'existence de ses enfants, mais surtout de sa lâcheté.

Puis le train arriva enfin. Elle s'installa dans un wagon de seconde classe, près de la fenêtre. Tout le long du chemin, les forêts tout en couleurs lui rappelèrent la beauté du monde.

❀

La gare du Grand Tronc se trouvait de l'autre côté du fleuve, à Lévis. Cela signifiait une balade à bord d'un traversier. Le point de vue sur la ville, depuis le bâtiment, s'avérait magnifique, avec le Château Frontenac, la cathédrale, l'immeuble des douanes.

Une fois qu'elle eut débarqué sur le quai, Euphémie se sentit mieux que jamais au cours des dernières années. Née à quelques centaines de verges, dans la Haute-Ville, tout lui paraissait familier. Son sac de voyage à la main, elle s'engagea dans la côte de la Montagne, pour longer bientôt la cathédrale. Un long moment, elle s'arrêta sur le parvis, heureuse de contempler le bel hôtel de ville et la rue de la Fabrique, bordée de commerces sur tout le côté droit.

Puis, après un soupir, elle s'engagea dans la rue Sainte-Famille, profitant cette fois d'une pente descendante. Ernest Gignac habitait presque en face de l'Université Laval, près du coin de la rue Couillard, dans une bâtisse à la façade en brique d'un mauvais jaune. Elle agita le heurtoir contre la grande porte en bois flanquée de fenêtres de chaque côté. Une femme dans la cinquantaine vint ouvrir.

— Ah ! Te voilà enfin, ma grande ! As-tu fait un bon voyage ?

L'étreinte dura un long moment. Quand elles se séparèrent, la nouvelle venue répondit :

— Très bon, même si c'est un peu long.

Sa mère s'écarta pour la laisser passer.

— Mets ta valise dans ta chambre, puis viens me rejoindre.

Euphémie ressentit une émotion étrange en pénétrant dans la petite pièce à l'étage. Comme elle aurait aimé reculer toutes les horloges pour revenir au début des années 1890, au moment de sa rencontre avec Xavier ! Le sac de voyage alla sous le petit lit et quelques vêtements furent rangés dans la commode.

Après un passage à la salle de bain, elle retrouva sa mère dans un salon un peu sombre, aux meubles capitonnés de bleu.

— Dans tes lettres, commença cette dernière, tu paraissais tellement… déçue. Les choses ne vont pas bien avec lui ?

Que la femme évite de prononcer le prénom de son gendre témoignait de ses sentiments à son égard. Au moment du mariage, elle avait exprimé quelques réticences. Mais son mari se réjouissait de voir leur fille se caser avec un jeune professionnel.

— Il ne travaille pas…, soupira Euphémie.

Après une pause, elle se corrigea :

— Bien sûr, il a son emploi à l'hôtel de ville. Rien pour nous enrichir. Mais il ne reçoit qu'un ou deux clients par semaine, pour des peccadilles.

La mère et la fille partageaient la même opinion au sujet de Xavier Marcil. La suite de la conversation porta sur la progéniture d'Euphémie, et celle de son frère aîné.

— Comment se portent les enfants ?

— Bien. Enfin, ils vivent dans une maison toute triste, alors les éclats de rire sont rares. Au moins, tout va bien à l'école, ils ne me donnent aucune difficulté.

— Ils doivent tenir de toi, dit sa mère avec un sourire.

❧

Monsieur Gignac revint de son travail au gouvernement en fin d'après-midi. Les retrouvailles entre le père et la fille demeurèrent empreintes de pudeur. En se mettant à table, Euphémie annonça :

— J'essaierai de téléphoner à Delphine ce soir. Je me demande comment elle va.

— Hier, à la messe, elle allait très bien, lui apprit sa mère.

Son amie habitait dans la rue Des Jardins, à peu de distance. En conséquence, toutes deux fréquentaient la cathédrale assidûment.

— Elle ne s'est pas… engagée ?

Ambiguës, ces paroles laissèrent les parents songeurs. À la fin, le père déclara avec un rire moqueur :

— Tu veux dire avec un fiancé ? Seigneur non, c'est une vraie vieille fille, maintenant. Ça lui fait quel âge ?

— Comme moi, dit Euphémie. Trente-trois ans.

— C'est certain que maintenant, elle ne trouvera plus personne. Cela désole un peu ses parents. Maintenant, son père doit prévoir une somme afin de pourvoir à ses besoins jusqu'à la fin de ses jours.

Tout de même, en attendant, les Parent pouvaient compter sur quelqu'un pour entretenir la maison et, quand ils seraient vieux, pour veiller sur eux. « Et si c'est pour tomber sur un homme comme Xavier, tant mieux pour elle », pensa Euphémie. Elle contempla son assiette, désireuse de dire tout cela à haute voix.

❁

Les enfants Marcil rentrèrent de l'école à l'heure, sans toutefois montrer leur pétulance habituelle. L'absence de leur mère leur enlevait tout plaisir de retrouver la maison. Dans la cuisine, Xavier leur dit :

— J'ai pensé faire une omelette. Ça vous convient ?

— Oui papa, répondit Denise.

— Ce sera prêt dans une demi-heure.

Cela leur donnait le temps de monter à l'étage pour se changer. Mieux valait ne pas user leur uniforme scolaire.

Les talents culinaires de l'avocat étaient limités. La simplicité de la préparation de ce plat lui convenait.

— La journée s'est bien passée, à l'école ?

Les enfants se concertèrent du regard, puis firent oui d'un geste de la tête. Malgré les efforts du père, la conversation ne démarra pas vraiment. Un peu avant sept heures, son veston sur le dos, il leur expliqua :

— Je dois me rendre au conseil municipal. Vous pourrez demeurer seuls, n'est-ce pas?

— Oui papa, confirma la petite fille.

— Tu t'assureras que ton frère fasse ses devoirs. Toi, je sais que tu es toujours à ton affaire.

À dix ans, Denise assumerait le rôle de gardienne.

— Je reviendrai tout de suite à la fin de la réunion. À tout à l'heure.

L'avocat attendit une réponse. Il dut de nouveau se contenter d'un signe de la tête.

❈

Après le souper, Euphémie renouvela son souhait de téléphoner à sa bonne amie. Sa phrase se teintait d'un sous-entendu : «J'espère que vous vous ferez discrets.» Les parents le comprirent bien ainsi et s'attardèrent dans la salle à manger pendant quelques minutes.

La téléphoniste mit la femme en communication avec le domicile des Parent. Le ton de la lettre de sa correspondante avait ennuyé Euphémie. Dans la rue Des Jardins, le père de Delphine accepta de passer le téléphone à sa fille. Quand celle-ci dit «Allô», l'épouse de l'avocat commença :

— Bonsoir, Delphine. Comment vas-tu?

— … Je vais bien, Euphémie.

— Demain, nous pourrons nous voir, n'est-ce pas?

Après un long silence, son amie répondit :

— Oui. Le mieux serait que tu viennes ici, nous pourrons décider d'une activité.

— Demain en matinée?

Il lui tardait de la voir, après toutes ces années.

— Je t'attendrai après neuf heures.

— À bientôt.

Quand sa correspondante eut raccroché, Euphémie garda un instant le cornet contre son oreille, puis l'en détacha lentement.

Une nouvelle fois, le conseil municipal se divisait à égalité sur une décision relative à la qualité de vie des Doucevilliens. Il s'agissait d'étendre l'éclairage urbain à une rue peuplée d'ouvriers. Le maire bénéficiait d'une voix «prépondérante» dans une situation semblable. Il parla longuement de la nécessité de ménager les taxes des contribuables, avant de se prononcer pour le non. Sa décision se comprenait sans mal : les locataires de cette artère ne votaient pas, faute de posséder leur logis. Et les propriétaires, eux, habitaient dans des artères bien éclairées.

Évariste se leva de son siège, maussade. La succession des défaites de ce genre portait sur son humeur. En quittant son fauteuil, Pinsonneault lança :

— Marcil, tu viens à mon bureau.

— Non, ce soir je dois rentrer tout de suite.

La réponse créa une petite commotion.

— Vous comprenez, comme ma femme est à Québec, je dois rejoindre les enfants. Denise est encore un peu jeune pour faire la gardienne.

— Coudon, as-tu aussi l'habitude de faire à manger pis le ménage ?

Dans la section des spectateurs, des ricanements s'élevèrent. Xavier endossa son pardessus en rageant.

Pendant tout le trajet de retour vers sa demeure, Marcil ne décoléra pas. Faire le ménage. Son patron ne manquait jamais une occasion pour lui lancer une remarque mesquine. Et le plus souvent, il souhaitait mettre en doute sa virilité.

Sur le perron, il aspira lentement à quelques reprises, puis entra. Son «Me voilà!» joyeux ne reçut pas de réponse. Les deux enfants étaient assis à la table de la cuisine, des cahiers d'écolier devant eux. Chacun devait avoir un devoir d'écriture à exécuter.

— Ah! Denise, tu as fait la vaisselle. Tu aurais pu m'attendre, tu sais. Je t'aurais aidée.

— Je suis capable de la faire seule.

Oui, elle en était capable. Pendant toute la semaine, elle tiendrait la maison dans un état immaculé.

— Bon... Ça vous tente de jouer aux cartes?

— Il doit être plus de neuf heures. D'habitude, nous sommes couchés à cette heure-là.

D'ailleurs, la fillette rangeait son cahier dans son sac. Anselme s'empressa de l'imiter, puis il se rendit dans la salle de bain. Seul avec sa fille, Xavier se sentit gêné. Les conversations entre ses enfants et lui demeuraient empruntées. D'habitude, tout passait par la mère.

— Tu n'as pas eu peur de rester seule à la maison, ce soir?

— Non. J'ai dix ans.

— Justement. Anselme ne te mène pas la vie dure?

— Pas du tout.

Denise évitait son regard. Dès que son frère quitta la salle de bain, elle y alla à son tour en murmurant:

— J'ai envie.

Pendant deux ou trois minutes, le père tenta de lier conversation avec son fils, sans plus de succès. À la fin, il démissionna en invoquant: «Je vais travailler.» Quand la fillette revint dans la cuisine, il n'était plus là pour lui souhaiter bonne nuit.

❧

Le lendemain matin, pendant tout le déjeuner, Euphémie se sentit à la fois exaltée et un peu appréhensive. La rencontre avec son amie de cœur, après des années d'une correspondance irrégulière, et même quasi inexistante depuis trois ans, la rendait nerveuse. Que restait-il de leur vie antérieure ?

À neuf heures, elle passait devant la cathédrale pour atteindre la rue Des Jardins. Elle longea l'hôtel de ville, vieux d'une dizaine d'années, et un peu plus loin, la cathédrale anglicane de la Sainte-Trinité. Juste en face de celle-ci se trouvait une maison dont la construction datait du début du siècle précédent. Euphémie reconnut aussitôt la demeure des Parent.

Après un moment d'hésitation, elle frappa à la porte. Delphine devait se tenir tout près, car elle ouvrit immédiatement. Cet empressement de bon augure rasséréna la visiteuse.

— Bonjour, la salua-t-elle. Tu es resplendissante.

Évidemment, l'adolescente à la peau de porcelaine du début des années 1880 avait disparu. Mais la femme dans la trentaine était magnifique. Dans une certaine mesure, elle lui rappelait Délia, plus jeune de quelques années.

— … Merci.

Elle esquissa un sourire de connivence avant d'ajouter :

— Tu n'es pas mal non plus.

Puis vint un fou rire partagé. Un poids immense quitta les épaules d'Euphémie.

— Viens dire bonjour à mes parents, ensuite nous pourrons aller nous promener.

Le couple dans la soixantaine passait ses journées dans le salon.

— Bonjour madame Parent, monsieur Parent. Non, restez assise.

Elle se pencha pour embrasser la mère de son amie. Ses présences fréquentes dans cette demeure, des années plus tôt, permettaient une telle familiarité. Le vieux barbon n'eut pas droit à cette attention, seulement à une inclination de la tête.

— Alors, Euphémie, s'informa l'aïeule, tu habites toujours sur le bord du Richelieu ?

— Oui, à Douceville.

— Assieds-toi un instant. On ne te voit pas très souvent.

— Avec un mari et deux enfants, ce n'est pas si simple de voyager, vous savez.

La carrière du premier et la scolarité des plus jeunes firent l'objet d'un bout de conversation. Euphémie leur réserva une version édulcorée de sa vie de famille. Pendant ce temps, Delphine alla chercher son manteau et son chapeau. À son retour, elle dit :

— Il fait beau, nous allons prendre l'air.

— Après, tu mangeras avec nous ?

Euphémie accepta avec joie. L'instant d'après, elle marchait avec son amie dans la rue Des Jardins. Machinalement, leurs pas les portèrent vers le couvent des ursulines, comme au temps de leur scolarité. Un mur cachait les saintes femmes aux passants.

— C'étaient nos plus belles années, murmura Delphine.

Sa main se porta sur les doigts de la visiteuse pour les serrer légèrement. Elle ne les lâcha plus pendant toute leur promenade dans la rue Saint-Louis, jusqu'au parlement provincial. Le temps de retrouver le ton et les sentiments de leur adolescence.

Chapitre 21

Après dîner, les jeunes femmes se réfugièrent dans la chambre de Delphine, «pour nous rappeler nos souvenirs de jeunesse», précisa celle-ci. Une fois la porte fermée, elles tombèrent dans les bras l'une de l'autre, les lèvres soudées. Bientôt, ce fut étendues sur le lit qu'elles poursuivirent cette étreinte, mêlant des jeux de main aux baisers goulus.

Puis, un peu essoufflées, couchées face à face, les yeux dans les yeux, elles se perdirent en confidences.

— Aucun homme n'a tenté de te mettre le grappin dessus, au cours des dernières années? s'enquit doucement Euphémie.

— Je suis une vieille fille maintenant. Ça ne m'arrivera plus.

— Voyons, la plus belle femme de la Haute-Ville! Les vieux célibataires et les veufs doivent t'avoir à l'œil.

Comme tous les habitants du quartier fréquentaient la cathédrale Notre-Dame toute proche, Delphine se rappelait chaque dimanche au bon souvenir de ces hommes. Et les protestants la croisaient dans la rue Des Jardins, sur le chemin de l'église.

— Je suppose que ma réputation de mauvais caractère me précède, car personne ne me poursuit de ses assiduités.

Delphine savait présenter un visage revêche et des yeux sévères à tous les prétendants éventuels.

— Je ne m'en plains pas, dit-elle encore. Je me demande ce que je ferais, encombrée d'un homme pour me régenter. Je veux bien vivre dans la maison de mon père, mais tous les autres…

Elle fit un geste de la main. Comme pour chasser un moustique agaçant.

— J'aurais dû faire comme toi, lui confia Euphémie. D'un autre côté, mes parents me poussaient vers le mariage. Plus les années passaient, plus leurs visages devenaient moins amènes. Ils ne sont pas comme les tiens.

— Oh ! Quand tu es là, ils sont tout sourire, mais jusqu'à tout récemment encore, ma mère me demandait toutes les semaines si je n'entendais pas l'appel de Dieu.

Le célibat féminin n'était pas très respectable, à moins de revêtir l'habit des religieuses. La grande proximité des ursulines donnait des idées à madame Parent.

— L'idée lui est passée ces derniers temps. La perspective d'avoir quelqu'un pour tenir la maison et s'occuper d'eux dans leur vieillesse leur plaît. Voilà ce que c'est que d'avoir un enfant à un âge avancé.

Delphine était venue au monde plus de douze ans après son aîné. Elle éclata de rire avant d'ajouter :

— Après tout, mon second prénom est Anne.

Comme la mère de Marie, tombée enceinte après vingt ans d'un mariage stérile. Euphémie l'écoutait tout en laissant courir sa main sur son flanc, une caresse légère, empreinte de tendresse.

— Tu es comme leur bon ange. Tu vas bien les soigner.

Un baiser léger souligna le compliment.

— Parle-moi un peu de Xavier.

La visiteuse se renfrogna.

— Je n'ai pas grand-chose à dire. Quand je l'ai connu, tout le monde me le présentait comme un bon parti, un jeune avocat avec de l'entregent. Mes parents le trouvaient sympathique. Mon frère l'avait invité à la maison lors de quelques congés scolaires, quand il ne pouvait pas se rendre à Douceville.

— Il te plaisait.

«Oui, il me plaisait», songea la visiteuse. Un engouement qui avait duré jusqu'au jour où elle avait débarqué à Douceville pour entrer dans une maison un peu délabrée, sentant la maladie et la mort. Le père de Xavier avait rendu l'âme peu de temps auparavant. C'était une semaine après le mariage.

— Tu as raison, dit Euphémie. Il est facile de se laisser berner par un beau parleur.

— Et aujourd'hui?

Elle haussa les épaules avant de dire:

— Il travaille un jour ou deux par semaine pour la Ville. Le reste de la semaine, il stagne dans son bureau, les yeux vides.

— Ses clients…

— Il n'en a pas.

Elle marqua une pause avant d'avouer l'indicible:

— S'il n'y avait pas les enfants, je partirais.

— Pour faire quoi?

Euphémie haussa les épaules pour dire son ignorance. Détentrice du diplôme de fin d'études des ursulines, elle comptait parmi les femmes les plus instruites de son milieu. Mais cela ne lui donnait accès à aucun emploi particulier.

— Je ne sais pas. Revenir chez mes parents, peut-être.

Pour partager le sort des autres vieilles filles.

— Comme toi, je ne pourrais même pas entrer au couvent à mon âge.

La suite de la conversation porta sur le peu de perspectives offertes aux femmes dans leur situation.

❖

Finalement, le coup de fil de l'abbé Chicoine était arrivé le jeudi matin, un peu après huit heures. Le vicaire devait revenir de l'église après avoir dit la basse messe et entendu quelques confessions. Georgette prit l'appel, car son mari était déjà dans le commerce. Un escalier l'en séparait. Peu après, elle lança dans la salle d'exposition :

— Rosaire, c't'à soir.

Le marchand était penché sur un livre de comptes, et Aline passait le plumeau sur les meubles.

— Qu'on va au bal du gouverneur ?

— Que l'vicaire passera à la maison.

— Baptême !

Le mot résumait toute son envie d'accueillir l'ecclésiastique chez lui. Il posa son regard sur sa fille, la vit se tourner vers la vitrine pour cacher son désarroi. Le commerçant quitta son siège pour s'approcher de sa femme et murmurer :

— La p'tite se meurt de peur à l'idée de voir c'maudit curé. Alors t'en prends soin.

— Que veux-tu dire ?

— Va falloir que tu t'excuses, un de ces jours.

Georgette avait la prétention d'être une parfaite chrétienne et une mère irréprochable… à part quelques petits emportements. Se faire donner la leçon par son époux la rendit furieuse. Surtout parce qu'il avait raison.

❖

Si l'abbé Chicoine avait bien des défauts, la ponctualité figurait parmi ses qualités. À sept heures pile, il frappa à la porte donnant accès à l'appartement situé au-dessus du commerce. Rosaire descendit pour lui ouvrir, retrouva son meilleur sourire de commerçant pour dire, la main tendue :

— Bin m'sieur l'curé, c'est un honneur de vous recevoir à la maison. Le logement est en haut, faut monter.

Le prêtre ne le reprendrait certainement pas sur le titre, tant il rêvait que ce soit bientôt la réalité.

— Alors, je vous suis, monsieur Tremblay.

Quand ils débouchèrent dans le salon, à l'étage, ce fut pour trouver les membres de la famille alignés selon leur ordre de taille : Georgette à droite, Aline ensuite, puis les trois garçons.

— Vous connaissez tout le monde, je pense, commenta le maître des lieux. Ma femme, ma fille…

Les deux premières tendirent la main, les autres murmurèrent un « Bonsoir m'sieur l'curé » à peine audible. Les parents leur avaient expliqué de quelle façon s'adresser au grand personnage.

— Venez vous asseoir.

Un fauteuil était en meilleur état que les autres. Le visiteur s'y installa confortablement. Georgette le scrutait intensément. Son attitude n'aurait pas été différente dans un laboratoire de biologie, avec un insecte sous sa loupe.

De son côté, l'adolescente gardait les yeux résolument fixés sur le plancher. Pourtant, c'est à elle que le vicaire s'adressa en premier :

— Mademoiselle Aline Tremblay, ce nom m'est familier. Je vous connais, n'est-ce pas ?

— J'allais au couvent des sœurs de la Congrégation de Notre-Dame.

— Donc, ces dernières années, j'ai appelé votre nom tous les mois, avant les confessions.

Les mots s'étoufferaient dans sa gorge, aussi elle se contenta de hocher la tête. Maintenant, les yeux de la mère allaient de sa fille au visiteur. Le vicaire examinait l'adolescente des pieds à la tête. Rosaire tenta de mettre fin au malaise :

— M'sieur le curé, l'évêque vous a-t'y nommé ? C'tu officiel asteure ?

Le marchand se souvenait de la nomination de l'abbé Grégoire. L'événement avait suscité sa part de célébrations joyeuses.

— Non, pas encore. Vous savez, il faut attendre de savoir si notre pasteur sera en mesure de reprendre son poste ou non.

Le ton dépité témoignait de l'étendue de sa déception devant toutes les tergiversations de l'évêché.

— Pour ça, c't'une maladie bin mauvaise. V'là deux, trois mois qu'y est parti.

La question était implicite : de quoi souffrait-il ? Chicoine préféra ne pas s'étendre sur le sujet. En s'adressant au plus jeune, il demanda :

— Tu as quel âge, toi ?

L'enfant hésita un moment avant de montrer l'une de ses mains, tous les doigts levés.

— Y a quatre ans, dit la mère.

— T'aimerais ça, avoir un autre petit frère ou une petite sœur ?

Les parents comprirent que le prêtre voulait souligner le délai écoulé depuis la dernière naissance. Le garçon répéta peut-être des mots entendus dans cet appartement quand il dit :

— J'en ai déjà beaucoup.

— Aux yeux de Dieu, beaucoup, ce n'est jamais trop.

La conversation se poursuivit sur le thème de la revanche des berceaux, puis sur d'autres questions de morale.

Après trente minutes, Chicoine se leva. Rosaire Tremblay s'empressa de demander, comme il convenait :

— Voulez-vous nous bénir, m'sieur le curé ?

Tout le monde se mit à genoux. Le prêtre dessina une croix dans l'air, ses hôtes se relevèrent. Avant de s'engager dans l'escalier, le vicaire se tourna vers Aline.

— Tu devrais rejoindre les Enfants de Marie, lui dit-il.

— Ma fille a trop de travail, coupa très vite Rosaire.

— Les réunions ont lieu le soir.

— Même le soir. Quand y a pas de clients, on fait les comptes, l'inventaire.

Chicoine hocha la tête. Ces gens se contentaient de fréquenter la messe, sans s'impliquer plus à fond dans leur église.

❀

Après le départ de l'ecclésiastique, les plus jeunes enfants allèrent au lit tout de suite. Rosaire ouvrit la glacière pour prendre une bière, puis il offrit à la ronde :

— Vous en voulez ?

Une fois n'étant pas coutume, Georgette en réclama une. De son fauteuil, Aline affirma :

— Moi aussi.

Avant ce jour, ses parents auraient répondu d'une même voix : « T'es trop jeune. » Rosaire se donna la peine de faire sauter le bouchon à bascule, puis lui tendit la bouteille. Tous burent au goulot. Après quelques gorgées, Georgette murmura à Aline :

— Excuse-moi.

Son mari et sa fille la dévisagèrent sans comprendre.

— Pour c'que j't'ai dit quand tu m'as parlé de lui. Excuse-moi.

Elle marqua une pause, puis lâcha :

— J'l'ai bin vu, c't'un cochon. Pis y cache ses vices derrière une soutane.

Les relations entre la mère et la fille ne redeviendraient pas ce qu'elles avaient été avec ces quelques mots. Mais à compter de ce moment, le climat entre elles serait néanmoins plus serein.

Le mois d'octobre offrait encore quelques belles journées. Euphémie se promenait sur la terrasse Dufferin, son amie accrochée à son bras. Après en avoir parcouru toute la longueur à quelques reprises, elles s'installèrent sur un banc devant le Château Frontenac.

— Juste en face, se lamenta la visiteuse, vois-tu la gare du Grand Tronc ? Demain, je devrai reprendre le train pour retourner là-bas. Comme j'aimerais rester !

Delphine chercha sa main sur le banc pour la serrer.

— Moi aussi, j'aimerais que tu restes.

— Tu comprends, j'espère. Ce sont mes enfants qui me ramènent à Douceville.

Ses enfants, mais aussi le fait que ses parents ne l'avaient pas invitée à rester. Évidemment, même si c'était le cas, elle ne pourrait venir s'installer chez eux sans Denise et Anselme. Cela rendait ce déménagement très improbable.

— Demain, m'accompagneras-tu à la gare ?

— Non, je préfère m'abstenir. Me répandre en pleurs en public ne me dit rien.

Que son départ attriste autant son amie lui fit plaisir. Malgré la distance, peut-être demeureraient-elles aussi liées que pendant leurs études au couvent.

L'abbé Chicoine essayait de voir trois familles par soir. Ces visites auxquelles se livraient le curé Grégoire avant son départ lui permettaient de s'ancrer dans l'idée que cette paroisse lui revenait de droit. Mais à son lever le lendemain de sa visite chez les Tremblay, cette fable lui parut bien moins plausible.

Sa visite de la veille lui repassait en tête, comme ces vues animées présentées à Montréal. L'adolescente surtout lui revenait en mémoire. La plupart du temps, au couvent, elle venait s'agenouiller près de lui tout de suite avant, ou après la petite Turgeon. La blonde un peu pulpeuse, puis la brune aux yeux sombres. La crainte se lisait dans son regard la veille, et la colère dans ceux de ses parents. Rien de la complaisance de Malvina chez ceux-là.

Ces pensées l'assombrissaient. Quand le téléphone sonna dans le bureau, il accepta la diversion avec soulagement.

— Monsieur l'abbé Chicoine ?

La voix lui parut familière. Après qu'il eut acquiescé, la suite l'éclaira.

— Ici le chanoine Désilets. Je vous téléphone au nom de monseigneur Bruchési. Il aimerait vous voir. Pouvez-vous venir à Montréal mercredi prochain, en matinée ?

Enfin, des nouvelles de l'archevêché.

— Oui, bien sûr. Bon, vous savez que je suis seul, mais si le curé d'Iberville veut bien s'engager à intervenir en cas d'urgence, j'y serai.

— J'ai déjà parlé au curé Tousignant. Il a accepté.

Évidemment, là-bas on voulait s'assurer de sa présence à Montréal au moment prévu ; personne ne faisait attendre son éminence.

— Dans ce cas, je pourrai partir après la basse messe. Je serai là à neuf heures.

— Parfait. Monseigneur vous attendra.

Après avoir raccroché, Chicoine se perdit dans une délicieuse rêverie. D'abord, il demanderait à l'archevêque de lui fournir un vicaire. Il devrait le payer sur les ressources de la paroisse, mais sa charge de travail actuelle ne lui laissait aucun répit.

❀

Euphémie avait promis à ses enfants d'être présente vendredi à leur retour de l'école. Ce jour-là, dès le matin, ils évoquèrent le moment des retrouvailles. Pendant les heures de classe, religieuses et religieux les jugèrent bien inattentifs, eux d'habitude plutôt appliqués.

À la fin des cours, Denise et Anselme pressèrent le pas, allant jusqu'à courir pendant une partie du chemin. Quand le garçon passa la porte, son « Maman ? » ne reçut aucune réponse. Dans la cuisine, leur père les accueillit en disant :

— Désolé, il n'y a que moi.

C'était un peu comme si le Seigneur, après avoir promis une apparition, se dérobait ! Près du poêle à bois, Xavier préparait une omelette, la troisième de la semaine.

— Où est maman ? s'enquit Denise, désemparée.

— Le train a dû être retardé. Mais je suppose qu'elle est déjà descendue à la gare au moment où nous parlons.

— Comment, retardé ? voulut savoir Anselme.

— Je ne sais pas, moi, une tempête de neige…

En proposant cette explication un beau jour d'octobre, il souhaitait alléger l'atmosphère. Sans succès. La déception de ses enfants, frustrés de l'absence de leur mère et indifférents à sa présence, le rendit amer.

— Ou alors un pont qui tombe…

Denise se révolta d'une voix perçante :

— Pourquoi dis-tu une chose pareille ? Souhaites-tu que ça arrive ?

Dans un instant, elle éclaterait en sanglots. Ne pouvant se blottir dans les bras de personne, la gamine monta à sa chambre en faisant claquer ses talons dans l'escalier.

— Je blaguais ! se reprit le père en se tournant vers son fils, les bras écartés de son corps pour exprimer son impuissance.

Anselme ne partageait pas son sens de l'humour, aussi il alla rejoindre sa sœur dans sa chambre.

Il n'y avait eu ni tempête de neige, ni pont effondré sur le trajet de Lévis à Douceville. Pourtant, la locomotive du Grand Tronc connut des ratés suffisamment sérieux pour l'immobiliser un moment à Saint-Hyacinthe. Quand la voyageuse entra dans la maison de la rue Saint-Louis, ce fut pour trouver son époux irascible enfermé dans son bureau, et ses deux enfants réfugiés dans la chambre de sa fille.

Le bruit de la porte ouverte puis refermée ne les attira pas au rez-de-chaussée. Elle dut monter pour les rejoindre.

— Que se passe-t-il ?

C'est papa, se plaignit Denise en se précipitant dans ses bras.

Pour la fillette, l'explication suffisait. Son frère se joignit à l'étreinte.

— Ne pars plus, maman. Ne pars plus.

Leurs bras autour du corps d'Euphémie ressemblaient à des chaînes. Plus jamais elle ne pourrait quitter ces lieux. Son escapade ne lui avait pas apporté la liberté.

— Je ne vous abandonnerai jamais. Avez-vous mangé ?

Ils dirent non à l'unisson, mais refusèrent de partager l'omelette devenue froide depuis longtemps. L'appétit ne leur reviendrait pas avant le lendemain.

Quand Euphémie redescendit, elle se planta dans l'embrasure de la porte du bureau de son mari.

— Mais qu'est-ce que tu leur as fait ?!

❋

Après une nuit passée à se retourner dans son lit, Rosaire Tremblay connut une journée exécrable. En se couchant ce soir-là, il tonna d'une voix chargée de colère :

— Jésus-Christ ! Il veut l'avoir dans les Enfants de Marie. Y doit s'en passer des belles, dans leurs p'tites soirées.

— C't'un vicieux, c'gars-là. Y me r'gardait.

À cet égard, Georgette s'illusionnait. Chicoine avait peu d'intérêt pour une mère de famille nombreuse d'âge mûr.

— Demain matin, j'irai le voir au presbytère, décida le marchand.

— Pour lui dire quoi ?

— De pus y toucher.

— T'as pas l'intention de lui donner une raclée, toujours ?

Ce genre de solution s'avérait peut-être pertinente dans le fond d'un rang à Saint-Luc, quand il s'agissait de mater un habitant un peu trop insistant. Un prêtre dûment consacré par monseigneur Bruchési méritait plus d'égards.

— Dis pas de bêtises, j'vais lui parler, c'est toute.

Quand il se leva le lendemain matin, Rosaire se sentait beaucoup moins assuré. Il descendit au commerce avec sa fille pour déverrouiller les portes du magasin, puis lui annonça :

— J'vas lui parler.

— Pour lui dire quoi ?

— De se tenir tranquille.

Pareille intervention ne paraissait pas bien prometteuse à la jeune fille. Elle regarda son père marcher jusqu'au coin de la rue Saint-Thomas, puis se réfugia dans le commerce.

❖

Le marchand s'attarda un moment sur le trottoir, les yeux fixés sur le presbytère. Puis il gravit les quelques marches, frappa à la porte. Une vieille dame au dos courbé lui ouvrit.

— Je veux voir monsieur le curé.

— Monsieur le vicaire, le corrigea-t-elle.

Cédalie Forain connaissait les statuts, dans le clergé, et elle tenait à ce que son patron actuel ne bénéficie pas d'une promotion trop rapide.

— Y s'trouve à l'église, asteure, pour les confessions.

Rosaire la remercia, puis traversa la rue pour aller vers le temple. L'ecclésiastique se tenait sur un banc, un livre à la main, son bréviaire sans doute. Les pénitents devaient faire grève de confession ce matin-là. Chicoine se leva, puis tendit la main en avançant.

— Monsieur Tremblay, heureux de vous revoir. Voilà l'avantage de la visite paroissiale, je reconnais mon monde, maintenant.

L'autre ne présenta pas la sienne. Le malaise s'installa entre eux, comme après toutes les poignées de main ratées.

— Vous vouliez me parler ?

— Laissez-la tranquille.

— Je… Que voulez-vous dire ?

Le ton du prêtre ne contenait plus la moindre trace de jovialité.

—Ma fille. Je sais que vous l'avez achalée, à l'école. Là, elle va se confesser à Iberville, pour pus vous parler. Pis j'vas faire pareil. Les autres membres de la famille aussi.

L'ecclésiastique serrait les mâchoires.

— Dire des choses pareilles, c'est sacrilège.

— C'est aussi c'qu'y m'ont dit, à l'archevêché.

Cette fois, Chicoine accusa le coup.

— Vous êtes allé raconter ça à monseigneur ? Si je vous vois à la sainte table, je vais passer tout droit.

Cela signifiait l'ostraciser de la communauté. Une mesure susceptible de le mettre à la rue.

— L'absolution du curé Tousignant est moins efficace que la vot' ?

— C'est moi, votre curé.

— Un curé, c'est quequ'un en qui on peut avoir confiance.

Tremblay estimait le prêtre suffisamment déstabilisé pour tenter de pousser sa chance.

— Un billet de train, ça coûte pas si cher. Je peux retourner à Montréal.

Sans attendre de répartie, il tourna les talons pour quitter l'église. Resté seul, l'abbé reprit son bréviaire, mais ses yeux n'arrivaient pas à suivre les lignes. Maintenant, le rendez-vous auquel il avait été convié le mercredi suivant le rendait anxieux.

Chapitre 22

Toute la fin de semaine, le climat était demeuré glacial dans la demeure des Marcil. Les enfants ne quittaient pas leur mère d'une semelle, elle posait des yeux méfiants sur son époux. Et cette tension pesait sur Xavier au point où il se terrait dans son bureau, avec son vin tonique à portée de la main.

À l'heure du coucher, chacun des époux se tenait tout au bord du lit pour être absolument certain de ne pas toucher l'autre. Xavier devinait que les petits rapprochements devraient être ajournés aux calendes grecques.

Quand arriva le lundi, la réunion du conseil municipal lui apparut comme une heureuse diversion. Dans les circonstances, même le maire Pinsonneault lui parut plutôt sympathique. Et comme d'habitude, la séance se termina par les mots : « Marcil, viens à mon bureau. »

Une fois dans la pièce, l'avocat prit les devants et dit :

— Je n'ai pas d'information nouvelle. Je ne le vois pas… Socialement, je veux dire. À part lui dire bonjour à la sortie de l'église, ou alors ici, lors des réunions.

— Je sais, je sais, l'interrompit le maire, t'as pas les moyens de fréquenter le beau monde. Comme rapporteur, tu vaux pas cher. Mais justement, c'est d'argent que j'voulais te parler. Si tu veux, tu pourrais travailler une, deux journées de plus par semaine. Au même salaire que tu fais déjà.

C'est-à-dire pour une misère. Toutefois, une misère multipliée par deux pouvait améliorer l'ordinaire. Ou lui donner un accès plus large au vin tonique.

— Bien sûr, j'accepte.

— Tu veux pas savoir pourquoi ?

À voir le regard narquois de son interlocuteur, Xavier craignit un moment que ce soit pour lui demander de balayer les rues.

— J'vas te l'dire pareil. Des fois, j'ai l'impression qu'les fournisseurs facturent plus que ce qu'ils livrent. Tu vérifieras tout ce qui arrive, les contrats, les factures, pis tu m'diras si ça cloche, et tu feras les paiements si ça cloche pas.

Le maire fouilla dans les tiroirs de son bureau, puis en tira une clé pour la lui tendre.

— Toute est dans le classeur, là-bas. Moé, j'passe mes journées dans mon entrepôt, alors tu travailleras icitte.

— Je vous remercie. Sincèrement.

— C'est ça, bonne nuit.

Ce souhait, c'était une nouveauté. Sans attendre, le maire se pencha sur ses papiers. La conversation s'arrêterait là. L'avocat quitta les lieux en lui retournant son « bonne nuit ».

❧

Au moment de prendre le train pour Montréal, l'abbé Chicoine profita une nouvelle fois du respect de ses ouailles. Chacun s'empressait de le laisser passer devant lui, multipliait les « Bonjour monsieur le curé », « Mes respects, monsieur le curé ». Toutefois, quand il choisit un siège en première classe, ce fut dans l'indifférence générale. Les protestants représentaient la majorité des passagers.

Pendant un moment, le vicaire tenta de s'absorber dans la lecture de son bréviaire, sans succès. Il se faisait l'impression de se retrouver au Petit Séminaire, devant le maître de salle, pour subir la strappe. Et plus il approchait de Montréal, plus les châtiments corporels lui paraissaient anodins en comparaison de ce qui l'attendait.

Quand le cocher le déposa devant le palais épiscopal, son trac lui rendait les mains moites. Une religieuse des petites sœurs de la Sainte-Famille l'accueillit.

— Monseigneur Bruchési a demandé à me voir.

— Je vous conduis au bureau du chanoine Désilets.

— Mais c'est monseigneur…

Déjà, elle tournait les talons pour l'entraîner dans le couloir. Le chanoine le reçut avec une jovialité feinte. Après les poignées de main, il l'invita :

— Venez avec moi, Sa Grandeur nous attend.

L'entretien se déroulerait donc devant témoin.

Le prélat se tenait derrière une grande table, élégant dans sa soutane violette. Il se leva, tendit la main droite. Chicoine posa un genou sur le sol pour embrasser son anneau. Un exemple de soumission parfaite.

— Si vous voulez vous asseoir, mon fils.

Déjà, Delisle occupait une chaise en retrait. Quand le visiteur fut assis, le prélat commença :

— Mon fils, des rapports alarmants me viennent de Douceville. À votre sujet.

Le vicaire eut des désirs de meurtre.

— Tremblay vous a menti.

Puis il comprit son erreur. Nommer son dénonciateur ajoutait de la crédibilité au témoignage de ce dernier.

— Pourtant, ce monsieur m'a semblé sincère. Surtout, il n'est pas seul. D'autres aussi se sont plaints.

Grégoire ! Évidemment, son curé représentait un accusateur autrement plus plausible.

— Rien de ce qu'on vous a raconté n'est vrai.

— Je le souhaite de tout cœur.

Puis le prélat enchaîna sans transition :

— L'abbé Grégoire ne reviendra pas à Douceville.

Un poids immense quitta les épaules du prêtre. Que signifiaient ces «rapports alarmants», si on voulait le nommer à cette cure ?

— Sa santé s'est détériorée ? Je sais que sa nièce est partie le rejoindre…

— Oui, sa santé s'est détériorée. Nous pouvons présenter les choses de cette façon. Je nommerai bientôt un successeur à Grégoire. Un curé d'expérience. Vous ne serez plus vicaire à cet endroit. Je chercherai une affectation où… vos penchants risqueront moins de se manifester.

Voilà, c'en était fini de son beau rêve. Il resta assis le dos courbé, attendant la fin de l'orage.

— Qui me… qui succédera à Grégoire ?

— Je ne sais pas encore. Je consulte, actuellement.

— Et moi ?

— Je consulte aussi. Mais d'ici un mois, six semaines tout au plus, toutes les pièces trouveront leur place.

Chicoine eut une pensée pour Malvina. Elle lui manquerait. D'un autre côté, d'autres Malvina peuplaient le diocèse.

— Monseigneur, est-ce que je peux me confesser ?

Faire amende honorable, promettre un comportement exemplaire pour l'avenir changerait peut-être la donne.

— Le chanoine Désilets vous entendra.

De nouveau, Bruchési tendit sa bague. L'entretien se terminait. Dans une heure, le vicaire retournerait à sa carrière de vicaire.

Il y avait quelques jours déjà qu'Euphémie errait comme une âme en peine dans la maison. Depuis le lundi précédent, l'enthousiasme de Xavier lui tombait sur les nerfs. Il présentait l'augmentation de ses tâches comme un accomplissement grandiose, se montrait plus volontiers entreprenant une fois dans la chambre à coucher, comme si un peu plus d'argent augmentait sa virilité.

Cependant, la morosité de l'épouse n'était pas suscitée par ces nouvelles circonstances. Les quelques jours passés à Québec ne lui sortaient pas de la tête. L'excursion avait ramené dans son esprit les avantages de la vie d'autrefois, avant la petite misère ordinaire en compagnie d'un homme faible. Mais sa tristesse tenait moins à cette existence étriquée qu'au fait d'avoir revu Delphine, pour la perdre de nouveau.

❁

Même si Délia l'aurait admis avec difficulté, lors des réunions subséquentes des dames patronnesses, elle se sentit intimidée. La rumeur publique s'avérait une arme redoutable pour qui savait la manier. Toutefois, Félanire Pinsonneault s'était abstenue de revenir à la charge. Peut-être réalisait-elle qu'à ce jeu, sa propre famille était vulnérable.

Après sa première participation à une de ces réunions, Euphémie Marcil avait chaque fois rejoint le domicile des Turgeon pour marcher ensuite avec l'épouse du médecin. Le mot «amie» aurait été exagéré pour qualifier cette nouvelle relation, mais personne, dans cette ville, n'était plus intime avec la femme de l'avocat.

Madame Nantel achevait son bilan de la dernière soirée d'euchre:

— Une fois compté le prix du thé, du café, des biscuits, la soirée a rapporté trente dollars et vingt-quatre cents.

— Ce n'est pas beaucoup, remarqua quelqu'un.

— Ce n'est ni meilleur, ni pire que d'habitude. Si nous augmentons le prix d'entrée, l'assistance chutera. Espérons faire mieux avec la rafle de la Sainte-Catherine.

Les bonnes volontés ne permettaient guère de soutenir adéquatement tous les Doucevilliens dans le besoin. Après ce constat, les discussions portèrent sur les beaux jours passés, le mauvais temps à venir, et mille et un petits événements. Une fois le thé avalé et les biscuits mangés, toutes ces femmes se dispersèrent.

Sur le chemin de la rue De Salaberry, Euphémie pria Délia :

— Puis-je vous parler un moment ?

— Bien sûr. Entrez avec moi.

Quelques minutes plus tard, les deux femmes occupaient des chaises de part et d'autre de la table. La visiteuse avait décliné l'offre d'une nouvelle boisson chaude. Maintenant, elle demeurait silencieuse. Délia prit sa voix la plus accueillante :

— Vous vouliez me parler. Je vous écoute.

— … Je suis allée à Québec il y a une dizaine de jours. Depuis mon retour, je ne suis plus capable de supporter mon existence.

Le silence dura un moment, puis elle reprit :

— Vous comprenez, rencontrer mes parents, mes amis…

«Mon amie», corrigea-t-elle en esprit.

— J'étais heureuse, là-bas. Après quelques jours loin de lui, je n'arrive plus à endurer la vie avec mon époux.

— À cause de votre relative pauvreté ?

La véritable pauvreté, c'était celle des familles vivant avec un dollar par jour.

— Parce que je ne l'aime pas. Je suis contente qu'il passe maintenant plus de temps à l'hôtel de ville, juste pour être loin de lui. J'aimais mieux l'été dernier, quand il passait l'essentiel de ses journées couché avec une migraine. Et je pense que c'est la même chose pour mes enfants.

Ou, plus probablement, sensibles à l'aversion de leur mère pour son époux, ils en étaient venus à partager ce sentiment.

— Il ne vous maltraite pas ? Ou eux ?

De la tête, Euphémie fit signe que non.

— En conséquence, votre sort est plutôt enviable. Plus que celui de la moitié des femmes. Au moins. Vous mangez trois repas par jour, vos enfants sont en bonne santé et votre époux ne vous bat pas.

— À vous entendre, je devrais me considérer comme chanceuse.

Délia ne répondit rien. Évidemment, vivre avec quelqu'un que l'on exècre condamnait au malheur. Énumérer les fléaux des autres ne la consolerait en rien.

— Vous vous en contenteriez ? Je vous ai vue avec votre mari.

Non, Délia ne s'en serait pas contentée. Jamais elle n'avait regretté sa décision de s'unir à Évariste. Toutefois, ce genre de relation se construisait.

— Pourquoi l'avoir épousé, alors ?

— Il faut bien se marier, non ? Toutes les femmes le font ou deviennent religieuses.

Après-coup, elle regrettait de ne pas avoir choisi cette orientation. Cependant, la supérieure des ursulines de Québec ne lui aurait pas fait une bien belle recommandation.

— Puis après, continua Euphémie, on se rend compte que c'est pour la vie.

Une condamnation à perpétuité, en quelque sorte.

— Ce n'est pas bien grave, car je n'ai aucune envie de recommencer avec un autre. Le mariage n'est pas pour moi. Pas même avec le remarquable Évariste, s'il était disponible. Vous avez bien raison de le chérir. Moi, je veux seulement vivre sous un autre toit.

Elle évoquait la séparation de corps, des époux vivant chacun de leur côté. Si ce statut permettait d'alléger l'existence de gens irréconciliables, aucun des deux ne pouvait refaire sa vie. Dans le cas des Marcil, il existait un obstacle à cette solution : l'avocat ne pourrait faire vivre confortablement deux maisonnées. Enfin, certainement pas sur le pied qu'espérait Euphémie.

— Alors, qu'allez-vous faire ?

— Je pense que dans ces circonstances, on consulte le curé, non ? Déjà, je ne voudrais pas entendre un sermon sur la sainteté du mariage de la part de l'abbé Grégoire. Et avec l'abbé Chicoine… Cet homme me rend mal à l'aise.

« Vous aussi », songea Délia. Elle aurait été curieuse de consulter l'ensemble des femmes de Douceville à ce sujet. Sans doute que plusieurs partageaient cet avis.

— Alors, je demanderai conseil à mon frère. Lui aussi est avocat.

La femme du médecin s'épargna un long discours qui, finalement, aurait ressemblé à celui d'un curé. Une séparation entraînait une mise à l'écart sociale. Mais Euphémie s'était déjà mise à l'écart.

❧

Même si, le lundi précédent, Rosaire Tremblay s'était senti bravache dans l'église, pendant les jours suivants, la crainte ne le quitta plus. On aurait pu croire qu'il redoutait quelque chose comme l'arrivée des Cavaliers de l'Apocalypse. Lui qui avait été façonné par son éducation religieuse, son moment de révolte le laissait abasourdi.

Pourtant, rien ne se passa. Le dernier dimanche d'octobre, l'appréhension l'habitait toujours. Sur le chemin de l'église, il murmura à l'oreille de sa fille, pour ne pas être entendu de Didace :

— Aujourd'hui, j'vais pas communier, pis toé non plus.

— Qu'est-ce que tu lui as dit ? s'enquit Aline.

— De te laisser tranquille. Y a menacé de nous refuser les sacrements.

La jeune fille hocha la tête pour signifier son accord. L'initiative de son père aurait du améliorer les choses ; en réalité, la situation pouvait se détériorer davantage.

Les mots de conclusion du prône les désarçonnèrent totalement.

— Je suis allé rencontrer monseigneur Bruchési, cette semaine, pour apprendre une triste nouvelle. L'état de santé du curé Grégoire ne lui permettra pas de reprendre son poste. Sa Grandeur nommera bientôt un successeur. Avant Noël, m'a-t-il affirmé. J'ignore son nom, mais je sais que ce ne sera pas moi. Je n'ai pas une expérience suffisante.

En présentant les choses ainsi, il se drapait dans un manteau d'humilité. Une façon de se protéger contre les effets de la rumeur publique. Sur son banc, Rosaire prit la main de sa fille.

❖

Depuis l'annonce du départ définitif de l'abbé Grégoire de la cure de Douceville, Chicoine avait dû faire face à un déluge de questions. « De quoi souffre-t-il ? » « Où est-il ? » « Va-t-il mourir ? » Chaque fois, il avait répondu par un

«Je ne sais pas» qui laissait ses interlocuteurs sceptiques. Et ils revenaient à la charge, comme Cédalie Forain, le lendemain, lors du repas du midi :

— Ça s'peut pas qu'vous savez rien. Vous avez parlé à monseigneur, la s'maine passée.

— Écoutez-moi bien, je vous le répète pour la dernière fois : Sa Grandeur m'a dit que Grégoire ne reviendrait pas et qu'il cherchait un remplaçant.

— Pis ce s'ra pas vous ?

— Je vous l'ai dit aussi : l'évêque me trouve trop jeune.

La ménagère continuait de le regarder avec incrédulité.

— Ça veut dire qu'vous resterez vicaire à Douceville ?

Bruchési avait été formel à ce sujet, mais il préféra présenter les choses autrement.

— J'aimerais mieux pas.

Cédalie le contempla un moment, puis résista à l'envie de demander pourquoi. Elle regagna sa cuisine. Trente minutes plus tard, le vicaire se dirigeait vers l'église. La petite salle attenante à la sacristie demeurait le lieu privilégié de son travail de conseiller spirituel, et une personne en profitait avec régularité : Malvina Péladeau, devenue madame Morin au cours de l'été.

La femme arriva à l'heure convenue. Malgré la nature de leurs relations, ou peut-être à cause d'elle, elle demeurait très impressionnée par son statut. Aussi, son « Bonjour, monsieur le curé » était empreint de déférence.

— Bonjour, Malvina. Viens t'asseoir.

Le vicaire, lui, était devenu familier. Elle prit une chaise près de la sienne. En se penchant un peu, il posa sa main sur le haut de sa cuisse.

— Vous allez rester dans la paroisse ?

Il préféra ajourner le moment de lui annoncer la nouvelle, pour se maintenir dans ses bonnes grâces.

— Ça, je ne le sais pas. Monseigneur Bruchési en décidera, je n'ai pas mon mot à dire.

La main monta encore un peu.

—Mais en attendant de savoir, je compte bien en profiter.

Malvina connaissait la routine. Elle alla s'agenouiller sur le prie-Dieu, placé tout à côté d'elle.

❋

Dans le cadre de ses nouvelles attributions, Xavier Marcil passait des journées entières dans le bureau du maire. Cela lui donnait l'occasion de rêvasser. Avec un peu de chance, lui aussi pourrait s'asseoir dans un fauteuil couvert de cuir, derrière un bureau en chêne. Devant le meuble, des chaises permettaient de recevoir des visiteurs. Les citoyens les plus importants de la ville défilaient en ces lieux : les industriels, le directeur de la banque, le premier ministre du Canada aussi, deux ans plus tôt, durant la campagne électorale.

Des classeurs rangés contre les murs contenaient les documents importants liés à l'administration municipale. Depuis l'électrification de la ville, les relations avec la société responsable des travaux étaient houleuses. Les factures se succédaient, pas toujours justifiées selon Pinsonneault. Xavier les vérifiait une à une, le contrat sous les yeux, avant de procéder au paiement.

Ce jour-là, alors qu'il se penchait sur ses papiers, une voix tonitruante le fit sursauter :

— Marcil, j'parie que t'as jamais eu autant d'argent devant toé.

Le maire ne ratait jamais une occasion d'exprimer son mépris. Il le manifestait de diverses façons, toujours avec l'objectif de souligner que même avec des diplômes, certains échouaient, et d'autres réussissaient sans en posséder aucun.

— Je trouve tout de même bizarre de payer certains fournisseurs en argent, répondit Xavier.

— Y z'ont pas toutes des comptes de banque. Alors, faut leur donner leur dû de la main à la main.

L'avocat comprenait que cet échange devait s'accompagner d'un rappel à voter du bon bord. Il se leva pour rendre sa chaise à son patron.

— Non, non, reste là, j'fais que passer.

Pinsonneault se dirigea vers un classeur pour en sortir une liasse de documents.

— T'as vu la tête des échevins, quand j'ai annoncé ta nomination au conseil ?

Tous avaient montré des visages surpris, comme si cette promotion leur semblait imméritée.

— Pensais-tu que le bon docteur Turgeon se montrerait aussi *blood* ? Y avait pas l'air d'accord.

Xavier ne s'était pas vraiment posé la question, mais maintenant que son interlocuteur le lui soulignait, il s'en rendait compte. Le médecin ne devait pas lui faire confiance. Après avoir deviné sa consommation de vin tonique, comment le pourrait-il ?

— Bon, bin moé, j'te laisse là-dessus. Travaille pas trop tard.

De nouveau, le ton moqueur blessa l'employé. Pinsonneault était à peine sorti quand il décida de rentrer à la maison.

❖

Quand Marcil arriva chez lui, les enfants n'étaient pas revenus de l'école. Euphémie s'affairait déjà à préparer le souper.

— Tu rentres tôt, remarqua-t-elle quand il vint dans la cuisine. Je croyais que cet emploi te vaudrait deux bonnes journées de plus par semaine.

— Mon boss m'a dit de ne pas travailler trop tard. Je ne m'attendais pas à tant de sollicitude de sa part.

Ces mots furent accentués par un ricanement dépité. L'envie lui vint d'une petite rasade, pour se détendre.

— Je vais dans mon bureau.

Il tournait les talons quand elle dit :

— Xavier…

L'usage du prénom ne précédait jamais des mots doux, dans leur relation, mais plutôt une « explication ».

— Nous deux, ça ne va plus.

— Voyons, maintenant ce sera plus facile avec mon travail…

— Ce n'est pas juste l'argent. Ça ne va pas entre nous, ça n'a jamais été, en fait.

En quelques mots, elle venait de résumer plus de treize ans de mariage.

— Nous ferions mieux d'habiter séparément.

— Ne dis pas de sottises.

— Je pourrais retourner vivre chez mes parents, avec mes enfants.

Pourtant, jamais ceux-ci ne lui avaient offert cet arrangement. À près de soixante ans, son père n'aspirait certainement pas à prendre en charge une nouvelle famille.

— Jamais je n'accepterai…

Puis, sans dire un mot de plus, il alla se réfugier dans son bureau. Il n'en sortirait pas avant que tous les autres ne soient couchés.

❧

Le quitter pour retourner à Québec! L'idée faisait paniquer l'avocat. Évidemment, les choses ne se passaient pas très bien. Mais il s'agissait de sa femme, de ses enfants. Imaginer les quolibets de Pinsonneault, dans l'éventualité d'une séparation, lui était insupportable.

Le lendemain matin, lorsqu'elle se leva, Euphémie ne prononça pas un mot et évita soigneusement de croiser le regard de son mari. Les paroles prononcées la veille demeuraient toutefois en suspens dans l'air, impossible de les effacer.

Marcil retourna s'enfermer dans son bureau pour constater que sa réserve de vin tonique était extrêmement basse. Il quitta la maison sans faire de bruit pour se rendre à la banque, puis à la pharmacie située près de l'hôpital. Le commerçant l'accueillit d'un ton jovial.

— Monsieur l'avocat, j'ai appris pour vot' promotion, à l'hôtel de ville.

Même s'il aurait souhaité plus de discrétion, Xavier savait bien que dans une si petite localité, son identité, sa fonction, et même la progression de sa carrière étaient de notoriété publique.

— Félicitations!

— Merci. J'en aurai besoin.

Inutile de préciser ce qui lui manquait.

— Ouais, avec des nouvelles responsabilités, un petit remontant s'impose. Pis l'vin fait toujours la job.

Le pharmacien fouilla sous son comptoir, posa les bouteilles devant le client.

— R'marquez, y a queque chose de mieux encore.

Tout de suite, Xavier tendit une oreille intéressée.

— Que voulez-vous dire?

— Bin des gens, pis des gens importants à part ça, des médecins, des avocats, pis même des juges, m'achètent de la morphine.

344

Le médicament était utilisé depuis une quarantaine d'années pour soulager la douleur, et aussi soigner un certain nombre d'affections mentales.

— Aux États-Unis, une loi vient d'en interdire la vente libre.

Les revues de droit avaient souligné l'adoption de l'*Opium Act*, et les efforts de ce pays pour convaincre ses partenaires de faire de même.

— On reste pas aux États, nous autres. Essayez-la, vous verrez, après on peut pus s'en passer.

Répétée pour la seconde fois, cette observation aurait dû le mettre en fuite. Déjà, le commerçant l'avait utilisée en parlant du vin tonique.

— J'peux même vous faire la première piqûre gratis.

— Non, le vin, ça suffira. Trois bouteilles.

Il régla l'achat, puis s'empressa de rentrer à la maison pour en avaler une rasade.

Chapitre 23

Au cours des derniers mois, Elzéar Morin avait vu sa femme se métamorphoser en une véritable dévote. Quelques semaines après son mariage, l'homme lui avait fait une sainte colère : elle ne pouvait le laisser seul tous les dimanches après-midi, cela d'autant plus que cette journée permettait les rapprochements intimes. Les autres soirs de la semaine, après douze heures à l'usine, il s'endormait souvent tout de suite après le souper. Déserter la sieste dominicale de l'après-midi comptait certainement parmi les péchés contre le mariage.

Pour Malvina et l'abbé Chicoine, la privation de cette opportunité de tête-à-tête le jour du Seigneur avait été très largement compensée par la multiplication des occasions de rencontre pendant la semaine. Elle avait abandonné le travail à l'usine lorsque ses règles s'étaient arrêtées.

Seule du matin au soir, ses présences à l'église ne connaissaient plus de frein, au point d'attirer l'attention. Un jour, alors que Harvey, un des collègues d'Elzéar, sortait de l'usine Willcox & Gibbs, il interpella ce dernier en criant :

— Morin, paraît que ta femme passe son temps à l'église, asteure ? C'est-tu parce qu'elle prie tous les jours pour le salut de ton âme ?

— Qu'esse tu racontes ?

— Bin, c'est ma femme qui la voit quand a y va.

347

SUR LES BERGES DU RICHELIEU

Certaines grenouilles de bénitier paraissaient se livrer à des concours d'assiduité.

— C'est donc toé qui as besoin de prières pour t'éviter l'enfer, rétorqua Morin.

Harvey hocha la tête en entendant la répartie.

— J'suppose. Sont toutes pareilles. Si j'y touche, a me parle du péché. Baptême, on est mariés, après toute.

— L'vicaire appelait ça « les avantages légitimes du mariage », l'été passé, quand y nous obligeait à le rencontrer avant la noce.

Comme Elzéar et ce collègue habitaient la même rue, ils faisaient presque tous les jours le trajet ensemble jusqu'à l'usine. Parfois, ce genre de routine faisait naître des amitiés, et même des confidences.

— La mienne a pas l'air de trouver ça si avantageux, grogna Harvey.

À ce chapitre, Malvina ne montrait pas trop de réticence. Après un peu plus de quatre mois de mariage, ce devait être encore l'attrait de la nouveauté. Toutefois, récemment, tout avait changé. Depuis deux semaines, elle le condamnait à la portion congrue des ébats amoureux.

— Asteure, a m'dit de m'faire un nœud dedans pour que l'bébé soye en santé, ronchonna Morin.

Il enchaîna ensuite avec quelques sacres bien sentis.

— Comme ça, c'est vrai, est partie pour la famille.

— Oui, même si ça paraît pas encore.

Replète, la femme possédait des rondeurs susceptibles de couvrir un début de grossesse.

— Au mois d'août, expliqua Elzéar, a passait ses dimanches à l'église parce qu'a voulait partir pour la famille. Là, tu m'dis qu'a y va la s'maine. Tu vas voir, dans un an, a va dire que c'est pour qu'y fasse ses dents. Si a m'en fait douze comme ma mère, j'la verrai pus.

Tout de même, Elzéar comptait qu'elle réduirait ses dévotions quand elle aurait une demi-douzaine de rejetons à torcher. Les deux hommes se séparèrent devant le logis de Harvey, sur un « À d'main » peu enthousiaste.

❧

— Pis, comme ça, tu passes toutes tes journées à l'église, y paraît.

En entrant dans la maison, Elzéar s'était lourdement laissé tomber sur sa vieille berçante. Il découlait peut-être encore de son statut de nouveau marié que sa femme lui apporte une bouteille de bière. Il s'agissait de son moment de détente après sa dure journée de labeur.

— J'vas à l'église quand j'veux prier.

— Tu peux faire ça icitte. Paraît qu'Dieu est partout.

De cela, Elzéar n'avait pas une absolue certitude. Trop de misère se voyait dans le quartier. Dieu semblait se tenir plutôt du côté des maisons bourgeoises.

— Si y faut croire l'curé.

— Dis pas des niaiseries de même, tu vas faire du tort au bébé.

Cette injonction revenait trop souvent au goût de l'époux. Sa femme entendit se justifier encore :

— À l'église, y a les saintes espèces dans le tabernacle.

Décidément, le petit travail d'évangélisation de Chicoine portait ses fruits.

— Bin, tu dois avoir bin des péchés à te faire pardonner, pour être là tous les jours.

Malvina touillait la soupe au-dessus du poêle à bois. Son geste s'arrêta net.

— Tu me suis-tu ?

Le ton trahissait un mélange de peur et de colère.

— Penses-tu qu'le boss me laisse partir pour te guetter pendant la journée ?

La question resta un moment en suspens, puis il précisa :

— C'est la femme à Harvey qui t'a vue.

— A doit avoir autant de péchés que moé, d'abord.

Préoccupée, la ménagère se remit à la préparation du souper. Même aller à l'église pouvait devenir suspect.

❖

Les journées du secrétaire du conseil se suivaient, toujours aussi lugubres. Connaître le désir d'Euphémie de le quitter aggravait une mélancolie déjà profonde. Au point où ses trois dernières bouteilles de vin s'épuisèrent vite. Quand il retourna à la pharmacie, ce fut en ayant réfléchi à l'offre précédente du marchand.

— Vous r'voilà, commenta le pharmacien en le voyant franchir la porte.

— L'autre fois, vous avez évoqué…

— La morphine. Vous voulez essayer ?

Xavier hocha la tête pour dire oui, malgré sa certitude de faire une erreur monumentale.

— Bon, va falloir qu'vous v'niez d'l'aut' côté. C'est pas comme mettre du vin dans un verre.

La pièce située à l'arrière du comptoir montrait le même état de désordre et de malpropreté que la fois précédente.

— Faut enlever le veston, puis remonter la manche de la chemise. Pis assoyez-vous. Y a des gens qui sentent pus leurs jambes.

Dans le tiroir d'un petit pupitre, le vendeur récupéra une fiole en verre, une seringue et un tube de caoutchouc.

— Vous savez faire des injections ?

— Comment vous croyez que j'ai appris l'efficacité du produit ?

Cela n'en faisait pas un expert des piqûres, l'avocat put en juger quand une douleur lui irradia le bras. Elle s'atténua presque aussitôt, en même temps que Marcil éprouva une sensation de chaleur, puis un calme bienfaisant.

— Maintenant, vous bougez pas d'icitte.

De toute façon, le pharmacien avait raison, il n'aurait pas pu se tenir debout. Un état de bien-être hébété le submergea bientôt. Il demeura affalé dans cette pièce toute la matinée.

✿

La fabrication de machines à coudre comprenait de nombreuses étapes, du moulage d'une multitude de pièces métalliques composant le mécanisme à l'assemblage de celui-ci. Un édifice entier était consacré à la découpe de pièces de bois pour fabriquer de jolis cabinets.

Elzéar Morin travaillait depuis moins d'une année à la fonderie de la Willcox & Gibbs. L'équipement connaissait des ratés. Un matin, après à peine une heure de travail, une explosion du haut-fourneau secoua l'atelier est. Dans une large section de l'entreprise, le souffle jeta les travailleurs sur le sol, dont Morin. Alors que la poussière envahissait tout l'espace, l'homme réalisa qu'il n'entendait plus rien. Puis il eut l'impression de percevoir un sifflement aigu, bientôt couvert par des cris.

— Sacrement, v'nez m'chercher ! hurla quelqu'un.

Des bruits de pas résonnèrent, puis le fracas des équipements que des ouvriers jetaient au sol pour dégager un passage. La plupart couraient vers la sortie, mais quelques-uns s'approchaient afin d'aider les blessés, ou peut-être de récupérer des corps.

Elzéar se remit sur ses pieds avec peine. Une brûlure intense à la poitrine lui fit baisser les yeux. De la fumée s'échappait de sa vareuse. Un minuscule morceau de métal en fusion l'avait atteint. Il enleva en vitesse ce premier vêtement, trouva sa chemise et sa combinaison percées aussi. En se donnant de grandes claques, il parvint à décoller le métal de sa peau. Une cicatrice en forme de demi-lune d'à peine un pouce de longueur lui permettrait de ne jamais oublier ce jour.

La poussière retomba lentement. Des hommes apeurés utilisaient des pelles pour jeter du sable sur un début d'incendie, d'autres cherchaient des blessés. La chance se trouvait du côté des ouvriers. Au-delà des coupures, des écorchures et des brûlures mineures affectant une douzaine de personnes, seul un homme ne put se relever et marcher seul.

— Ça fait mal en crisse, chialait-il à l'intention de ceux qui l'avaient rejoint.

À en juger par la puissance de sa voix, sa vie n'était pas en grave danger. Elzéar avança pour constater l'étendue des dégâts. Sur la cuisse du blessé, le tissu du pantalon était brûlé, laissant voir une partie de la chair à vif, une plaie pas très profonde, mais de la taille d'une main.

— Faudrait le ramener à la maison, commenta un ouvrier.

— Ou bin à l'hôpital, dit un autre.

Toutefois, personne ne bougeait. Il fallut qu'un contremaître arrive sur les lieux pour prendre les choses en main.

— Y a une brouette là. Vous aut', mettez Paquin d'dans pis amenez-le chez eux. Morin, va avertir le docteur.

Alors que deux hommes soulevaient le blessé, provoquant de nouveaux cris, Elzéar demanda :

— Quel docteur ?

— J'le sais-tu, moé ? Le plus proche, c'est pas Turgeon ? Pis tu sais-tu où reste Paquin ?

Morin hocha la tête, puis quitta l'atelier de fonderie au pas de course. Derrière lui, la voix du contremaître annonçait :

— Bon, les gars, allez-vous en, on travaillera sûrement pus aujourd'hui.

Dehors, des badauds se rassemblaient, curieux. Des ouvriers leur racontaient ce qu'ils savaient, ou croyaient savoir. La rue De Salaberry ne se situait pas trop loin. En courant d'abord, puis en marchant vite les dernières centaines de verges, Elzéar atteignit le cabinet du docteur Turgeon, traversa la salle d'attente pour entrer dans le bureau en soulevant les protestations de quelques patients. Son irruption interrompit une consultation :

— Docteur, ça a sauté à l'usine, y a un gars blessé.

Le vieux monsieur qui reboutonnait sa chemise laissa échapper quelques jurons. Un peu plus et un inconnu le surprenait en tenue d'Adam. Le nouveau venu donna quelques explications, puis l'adresse de Paquin.

— Bon, je m'informe s'il y a des urgences parmi les gens qui attendent, puis j'irai, dit le médecin.

L'ouvrier s'était attendu à le voir se précipiter au domicile de son collègue. Évidemment, le médecin ne pouvait abandonner l'un pour s'occuper de l'autre. Peu après, Elzéar sortit du cabinet.

❁

Une fois sur le trottoir de la rue De Salaberry, Morin se dirigea machinalement vers l'église. Depuis l'explosion, il fonctionnait dans un état second. La conscience d'avoir échappé à la mort le laissait tremblant. Les prières de Malvina connaissaient peut-être du succès ; en ajouter une ou deux ne nuirait pas.

L'accès au temple n'était jamais interdit afin de permettre à des personnes comme lui d'implorer le secours de Dieu, ou de le remercier. En marchant vers le chœur, Elzéar fouillait dans ses poches. Quelques pièces de monnaie lui permettraient de payer l'un des gros lampions placés dans un cylindre de verre rouge.

Sur sa gauche, la porte donnant accès à la sacristie restait aussi ouverte. Peut-être le bedeau s'affairait-il à passer le balai. Sans trop savoir pourquoi, une fois son luminaire allumé, l'ouvrier avança dans cette direction. L'armoire en bois où étaient rangés les vêtements sacerdotaux occupait tout un pan du mur de cette salle. L'endroit lui rappela le jour de son mariage. Il marcha vers l'autel. Une plainte attira son attention. Elle venait de la petite pièce où le vicaire dispensait son enseignement religieux.

Un second cri, plus fort, accrut sa curiosité. Il s'approcha pour découvrir un homme, la soutane retroussée jusqu'à la taille, qui effectuait un va-et-vient en poussant les « han, han » d'un bûcheron soumis à l'effort. Sous lui, penchée sur un prie-Dieu, une femme émettait un gémissement, une octave plus haut. De chaque côté des jambes du prêtre, Elzéar distinguait des chaussures avec des talons de deux pouces. Malvina avait fait poser un morceau de métal sur le talon droit de sa bottine, afin de prévenir une usure prématurée. Il avait ce morceau de métal sous les yeux.

❀

Xavier Marcil sortit de sa torpeur, conquis par ce nouveau produit. La fiole coûtait la peau des fesses, et la seringue n'était pas gratuite. Pourtant, il vida son portefeuille sans état d'âme. Le sentiment de culpabilité l'envahirait plus tard.

— Avant de partir, faudrait être certain que tu sauras te piquer. J'voudrais pas que l'docteur Turgeon soit obligé de te couper un bras parce que t'as un empoisonnement du sang. Monte ton autre manche.

— Une autre tout de suite, ce n'est pas dangereux?

— Ça dépend. Mais pour cette fois, ce sera de l'eau. Mets le tube en haut de ton bras, pis serre.

Ayant observé la procédure un moment plus tôt, Xavier savait quoi faire. La veine gonfla vite. Toutefois, l'avocat fronça les sourcils en prenant la seringue.

— Tu piques, tu tires un peu le piston, si t'es au bon endroit, ça va rougir, alors tu pousses.

S'il comprenait bien ces étapes, passer de la théorie à la pratique ne se fit pas sans mal. L'hématome aurait sans doute la largeur de son bras. Néanmoins, il se dirigea vers l'hôtel de ville avec une main serrée sur le nouveau trésor dans sa poche.

❀

L'explosion dans l'atelier de fonderie avait entraîné une période de chômage de deux jours. Elzéar Morin les passa dans la cour arrière, à ruminer. Sa femme attribua cette attitude à la conscience d'avoir échappé de peu à un danger mortel. Pourtant, cela ne le rendait guère plus pieux.

Pendant une bonne semaine, il présenta le même visage buté à son retour de la manufacture. Le soir, il ne prononçait pas un mot, sa chaise posée à deux pas du poêle à bois. Et la nuit, malgré un lit plutôt étroit, il arrivait à dormir sans jamais effleurer son épouse.

Elzéar rompait parfois le silence le matin, lors de son départ pour la Willcox & Gibbs.

— Pis, aujourd'hui, vas-tu faire tes dévotions ?

Le ton grinçant contenait une accusation. Pouvait-il savoir ?

— Sais pas si j'aurai le temps.

— Bah ! Ton ordinaire t'occupe pas tant que ça.

Puis il partait.

À l'usine non plus, son air maussade ne trompait personne. À l'heure du dîner, son collègue Harvey vint s'asseoir près de lui.

— T'as des nouvelles de Paquin ?

— J'suis passé dimanche. Si tu voyais sa cuisse ! Y a d'la guenille comme ça.

Avec ses mains, il désigna un diamètre étonnant. L'énorme pansement rendait la blessure plus impressionnante encore.

— Y r'viendra pas travailler avant l'jour de l'An. Si y r'vient.

— Ça peut pas être si grave.

— Si l'infection s'met là-dedans...

Elzéar se félicitait de sa chance. Lui n'avait reçu qu'un petit morceau de fonte. Une plus grande quantité l'aurait confiné aussi à sa chambre... ou à son tombeau.

— C'est pas une raison pour te mett' dans cet état.

Devant le regard interrogateur de son collègue, il expliqua :

— T'es pus le même, on dirait.

Après un long silence, Morin murmura :

— C'est pas ça.

Après une hésitation plus longue encore, il arriva à dire :

— C'est Malvina... Tu peux m'aider à crisser une volée à un gars ?

— Tu veux dire que...

Harvey n'osa pas dire : « Elle en fourre un autre. » La formulation manquait trop de délicatesse, et il n'en connaissait pas de meilleure.

— C'est qui ?

Répondre « le curé » n'aurait guère aidé à le convaincre.

— Un gars… Tu peux m'aider ?

L'ouvrier hocha la tête pour accepter.

— Sans poser de question ?

Après un moment, Harvey acquiesça encore. Elzéar savait toutefois que le courage de son collègue fléchirait devant une silhouette ensoutanée. Tôt ou tard, il devrait le lui dire.

❀

— T'es bin sûr que c'est lui ?

— Crisse, quand un curé a son cul poilu entre les cuisses de ma femme, tu penses que chus pas sûr ? Ça te prend quoi ? Faut que j'y tienne la queue en plus ?

Harvey esquissa un sourire en imaginant la scène. Le souvenir d'une image pareille lui tiendrait compagnie jusqu'à la fin de ses jours.

Les deux hommes attendaient à l'entrée du cimetière, dans le coin d'ombre formé par le charnier. La porte extérieure de la sacristie se trouvait sous leurs yeux. Les femmes commençaient à sortir, en couple ou en trio. Même dans Douceville, elles n'osaient marcher seules dans les rues après la nuit tombée.

— J'me d'mande si y en a d'autres.

D'autres conquêtes, songeait Elzéar. Le grand nombre de paroissiennes pieuses donnait sans doute de multiples occasions à l'ecclésiastique.

Peu après, toutes les Enfants de Marie s'étaient dispersées.

— Là, y tardera pus.

Elzéar doutait tout de même un peu. Peut-être que l'une de ces paroissiennes célibataires vouées à la piété était prostrée sur le prie-Dieu à ce moment même.

Puis une grande silhouette noire apparut. Le prêtre s'attarda le temps de fermer à clé.

— Monsieur l'curé, lança Morin, v'nez par icitte.

Chicoine se tourna vers l'ombre debout à l'entrée du cimetière.

— Qui êtes-vous ?

— Y a quequ'un étendu icitte. V'nez m'aider.

Le vicaire hésita un instant, mais que pouvait-il arriver à un porteur de soutane ? Il s'approcha. Elzéar s'éloigna dans l'une des allées entre les tombes. Le plan convenu était simple : Harvey devait lui donner un grand coup en débouchant derrière lui. Cependant, Morin voyait l'ombre de son acolyte rester immobile.

— Icitte, derrière la grosse pierre tombale.

L'ouvrier se pencha, comme pour aider quelqu'un. À la place, il saisit un bâton de baseball. En se relevant, il asséna un coup sur le côté de la tête du prêtre. Le « ploc » résonna dans la nuit. Le vicaire leva les bras pour protéger son crâne. Cela lui valut un grand coup dans le flanc. Plié en deux, il en reçut d'autres dans le dos, sur la nuque.

Quand il fut étendu sur le sol, l'agresseur cria :

— Tu d'vais m'aider !

Finalement, Harvey se contenterait de fournir un soutien psychologique très limité. Morin retourna Chicoine, puis se pencha pour tirer violemment sur la soutane afin d'en faire sauter les boutons et de dégager les jambes. L'époux trompé frappa violemment le bas-ventre du prêtre avec le bout de sa bottine de travail. Chicoine laissa échapper une plainte étouffée tout en se repliant en position fœtale. Cette posture né le protégeait pas vraiment, les coups continuèrent de pleuvoir, avec toujours la même cible.

Bientôt, l'ecclésiastique ne bougeait plus. Le remettant sur le dos, Elzéar visa l'entrecuisse avec son bâton de baseball. Les membres du club de golf, tous des Anglais, l'auraient certainement complimenté sur son swing. Il allait recommencer quand son collègue le saisit à bras-le-corps par-derrière.

— Arrête, là, tu vas le tuer !

Le mari trahi voulut répondre : « Tant mieux. »

— Pis si tu fais ça, y vont aller te chercher en enfer pour te pendre.

Cette fois, Morin se calma. À ses pieds, le prêtre remuait à peine. Une faible plainte sortait de sa bouche.

— Correct, correct. De toute façon, y fourrera personne pour un boutte.

Harvey ne relâcha son collègue que lorsqu'il fut certain que son humeur assassine était maîtrisée. Le premier geste d'Elzéar fut de lancer son bâton de baseball de toutes ses forces à l'autre bout du cimetière.

— T'es mieux de faire pareil. Si la police t'attrape avec ça dans les mains, t'auras du mal à la convaincre que tu faisais du sport en pleine nuit.

Surtout pendant la nuit où le vicaire se faisait tabasser. Harvey obtempéra.

— Tu f'ras pas de folies ?

Elzéar dit non d'un mouvement de la tête. Il venait d'épuiser les accès de colère de toute une vie.

— L'train de dix heures qui va aux États va passer betôt. D'main, j's'rai rendu loin.

Après une poignée de main, les deux hommes se quittèrent. L'un et l'autre eurent la chance d'atteindre leur destination sans croiser le constable qui parcourait les rues la nuit.

❀

Revenu de l'hôtel de ville passé huit heures, Xavier Marcil était allé dans la cuisine prendre un morceau de pain. Les enfants étaient déjà dans leur chambre, Euphémie assise dans une chaise berçante près du poêle. Novembre était revenu avec son froid humide, et elle aimait profiter de la chaleur.

— Ton travail t'accapare de plus en plus, chuchota-t-elle en guise d'entrée en matière.

— Peut-être qu'un jour on me nommera secrétaire de la municipalité, pas juste du conseil. Cela nous permettrait de déménager dans plus grand.

— Je ne veux pas déménager. Enfin, pas avec toi.

— Tu es ma femme. J'ai la loi de mon côté.

Cela ressemblait à une déclaration de propriété.

Marcil s'esquiva dans son bureau. Depuis le matin, il attendait ce moment. Le vin tonique le requinquait un peu en début de journée, la morphine lui permettait de s'évader une fois la nuit tombée. Cinq minutes plus tard, il flottait entre deux eaux.

❀

L'abbé Chicoine réussit à reprendre une respiration régulière après de longues minutes. Son premier geste, quand il put bouger, fut de porter la main à son entre-jambe. Ses doigts touchèrent un liquide poisseux et chaud. Certainement pas de la semence. La douleur irradiait dans tout son ventre. Après maints efforts et cris étouffés, il arriva à se tourner sur le ventre et commença à ramper. Il perdit conscience avant d'avoir parcouru dix pieds.

L'agent de la police municipale le trouva à l'entrée du cimetière deux heures plus tard. Le fonctionnaire se donnait toujours la peine de vérifier si les portes de l'église et de la sacristie étaient bien verrouillées. Le vol d'un calice et d'un ciboire, survenu deux ou trois ans plus tôt, entraînait ce genre de précaution. Le hasard voulut qu'une déchirure dans les nuages permette à un rayon de lune de toucher l'ecclésiastique. Pendant au moins dix ans, les paroissiens mentionneraient ce miracle : Dieu posant son doigt d'argent sur son serviteur, pour lui sauver la vie.

Après avoir secoué l'épaule de son pasteur en répétant «m'sieur l'curé, m'sieur le curé» à quelques reprises, sans obtenir de réponse, le policier se résolut à le prendre sous les bras pour le tirer. La douleur provoquée par ce geste suffit à sortir Chicoine de son évanouissement, le temps de pousser une longue plainte.

Le policier s'arrêta net, puis il courut vers le presbytère. Le fracas de ses poings contre la porte força Cédalie Forain à quitter son lit pour répondre. Elle passa une tête échevelée dans l'embrasure pour demander :

— Bin, c'est quoi c'vacarme ?

Toutefois, elle ne s'émouvait pas outre mesure de cette visite. Des paroissiens venaient parfois ainsi en pleine nuit pour demander au curé de donner l'extrême-onction à un membre très malade de la maisonnée.

— Appelez l'hôpital, vite. L'curé est dans les pommes au ras d'la sacristie.

— Mon doux seigneur Jésus, murmura la domestique, sans bouger toutefois.

— Bon, y est où, l'téléphone ? s'énerva le constable en entrant.

Du doigt, elle lui désigna la porte du bureau. Il y entra en ordonnant :

— Allez m'chercher une couvarte. C'est cru, dehors.

L'instant d'après, une téléphoniste le mettait en communication avec l'hôpital. Au ton affolé du policier, elle sut que quelque chose de grave se passait. Elle ne put s'empêcher de tendre l'oreille pour suivre la conversation. Ainsi, grâce à son intermédiaire, dès le lever du soleil, tout Douceville saurait qu'on avait voulu tuer le vicaire de la paroisse.

Chapitre 23

Elzéar Morin avait bien planifié son coup. Il avait dissimulé près de la gare une petite valise contenant quelques vêtements, un rasoir pliant et du savon à raser. Pour un homme habitué à ne rien posséder, ces quelques biens permettaient de commencer une nouvelle vie.

Il attendit tout fin seul sur le quai, caché dans un coin d'ombre. Un peu après dix heures trente, il profita d'un arrêt de moins de deux minutes pour monter dans le train. À cette heure, aucun commis ne travaillait derrière le guichet. Donc personne ne pourrait signaler sa présence à cet endroit. Dans le cas contraire, même les policiers pas très dégourdis de Douceville auraient deviné l'identité de l'agresseur. Le contrôleur qui passa dans le wagon de deuxième classe lui vendit un billet.

❖

Délia fut la première à entendre le son du téléphone. Toutes ses années à prendre soin de ses enfants lui avaient appris à dormir d'une seule oreille.

— C'est dans ton bureau, souffla-t-elle en poussant l'épaule de son mari.

Ces communications nocturnes n'apportaient jamais rien de bon, mais le fait que la sonnerie retentisse dans le cabinet et non dans le salon lui indiquait qu'aucune relation personnelle de la famille ne connaissait de difficulté.

Le médecin se leva en pestant à voix basse contre cette interruption de son sommeil. Attrapant son peignoir au passage, il descendit dans l'obscurité, la main sur la rampe pour éviter un accident. Quand il décrocha, il entendit une voix féminine familière, celle de la directrice de l'hôpital.

— Docteur, venez tout de suite, une grande calamité est arrivée.

— Que se passe-t-il?

— Je ne peux vous dire ça au téléphone.

La religieuse se voulait discrète, une précaution inutile compte tenu de la curiosité de la téléphoniste. Elle connaissait déjà le nom de la victime de ce malheur.

— Bon, je passe des vêtements, et j'arrive.

Quand le praticien raccrocha, il était tout à fait réveillé.

❁

Chez les Morin, Malvina se faisait du mauvais sang. Elzéar était parti en milieu de soirée sans donner la moindre explication. De toute façon, au cours des dix derniers jours, il ne lui avait pas adressé plus de dix phrases entières. Sans doute allait-il passer sa mauvaise humeur à la taverne.

Toutefois, son absence passé dix heures se révélait tout à fait exceptionnelle. C'est que, pour être à l'usine à six heures, il devait se lever à cinq. Un peu après minuit, elle commença à s'inquiéter sérieusement. Les récentes allusions de son époux à ses dévotions prenaient un sens nouveau. Il ne s'agissait plus des railleries d'un homme pour qui la religion se limitait à une confession et une communion annuelles. Il se doutait de quelque chose.

Elle quitta son lit pour ouvrir la penderie, puis les tiroirs de la commode. Il manquait bien quelques vêtements. Dans la cuisine, elle trouva la vieille tasse placée au fond d'une armoire vidée de son contenu. Les très modestes économies du ménage avaient disparu.

Au cours des derniers jours, Euphémie se rendait bien compte que son mari venait se coucher très tard – il attendait sans doute qu'elle soit endormie – et se levait après le départ des enfants pour l'école. Arrivé tard le matin à l'hôtel de ville, il revenait tard, assez pour ne pas partager le repas de ses enfants. De toute façon, il mangeait de moins en moins, et il passait tout son temps dans son bureau.

Pourtant, quand elle s'éveilla vers quatre heures du matin, l'épouse s'étonna de trouver la place à côté d'elle encore vide. La curiosité, plus que l'anxiété, l'amena à se lever et à sortir dans le couloir. Un rai de lumière passait sous la porte, en face d'elle. La poignée tourna sous sa pression. Même faible, la lampe permettait de voir Xavier calé dans son fauteuil, une seringue fichée dans le bras, en train d'appuyer sur le piston.

— Mais qu'est-ce que tu fais ?

Il la regarda, les yeux vitreux.

— Qu'est-ce que tu fais ?

Sa voix aiguë perça le silence. Une voix vint de l'étage :

— Maman ? Maman, qu'est-ce qui se passe ?

C'était Denise. Puis on entendit le bruit de ses pas légers dans l'escalier. Anselme la suivrait dans quelques secondes.

— Je ne m'imaginais pas que tu pouvais descendre si bas ! Ne te montre jamais comme ça aux enfants ! grogna-t-elle.

Elle referma la porte. Il entendit sa voix :

— Ce n'est rien, ma belle. Un cauchemar.

La conversation se poursuivit, maintenant inaudible. Finalement, Euphémie monta se coucher avec eux. Ils se serrèrent à trois dans le petit lit de la fillette.

❄

En arrivant à l'hôpital, le médecin trouva l'ambulance, une charrette couverte tirée par un cheval poussif, toujours devant la porte. Un constable discutait avec un employé de l'hôpital.

— Ça, c't'un coup des protestants, prétendait ce dernier. Y a pas un catholique qui f'rait ça.

— Les protestants sont corrects, j'les croise souvent dans mon travail, répondit le policier. Les juifs, par exemple, j'leur fais pas confiance.

Dans l'édifice, Évariste se trouva face à face avec la directrice, dont le visage se marquait de traces de pleurs récents.

— Pouvez-vous me dire ce qui se passe, ma sœur ?

— Le vicaire… Monsieur le vicaire a été attaqué.

Puis elle ajouta, les yeux vers le plafond :

— Mon Dieu, venez-lui en aide. Prenez-moi plutôt.

Sa vie contre celle de son pasteur. Une équation raisonnable.

— Attaqué ? Ce doit être un accident…

— Venez…

Dans le couloir, des sœurs hospitalières aux abois marmottaient des paroles inaudibles. Des prières, certainement. La directrice le conduisit vers la salle d'opération. Sous des lumières vives, le corps de Chicoine reposait, étendu sur le dos. Les pans de la soutane étaient un peu écartés. Sur le devant, il vit une tache humide. À moins que l'ecclésiastique ne se soit pissé dessus, il s'agissait de sang.

— Bon, vous allez m'aider, dit-il à la directrice.

Évariste chercha des ciseaux sur la table portant les instruments chirurgicaux.

— Je ne pourrai pas, pleurnicha la sœur.

— Écoutez, ou vous m'aidez, ou vous désignez une autre religieuse maîtrisant mieux ses émotions pour le faire.

— Notre pasteur…

— Un blessé qui perd son sang. Décidez-vous, vite.

Il lui tendit une autre paire de ciseaux. À deux, ils fendirent le pantalon jusqu'à la taille, et la chemise jusqu'au col. Le sous-vêtement blanc écru portait une grande tache de sang à l'entrecuisse. Pendant qu'ils coupaient le tissu, le vicaire laissa échapper une plainte sourde. La religieuse n'aida plus. Au contraire, elle ferma les yeux, sans doute perdue dans une prière. Inutile de lui demander de découvrir les parties intimes d'un ecclésiastique.

— Il souffre. Nous devons l'endormir. Préparez le matériel, lui enjoignit le médecin.

Alors qu'elle s'affairait en lui tournant le dos, le médecin découpa la combinaison. Déjà, un bleu s'étendait des aines jusqu'au bas-ventre. Les coups portés avaient transformé les testicules et le pénis en une bouillie sanglante.

La religieuse revint avec un curieux entonnoir pour le poser sur le visage de Chicoine, laissant au médecin le rôle d'y verser quelques gouttes de chloroforme. Le danger, avec ce produit, était d'en mettre trop et d'endormir définitivement le patient.

— Maintenant, ma sœur, nous devons nettoyer tout ça.

Le praticien désignait l'entrejambe. Avec de l'eau et de l'alcool, ils firent disparaître le sang. Le scrotum déchiré nécessiterait de nombreux points de suture. Depuis un bon moment, comme le policier et l'ambulancier croisés dehors, Évariste se disait, lui aussi, qu'il s'agissait d'une attaque particulièrement brutale. Le corps était sans doute couvert d'ecchymoses, mais en faisant porter sa rage sur les parties sexuelles, l'agresseur envoyait un message très clair. Il se rappela les confidences de Corinne à sa mère. Il avait sous les yeux la preuve de leur véracité. Quelqu'un n'avait sans doute pas apprécié son intérêt pour une épouse ou pour une fille.

Les efforts de la directrice pour se rendre utile tout en regardant ailleurs lui tombaient sur les nerfs. À la fin il lui dicta :

— Éloignez-vous un peu.

Un testicule étant totalement écrasé, il l'enleva. La tentation lui vint de faire de même avec le second, une façon de se venger de l'outrage à sa fille. Châtré, cet ecclésiastique réussirait sans doute mieux à respecter son engagement au célibat. Son serment d'Hippocrate le ramena à de meilleurs sentiments. Bientôt, il suturait la peau déchirée. Quand il eut enfin terminé, il dit encore à la directrice :

— Aidez-moi à le mettre sur une civière. Vous avez certainement une chambre pour lui. Je reviendrai demain, dans la matinée.

La religieuse obtempéra. Comme le vicaire pesait son poids, Évariste se rendit jusque dans la chambre pour l'aider à faire passer le blessé dans le lit. Elle l'accompagna dans le couloir et lui chuchota :

— Promettez-moi qu'il va s'en remettre.

— Ma sœur, vous savez que je ne peux pas faire cela. Moi je soigne, mais Dieu guérit.

Voilà qui le ferait bien voir de tout le personnel de l'hôpital, quand ses paroles seraient répétées.

— Cependant, ce ne sont pas des blessures très graves, ses chances de s'en remettre tout à fait sont excellentes.

— Toutefois, la douleur…

— … sera très vive à son réveil. Utilisez un opiacé pour la réduire, mais sans forcer la note. Cela peut être dangereux.

Elle hocha la tête.

— J'y retourne.

Pendant le reste de la nuit, toutes les religieuses de l'hôpital s'épuisèrent en prières pour obtenir une guérison complète de leur pasteur. Les sœurs de la Congrégation de Notre-Dame, averties par un coup de fil, firent de même dans leur couvent.

❀

— Ça te coûte combien ?

La nuit précédente, Xavier l'avait passée en entier dans son bureau. Il se rappelait vaguement la porte qui s'ouvrait, puis le cri.

— C'est l'argent que je gagne, pas le tien.

Il eut un ricanement mauvais, avant de cracher :

— Puis, même si tu gagnais de l'argent en faisant des ménages, il m'appartiendrait quand même. Je suis le chef de famille.

En quelques mots, il venait de résumer le Code civil du Québec. La séparation de corps, elle pouvait toujours en rêver, mais sans blessure grave à montrer, aucun juge ne la lui accorderait. Son mari pouvait la tromper, mais cela ne devenait un motif valable que s'il amenait sa maîtresse vivre dans le domicile conjugal.

— Quand je t'ai vu avec cette aiguille dans le bras, j'ai bien vu que tu étais tout un chef !

L'homme vint vers elle d'un pas vif. Un bref instant, elle eut l'impression qu'il allait la frapper. Puis il tourna les talons pour se rendre à l'hôtel de ville.

❊

Comme il avait passé une partie de la nuit debout, le docteur Turgeon s'autorisa à demeurer au lit plus longtemps le lendemain. Quand il arriva dans la salle à manger, les enfants étaient déjà en classe.

— Un aut' nuit trop courte, commenta Graziella en posant une assiette devant lui. Un accident, comme l'aut' fois à l'usine?

La grande explosion avait rendu toute discrétion inutile, tout le monde connaissait le sort de Paquin. Une agression contre le curé aurait l'effet d'une conflagration. Combien de temps faudrait-il encore avant que la cuisinière ne soit au courant? Très peu, sans doute, mais le médecin n'entendait pas être celui qui répandrait la nouvelle.

— J'ai dû me rendre à l'hôpital.

La domestique ne recevrait aucune autre information de sa part.

— Graziella, voulez-vous m'apporter du café? la pria Délia en entrant. Je vais tenir compagnie à mon mari.

Une fois assise, l'épouse le questionna des yeux.

— Nous irons dans mon bureau dans un moment.

Pendant quelques minutes, ils échangèrent sur la température et le prochain tournoi d'euchre organisé à des fins charitables.

Quand ils passèrent dans le cabinet, Évariste lui raconta les derniers événements. Son épouse ouvrit de grands yeux.

— Le vicaire battu?

— À grands coups dans les couilles.

— Qui a pu faire cela?

— Quelqu'un qui entendait se venger de ses… indélicatesses.

Délia mit un moment avant de comprendre.

— Tu crois cela possible ?

— J'ai déjà vu des gars passés à tabac. Pour frapper à répétition à cet endroit, il faut un motif très personnel.

Délia pensa aussitôt à Corinne. Une fraction de seconde, elle se représenta son mari se livrant à un massacre de ce genre. Il devina tout de suite ce que son esprit lui suggérait.

— Dans un couvent, assis à la porte d'une classe, il l'a touchée. Imagine-le seul à seule avec une paroissienne.

Bientôt, elle hocha la tête. Le prêtre avait dépassé les bornes avec quelqu'un qui n'entendait pas à rire.

— Bon, moi, j'ai promis à la directrice de me rendre à l'hôpital ce matin pour rencontrer mon nouveau patient.

Évariste quitta son siège, embrassa sa femme au passage en lui souhaitant une bonne journée. Puis, après avoir accroché un petit écriteau à la porte indiquant son retour une heure plus tard, il se dirigea vers l'établissement de santé.

❀

Les religieuses paraissaient toujours en état de choc. Chacune agitait les lèvres dans une prière permanente. Si ces simagrées avaient une quelconque efficacité, Chicoine marcherait dans les minutes à venir.

La directrice devait surveiller l'entrée depuis son bureau, car elle se manifesta tout de suite.

— Comment se porte notre malade ?

— Nous lui avons donné de quoi dormir, mais depuis un moment il se lamente.

Tout en parlant, elle s'était mise à marcher en direction de la chambre du prêtre. Le blessé laissait échapper une plainte continue. Il arriva à se contrôler en les voyant entrer. À la lumière du jour, Évariste distingua l'hématome sur le côté du visage. Pendant la nuit, il était allé au plus pressé. Un examen plus complet s'imposait.

— Alors, monsieur le vicaire, comment vous sentez-vous ce matin?

Ses soupçons sur la cause de l'attaque lui enlevaient une bonne part de sa commisération.

— ... Mal.

Le regard de Chicoine contenait une colère sourde, et une immense frayeur.

— Nous allons voir s'il y a d'autres dégâts. Ma sœur, aidez-moi.

Pendant de longues minutes, ils tournèrent le blessé sur un flanc, puis sur l'autre, provoquant des grognements soutenus. Turgeon reconnut les traces de coups sur les bras, dans le dos, sur la nuque. Toutefois, aucune fracture.

— Maintenant, si vous voulez nous laisser seuls un moment...

Il fixait la directrice dans les yeux. Celle-ci mit un instant à comprendre qu'il désirait une certaine discrétion pour continuer son examen. Quand elle fut sortie, le médecin écarta les genoux de l'ecclésiastique, puis enleva les pansements de gaze souillés de sang. Pendant toute l'opération, les mâchoires serrées, le vicaire répétait:

— Seigneur Jésus, aidez-moi.

L'enflure avait augmenté, au point où le pénis ressemblait à une balle de tennis. Les plus petits gestes provoquaient des geignements.

— Décidément, j'en viens à croire en la justice immanente de Dieu, murmura le praticien. Vous voilà puni par où vous avez péché.

Pendant au moins un moment, Chicoine oublia sa douleur.

— Qu'est-ce que vous dites?

— Le gars qui a fait ça avait un motif… très personnel. « Impudique point ne seras, de corps ni de consentement. » Vous vous souvenez ?

Le docteur toucha le testicule restant, provoquant un cri aigu. Le prêtre passait véritablement un mauvais quart d'heure.

— Vous savez son nom ?

Dans ses moments de conscience, Chicoine se posait la question. Quelques femmes avaient eu droit à ses assiduités, mais deux noms lui revenaient : Elzéar, le mari de Malvina, et Rosaire Tremblay, le père d'Aline. Pourtant, il secoua la tête de droite à gauche.

— Vous allez vous en remettre. Dans quelques jours, vous marcherez en tenant les jambes bien écartées. Mais pour les mauvaises pensées, donnez-vous deux bonnes semaines. Ou, encore mieux, quatre ou cinq décennies.

Sans un mot de plus, le médecin nettoya la plaie avec de l'alcool, provoquant des plaintes étouffées, puis remit les pansements en place. Dans le couloir, la directrice allait et venait en réclamant les secours divins.

— Alors, docteur ?

On aurait dit une épouse au chevet de son compagnon.

— Il se rétablira. Continuez de lui donner des calmants sans trop forcer la dose. À ma prochaine visite, je le reverrai.

Dans les jours qui suivraient, certaines de ces saintes femmes devraient contempler les bijoux de famille amochés de leur pasteur. Que d'émois pour ces bonnes âmes !

Bien que le docteur Turgeon eut recommandé la discrétion à son important malade, celui-ci, peut-être à cause de l'effet des calmants, avait mentionné Rosaire Tremblay et

Elzéar Morin devant le policier venu l'interroger. Toutefois, quand celui-ci lui avait demandé « Pourquoi ? », les opiacés n'avaient pas été assez puissants pour le rendre imprudent.

Aussi, tout de suite après, le constable décida de rendre visite à ces deux suspects.

Dans le commerce de meubles de la rue Richelieu, dès l'ouverture ce matin-là, quelqu'un avait ouvert la porte pour crier :

— L'curé s'est faite tuer !

Rosaire leva la tête de son registre pour s'exclamer :

— Qu'est-ce que tu racontes ?

— Bin y est pas tout à faite mort, y est à l'hôpital. La police l'a trouvé en sang au ras de l'église.

Puis l'homme bavard disparut. Le marchand rejoignit sa fille près de la vitrine. Aline interrogea dans un souffle :

— Tu crois ça, papa ?

— J'vois pas pourquoi on nous raconterait une menterie comme celle-là.

— J'me demande qui a pu faire ça.

Aucun des deux ne verserait de grosses larmes sur le sort de l'abbé Chicoine. Rosaire songea à sa confrontation avec le prêtre. Il en venait à regretter de ne pas être l'auteur du forfait.

— J'le sais pas, mais j'serais pas surpris qu'la police vienne me rendre visite.

À moins que de nombreux paroissiens aient eu maille à partir avec le prêtre, la liste des suspects devait contenir peu de noms.

374

Rosaire ne se trompait pas. Au début de l'après-midi, un enquêteur en uniforme se présenta au commerce de la rue Richelieu.

— Monsieur Tremblay, lança-t-il en se plantant devant lui, je dois vous parler.

Le marchand et le policier se connaissaient pour se croiser tous les dimanches devant l'église. Les présentations étaient inutiles.

— Bin pas icitte. Si des clients arrivaient…

La présence d'un homme en uniforme ne ferait pas un très bon effet sur d'éventuels acheteurs.

— On va aller dans mon bureau.

Puis, à plus haute voix, il enjoignit à sa fille :

— Aline, tu t'occuperas des clients, s'il en vient.

Le bureau ne se trouvait pas dans une pièce fermée. Toutefois, placé au fond de la grande salle, il offrait une certaine discrétion. Quand tous les deux furent assis, le policier en vint au sujet de sa présence.

— Hier soir, où étiez-vous, monsieur Tremblay ?

— Pourquoi vous voulez savoir ça ?

— Répondez, s'il vous plaît.

— Bin, en haut, comme tous les soirs.

Le policier comprit qu'il habitait le logement situé à l'étage, une configuration commune à de nombreux commerces de cette taille.

— D'autres personnes peuvent en témoigner ?

— Tout le monde. D'abord ma fille qui est près de la fenêtre, ma femme, pis mes trois autres enfants.

L'abondance des témoins aurait dû le disculper sur-le-champ. Cependant, les membres de la famille immédiate constituaient des témoins douteux. Il était trop facile pour eux de se concerter.

— Juste ceux-là ?

— Un de mes cousins d'la paroisse à côté est v'nu passer la veillée avec sa femme.

Cela portait à sept le nombre de personnes susceptibles de témoigner. Impossible d'obtenir la complicité de tant de monde pour un crime crapuleux.

— Donc, de huit heures à minuit, tout ce monde-là peut jurer qu'vous étiez en haut?

— Le cousin est pas resté aussi longtemps icitte, mais pour les autres, oui. Mais là, vous allez me dire pourquoi.

Le marchand comprenait qu'il ne devait pas montrer qu'il était informé du crime. Toutefois, comme son interlocuteur restait muet, il risqua :

— C'est à cause de ce qui est arrivé au curé?

— Vous êtes au courant de cet événement?

— Comme tout le monde à Douceville. Depuis à matin, y a au moins six commerçants d'la rue qui sont v'nus me l'dire, pis autant ont téléphoné.

— Ouais! Bon, j'vas y aller, asteure.

L'événement dont tout le monde parlait depuis le lever du jour ferait l'objet d'un tout petit entrefilet dans *Le Canada français*. Chicoine pourrait difficilement passer pour un saint martyr canadien, alors autant tenir tout ça sous silence.

❧

Quelques minutes plus tard, le policier se présenta à la porte de l'appartement des Morin. Quand Malvina ouvrit, il demanda de but en blanc :

— J'peux parler à vot' mari?

— Y est pas icitte.

L'agent remarqua les yeux rougis, les paupières gonflées de son interlocutrice.

— Il est à son travail ?

— Pas d'après son contremaître. J'ai téléphoné à la Willcox & Gibbs ce matin, il ne l'a pas vu.

— Hier soir, vous savez où il était ?

— À la taverne.

— Vous êtes certaine ?

Elle commença par secouer la tête de droite à gauche, puis précisa :

— C'est ce qu'y m'a dit.

— Y est revenu à quelle heure ?

— J'l'ai pas r'vu depuis le souper.

Puis des larmes coulèrent sur les joues de la ménagère. Le policier jugea inutile de poursuivre cet interrogatoire, certain de connaître l'identité de son criminel. Il se dirigea ensuite du côté de la manufacture de moulins à coudre, convaincu, néanmoins, que son oiseau s'était envolé.

Chapitre 24

Malgré le frais vent d'ouest qui balayait Douceville en ce début de décembre, les paroissiens s'attardaient sur le parvis de l'église, avant la messe. Les conversations animées concernaient toutes le même sujet, sans prendre toujours la même tournure.

— Seigneur, la fin du monde doit êt' proche ! Un curé qui s'fait massacrer su' l'bord d'la sacristie !

— Ça, j't'le dis, c't'un coup des juifs. J'connais un gars qui connaît un des ambulanciers de l'hôpital. Y tient ça d'la police.

— Bin on d'vrait leur faire vider la place.

Dans un autre groupe, de femmes celui-là :

— Y s'est faite couper les parties, j'te dis.

— Ça s'peut pas. Un saint homme.

— Saint, saint, c'est vite dit… Selon la sœur du cousin du beau-frère de mon mari, y s'gênait pas pour serrer les Enfants de Marie dans un coin.

Malvina Morin se tenait au centre d'un groupe de parents – mère, père, frères, sœurs –, silencieuse, le visage fermé. Elle ne proposait aucune hypothèse, car la vérité lui était connue. La police était informée aussi, mais à cause des mobiles de l'agression, la version officielle accusait deux voyous de passage dans la ville.

— Ils ne sont pas allés le chercher loin, notre nouveau curé, remarqua Délia en montant les trois marches conduisant au parvis.

— De l'autre côté de la rivière, souligna son époux. Ainsi, il connaît déjà les habitudes de la population.

Le curé d'Iberville avait été nommé dans la paroisse voisine. Le départ d'un prêtre suscitait un jeu de chaise musicale, du bas au haut de la hiérarchie. Un vicaire héritait d'une paroisse de cinq cents âmes tout au plus, puis était transféré à des endroits plus populeux de cinq ans en cinq ans, pour finir, si ses services étaient irréprochables, dans une ville aussi payante que Douceville.

— Au moins, il a une excellente réputation.

Dans l'esprit de la femme du médecin, cela signifiait dorénavant se tenir loin de tous les jupons.

Une autre famille commentait le changement de pasteur.

— Je l'ai trouvé gentil, quand je me suis confessée à lui, confia Aline.

— N'importe qui, à part Chicoine !

Rosaire Tremblay avait passé un mauvais moment, juste après l'agression. Il était heureux que des parents lui aient rendu visite ce soir-là. Son alibi était blindé. Après vérification, il n'avait plus été embêté à ce sujet.

Au moment du prône, l'abbé Tousignant les entretint du péché de gourmandise. À l'approche des fêtes, la précaution était justifiée, surtout qu'il se donna la peine de préciser que l'abus d'alcool figurait parmi les comportements interdits. Puis il en vint à plus sérieux :

— Le plupart d'entre vous me connaissez déjà, si j'en juge par le nombre de paroissiens de Douceville qui venaient se confesser à moi de l'autre côté de la rivière.

Son ton était persifleur.

— Maintenant, j'espère que vous n'irez pas vous confesser chez le voisin.

Un ricanement parcourut l'assistance, et Aline sentit la chaleur venir à ses joues. Elle espérait ne plus jamais être obligée d'agir de la sorte.

— J'aurais aimé être nommé ici dans de meilleures circonstances. L'abbé Grégoire ne sera pas en mesure de reprendre son travail. Quant à l'abbé Chicoine, cette semaine il a été transféré à l'Hôtel-Dieu de Montréal, à cause de ce malheureux accident…

— Tout un accident, grommela Évariste dans l'oreille de sa femme. Si tu l'avais vu !

— Voilà un plaisir dont je peux me priver sans mal.

— Il demeurera un temps inactif, continua l'officiant, puis monseigneur Bruchési le nommera à un poste en accord avec ses qualifications.

— « En accord avec ses qualifications », répéta le docteur Turgeon pour Délia. Les sermons à venir seront amusants.

Finalement, l'humour de son nouveau curé lui plaisait.

❀

La morphine coûtait cher, Euphémie avait raison. Par ailleurs, son besoin allait en augmentant. Xavier passait plus d'une fois à la banque chaque semaine, grugeant sans vergogne les maigres économies du ménage. Quand les vapeurs du vin de coca et l'hébétude de la drogue s'estompaient, un sentiment de culpabilité, de honte s'emparait de lui. Il n'était le chef, ou le responsable de cette famille que selon les articles du Code civil. En réalité, il n'était même pas maître de lui-même.

Puis Noël serait bientôt là. Noël ! Avec ses dépenses.

Toutefois, ces moments de lucidité survenaient à l'heure du souper. Il lui suffisait de marcher jusqu'à la maison, de s'enfermer dans son bureau pour retrouver sa délicieuse indifférence.

Quatre factures attendaient sur le bureau du maire Pinsonneault, venues de fournisseurs différents, de même que les enveloppes-réponses contenant en tout une quarantaine de dollars. Les employés du bureau de poste insistaient pour que personne n'envoie d'argent comptant, mais plutôt des mandats. Cependant, les vieilles habitudes mettaient du temps à mourir.

L'avocat Marcil, pourtant bien au fait des lois, indiqua « payé » sur quatre lignes du grand registre de comptabilité. Puis il mit les quatre enveloppes dans la poche intérieure de sa veste. Sur le chemin de son domicile, il « oublierait » de les mettre à la poste. Un oubli qui lui procurerait des heures d'hébétude.

❁

Au téléphone, Euphémie paraissait totalement paniquée. Une femme aux abois demandant de l'aide. Aussi, Délia l'avait invitée. Les coups sur la porte résonnèrent dans le couloir. Quand l'épouse du médecin lui ouvrit, elle se jeta dans ses bras.

— Je ne peux plus rester avec lui !

À cause du bruit, Aldée vint dans le couloir voir ce qui se passait.

— Apporte-nous du thé, la pria la patronne.

Délia conduisit la visiteuse dans le salon. Une fois assise, Euphémie arriva tout juste à recouvrer une certaine contenance.

— Que se passe-t-il ?

— … Il prend de la drogue.

Évariste ne se montrait pas toujours rigoureusement respectueux du secret professionnel, une fois dans sa chambre avec sa femme. Il lui avait parlé de l'abus du vin de coca auquel se livrait l'avocat.

— Ce n'est pas si grave. Parmi les dames patronnesses, on trouve certainement trois ou quatre consommatrices de vin Mariani.

Devant les yeux écarquillés de la visiteuse, elle comprit qu'il s'agissait d'autre chose.

— La nuit dernière, je l'ai surpris avec une aiguille dans le bras. Ça doit être de la morphine.

La révélation laissa Délia bouche bée.

— Vous avez vu combien son comportement a changé, après que nous sommes venus ici la première fois.

L'avocat lui avait paru un peu exalté. Un peu plus gai aussi, plus bavard, plus rieur que d'habitude. Cela caractérisait-il un morphinomane ?

— Avec son nouveau travail, nous aurions pu vivre plus décemment, mais rien n'a changé. Le voilà en train de dépenser tout l'argent du ménage.

Cette dépendance coûtait cher. Cela aussi, Délia le savait grâce à ses conversations avec Évariste.

— L'autre jour, j'ai bien cru qu'il allait me frapper. Maintenant, je regrette qu'il ne l'ait pas fait.

Devant le regard interrogateur de Délia, elle expliqua :

— Aucun juge ne m'accordera une séparation de corps parce que mon mari dilapide tout son argent, n'est-ce pas ?

De la tête, la femme du médecin le lui confirma.

— Mais des hématomes suffiraient pour obtenir justice.

Aldée se planta dans l'embrasure de la porte du salon, un plateau dans les mains, hésitante. Même si elle n'entendait pas les mots prononcés, elle devinait bien qu'il s'agissait d'une conversation intime.

— Pose ça ici, je vais m'occuper de servir.

En guise de réconfort, une boisson chaude ne valait certainement pas grand-chose. Pourtant, chacune avala quelques gorgées. Euphémie posa sa tasse et poursuivit :

— Maintenant, je crains surtout qu'il s'en prenne aux enfants. Jamais je n'aurais cru cela possible, mais maintenant… La drogue, cela conduit à faire des choses horribles.

Délia dut avouer sa complète ignorance. Elle ne connaissait la morphine que comme un antidouleur efficace. Avec peu de conviction, elle souligna le tempérament placide de Xavier. Peu de temps auparavant, Euphémie elle-même avait mentionné ce trait de caractère de son mari.

Après une heure, peut-être un peu rassurée, peut-être pas, la femme de l'avocat rentra chez elle. De toute façon, il lui fallait préparer le dîner des enfants.

❖

Quand Évariste revint de l'hôpital, Délia le rejoignit dans son bureau pour lui répéter les confidences d'Euphémie.

— Quel idiot ! grogna le médecin. On dirait qu'il cherche le meilleur moyen de gâcher sa vie.

— Tu crois qu'il peut devenir violent avec elle ? Avec ses enfants ?

— Comment savoir ce qui se passe dans son esprit ? Cela dit, se révéler violent passé trente-cinq ans me semble peu probable.

Pourtant, les journaux regorgeaient de faits divers prouvant le contraire.

— Peux-tu faire quelque chose pour l'aider ?

— À quel titre j'interviendrais ?

— Pourrais-tu le faire arrêter ?

— Je n'ai pas ce pouvoir. La police n'a pas ce pouvoir. Il n'a enfreint aucune loi.

Au Canada, l'achat de morphine était légal.

— Le faire interner ?

— Si un conseil de famille peut obtenir ce genre de mesure, cela demeure compliqué. Marcil n'a ni père, ni mère, ni frère, ni sœur, à ce que je sache. Je doute que seule, Euphémie recevrait un appui suffisant.

Pendant un moment, tous deux se turent, mesurant leur impuissance. Puis Évariste déclara :

— Je vais essayer de lui parler. Une dernière fois. Mais il aurait le droit de me mettre à la porte de chez lui à grands coups de pied au cul.

— Mais il n'en serait pas capable, glissa Délia avec un sourire en coin.

Turgeon n'était pas tout à fait certain de cela. Ses derniers affrontements physiques dataient de ses années de collège, et il ne se souvenait pas d'avoir été particulièrement dominant.

❀

En frappant à la porte de maître Xavier Marcil, Évariste se sentait terriblement mal à l'aise. Personne ne se mêlait ainsi de la vie des autres, cela témoignait d'un extraordinaire sans-gêne. L'homme vint ouvrir lui-même.

— Docteur Turgeon !

Rien, dans son visage, n'indiquait le moindre plaisir à cette visite. Pourtant, il s'effaça en le conviant :

— Entrez, entrez.

À l'intérieur, il l'aida à enlever son manteau pour l'accrocher dans la penderie. Une fois débarrassé de ses couvre-chaussures, l'avocat lui désigna son bureau.

— Je ne vois pas madame, releva le médecin en s'assoyant sur une chaise.

— Notre fille Denise ne se sentait pas très bien, elle est allée la veiller dans sa chambre, à l'étage. Aimeriez-vous lui parler?

— Pas vraiment. Vous pourrez lui transmettre mon bonsoir.

— Je n'y manquerai pas.

Xavier avait fermé la porte de son bureau, puis regagné son siège. Il devinait le motif de cette visite, aussi son ton était emprunté, sa posture un peu raide. Pour sa part, le visiteur tentait de voir ses yeux, sans succès à cause du faible éclairage de la pièce.

— Qu'est-ce qui vous amène chez moi? La prochaine campagne électorale? Il reste moins de deux mois d'ici le vote.

— Non. Une inquiétude vous concernant, plutôt. Nous avons déjà abordé votre consommation de vin de coca. Votre comportement a changé, je soupçonne que vous êtes passé à quelque chose de plus fort.

Marcil serra les mâchoires, attendit de regagner le contrôle de ses émotions avant d'énoncer:

— D'abord, cela ne vous concerne pas, mais je vais tout de même vous répondre. Non, je ne consomme aucun produit que la morale réprouve. Je me contente de celui recommandé par Sa Sainteté Léon XIII.

Si obséquieux d'habitude, l'avocat se montrait maintenant arrogant. Il continua:

— Comme nous sommes en train de parler de ça, puis-je vous en offrir un verre? Ainsi, vous saurez de quoi nous parlons.

Le médecin secoua la tête de droite à gauche.

— Un peu de cognac, alors ? Il doit m'en rester.

— Accepteriez-vous de me montrer vos bras ?

Cette fois, Marcil fit mine de se lever, menaçant. Puis il prononça d'une voix sourde :

— Vous dépassez la mesure, docteur Turgeon. Je ne vous reconduis pas.

Évariste resta immobile un instant, mais n'osa insister. Il quitta la pièce, puis la maison. Maintenant, il partageait l'inquiétude de son épouse.

Dans son bureau, l'avocat ouvrait déjà un tiroir du pupitre pour saisir sa seringue.

❁

Lors de la réunion du conseil suivante, Xavier Marcil fixa un regard froid sur le docteur Turgeon. Le fil des événements lui indiquait qu'il perdrait son emploi si jamais le pouvoir changeait de mains. L'inimitié devenue palpable entre eux intriguait les autres échevins et les mettait mal à l'aise.

Le maire arriva un peu en retard, accompagné d'un constable. Son sourire de vainqueur laissait prévoir un coup d'éclat.

— Messieurs, me v'là obligé d'ajourner cette réunion, parce qu'on n'a pus de secrétaire. Plutôt, on n'en aura pus dans cinq minutes, le temps qu'y mette ça dans son compte rendu : on se r'voit la semaine prochaine, ça me laissera le temps d'en désigner un autre.

L'avocat se figea, ses yeux passant nerveusement du policier au maire. Satisfait de son effet, celui-ci enchaîna :

— Voyez-vous, c'est qu'y pige dans la caisse, depuis qu'y a l'occasion de mettre la main dedans. Dans le grand livre, y met que des factures sont payées, mais les commerçants r'çoivent pas une cenne.

Voilà qui devenait plus clair. La promotion constituait un piège pour ce professionnel réduit à quémander de l'argent pour faire une simple invitation. Dans la salle, les spectateurs tendirent l'oreille. Décidément, ils en auraient beaucoup à raconter en rentrant à la maison.

— Non, ce n'est pas vrai…

La dénégation vint sur un ton tellement pleurnichard que les autres doutèrent tout de suite de sa sincérité.

— Chus certain qu'la police s'ra d'un autre avis. Pis si tu décolles pas tu suite, a va t'aider à sortir.

L'agent posa la main sur l'épaule de Marcil, mais le maire lui fit signe d'attendre. Il n'en avait pas fini.

— J'le sais qu'y a du monde qui joue dans mon dos. Le docteur que j'ai faite élire en février veut m'remplacer. Là, on voué qu'son meilleur chum au conseil est un voleur. Ça fait une bonne équipe.

Il venait de trouver une nouvelle façon de nuire à son rival éventuel. Après les allusions de son épouse sur la moralité des Turgeon, lui-même s'attaquait à leur honnêteté.

— La poursuite pour libelle, vous connaissez? gronda Évariste.

— On va commencer par assister au procès d'celui-là, pis on parlera de libelle ensuite.

Le médecin se leva en tonnant:

— Comme notre secrétaire doit rester en fonction le temps de terminer son plus court procès-verbal, il pourra y mettre que je démissionne sur-le-champ du poste de président du comité d'hygiène.

L'annonce mit un sourire encore plus large sur le visage de Son Honneur. C'était sa première victoire.

— Pis comme conseiller? voulut-il savoir.

— Non, je suis toujours au service de mes électeurs.

— Bin, en février, c'est eux aut' qui vont te mettre dehors.

Le maire sortit sur ces mots. Comme Marcil, replié sur lui-même, ne bougeait pas, le constable l'empoigna par un bras pour l'obliger à se lever. Piteusement, il se laissa entraîner.

— Bon, bin c'est moé qui vas l'faire, le procès-verbal d'à soir, avertit un fidèle de Pinsonneault.

Lentement, les autres conseillers abandonnèrent leur siège pour quitter la grande salle, alors que les spectateurs discutaient de façon animée. Dans le hall, Percy Devries posa sa main sur l'avant-bras du médecin.

— Pourrai-je vous rendre visite à la maison avec deux ou trois amis, d'ici quelques jours ? lui demanda-t-il.

— Si vous avez la gentillesse d'annoncer votre arrivée à l'avance, bien sûr.

— Alors, nous nous reverrons avant la prochaine réunion du conseil.

Tous les deux se saluèrent avec une poignée de main.

❖

Le policier s'était contenté d'escorter Xavier Marcil jusqu'à la sortie de l'hôtel de ville. Avant de le laisser aller, il lui précisa :

— On va se revoir. Là, j'fais le tour des gens qui sont supposés avoir été payés. Avec les fêtes qui s'en viennent, ça prend un peu plus de temps, mais j'pense pas qu'tu vas coucher dans ton lit à l'Épiphanie.

Les soupçons suffisaient à le chasser de son poste, mais il fallait encore rassembler les preuves avant de passer le dossier au procureur de la couronne. Quelques minutes plus tard, l'avocat rentrait chez lui. Son premier réflexe fut de s'enfermer dans son bureau, mais une voix le héla de la cuisine :

— La réunion du conseil est déjà terminée ?

Le ton d'Euphémie paraissait déçu. Elle aimait ces soirées passées seule avec les enfants. D'ailleurs, assis à table, les écoliers faisaient mine de ramasser leurs cahiers et leur matériel d'écriture pour retourner dans leur chambre.

Xavier se planta dans l'entrée de la cuisine.

— Pour moi, oui, et pour toujours.

Anselme s'engageait dans l'escalier, Denise le suivrait dans un instant.

— Que veux-tu dire ?

— Je n'ai plus d'emploi. Tu aimais te plaindre de nos conditions d'existence, au point d'en parler au bon docteur et à sa femme, ce qui m'a procuré un cours de morale. Là, tu auras une meilleure raison de le faire.

Même si elle ne l'admettrait jamais, les raisons de la visite du médecin ne lui avaient pas échappé.

— Comment ça ?

« Parce que mes vices me coûtent cher », se dit-il.

— Je me tenais sans doute trop près de Turgeon, Pinsonneault ne pouvait pas l'endurer. Le bon docteur a quitté le poste de président du comité d'hygiène.

Elle apprendrait bien assez tôt toute la vérité. Au moins, d'ici là il ferait l'économie de ses cris et de ses pleurs. L'instant d'après, il fonçait dans son bureau.

❁

— Il a pigé dans la caisse ?

Délia s'était étonnée de voir son époux revenir aussi tôt. Maintenant, elle trempait les lèvres dans son sherry ; Évariste s'était versé un cognac.

— Pinsonneault n'a pas négligé de souligner mes relations avec Marcil.

— Avec pour résultat que tu as quitté ton poste.

— Et Devries m'a annoncé une visite prochaine.

Délia fronça les sourcils. Elle demeurait sceptique à l'égard des projets politiques de son époux. Ce seraient de grands efforts pour obtenir bien peu de reconnaissance.

— Qu'arrivera-t-il à Marcil?

— La prison, s'il est déclaré coupable. Et si ce n'est pas le cas, sa réputation sera de toute façon définitivement gâchée. Personne ne lui fera plus confiance, il ne travaillera plus jamais à Douceville.

— Pauvre Euphémie! Ses jérémiades me paraissaient exagérées, mais maintenant, je la plains de tout mon cœur. Drogué, voleur... Son mari collectionne les tares.

— En tout cas, maintenant elle aura de fameux arguments pour obtenir une séparation de corps.

Délia se souciait de bien autre chose.

— Tu imagines le climat dans leur maison? Elle doit être terrorisée. Puis nous arrivons à la période des fêtes. Les enfants connaîtront leur pire Noël, et les précédents ne devaient pas être bien brillants.

Évariste voyait défiler un lot de femmes maltraitées dans son cabinet. Certaines recevaient des coups de poing ou de pied, d'autres seulement des remarques mesquines. Plusieurs de ces épouses se réfugiaient dans les vapeurs du vin Mariani. Euphémie ne comptait pas parmi les plus pitoyables, mais il se désolait tout de même pour elle.

— Dommage que sa famille habite si loin, regretta le praticien. Je suppose qu'elle n'a même pas les moyens de payer trois billets de train jusqu'à Québec. Marcil doit lui donner l'argent du ménage avec la plus grande parcimonie.

— Oui, c'est triste.

Délia réfléchissait. Cette histoire l'émouvait au point où, quand son époux se versa un second verre, elle en réclama un aussi.

❖

Sa dernière conversation avec Évariste hantait Délia. Beaucoup de femmes recevaient la paie de leur mari, pour ensuite gérer les affaires du ménage. D'autres ne voyaient sans doute jamais un cent. Euphémie lui semblait compter dans ce second groupe.

Le dernier jour d'école avant le congé des fêtes, l'épouse du médecin se tenait devant la porte du couvent des sœurs de la Congrégation de Notre-Dame pour regarder sortir les petites. Bientôt, elle reconnut Denise Marcil en conversation avec deux camarades. Elle lui fit signe de venir vers elle. La gamine hésita un moment avant de s'approcher.

— Bonjour, commença Délia, tu me reconnais?

La fillette fit un signe d'assentiment.

— Tu dois être heureuse d'être en congé pour deux semaines.

— Oui, madame.

Pourtant, sa tête eut un petit mouvement de droite à gauche. Dans le contexte actuel, l'école devait représenter un havre de paix, comparé à son domicile.

— Tu sais ce qu'est un secret?

Denise ouvrit de grands yeux, puis hocha la tête gravement.

— Ta mère et moi partageons des secrets de femmes. Peux-tu lui remettre une enveloppe sans que personne ne soit au courant?

Délia eut un moment d'hésitation avant de préciser:

— Même pas ton père?

— Oui, madame.

— Alors, la voici. Mets-la dans ton sac d'école, pour être certaine de ne pas la perdre.

Denise obtempéra, impressionnée par tout ce mystère. En prenant la direction de son domicile, la fillette se retourna deux fois pour regarder la dame. Délia entendit bientôt une voix derrière elle :

— Comme je grandis, tu souhaites adopter une autre petite fille pour la catiner ?

Elle se retourna pour voir Corinne devant elle. Sa grande fille venait de quitter la classe à son tour. Elle la prit par le bras pour marcher en sa compagnie.

— Non, pour ça, je vais attendre patiemment que Georges et toi ayez des enfants. Mais à ce moment-là, je m'en donnerai à cœur joie.

— Cela prendra des années. Peut-être sept ou huit ans.

— J'espère bien, je suis encore trop jeune pour me faire appeler mémère.

Comme pour lui donner raison, un homme s'arrêta sur leur passage pour soulever son chapeau et lancer :

— Je vous souhaite une bonne soirée, madame Turgeon.

L'adolescente fronça les sourcils. Ce passant n'avait même pas daigné la regarder.

❀

L'intervention de madame Turgeon avait réussi à mettre Denise en retard. Anselme l'attendait devant l'école des Frères des écoles chrétiennes, déjà inquiet de ne pas voir venir sa grande sœur.

— Tu étais où ? s'enquit-il en l'apercevant.

— Madame…

Le secret. Tout de suite, elle se reprit :

— Les autres m'ont retardée. Viens.

Le garçon prit la main tendue. L'atmosphère de la maison de la rue Saint-Louis rendait ces enfants très attachés l'un à l'autre. Denise jouait le rôle d'une petite maman. Chez eux, tous deux firent attention de ne faire aucun bruit, afin de ne pas attirer l'attention de leur père, enfermé dans son bureau.

Euphémie vint les aider à enlever leur manteau et leurs bottes. Ils passèrent dans la cuisine. La petite fille patienta pendant que son frère faisait le récit des événements de la journée. Quand il s'esquiva pour se rendre à la salle de bain, elle ouvrit son sac et tendit la lettre à sa mère.

— C'est un secret. La femme du docteur me l'a donnée tout à l'heure.

La mère fut surprise. L'enveloppe passa dans la poche de sa robe. Quand Anselme revint, elle alla s'enfermer au petit coin. Après avoir déchiré le rabat, elle en sortit un feuillet.

Euphémie,
Je ne sais pas si tu as les moyens de quitter Douceville pour te rendre à Québec avec tes enfants. À tout hasard, voici vingt dollars pour les frais du voyage. Je te sais fière : tu me les rendras si tu le préfères, mais je ne m'y attends pas.

Délia sacrifiait donc une part de son budget destiné aux œuvres charitables pour l'aider.

Je comprends que tu ne peux rester avec lui. Alors, bonne chance pour la suite des choses.

Suivait une signature élégante, soignée, comme il convenait pour une ancienne élève de couvent. «Je vais le lui remettre», songea-t-elle avec colère. Cette gentillesse lui faisait l'effet d'une gifle. Déchirée en petits morceaux, la lettre passa dans la cuvette des toilettes. Quant aux quelques billets de banque, elle troussa sa robe pour les glisser sous son bas droit.

Chapitre 25

Le lundi 24 décembre, le banquier Percy Devries télé-
phona à Évariste Turgeon afin de prendre rendez-vous pour
le début de l'après-midi. Sa formulation avait été : «J'aimerais
vous voir avec quelques collègues.» Afin de ne pas déranger
sa famille, le docteur les convia dans son cabinet.

Depuis, il tentait de deviner le nombre de ces «collègues». À la fin, il préleva trois chaises dans la salle d'attente
pour les apporter dans son bureau. Avec les deux s'y trou-
vant déjà, en plus de son fauteuil, cela permettait de réunir
un petit groupe de comploteurs. Pendant le dîner, la seule
remarque de sa femme avait été :

— En voilà une façon de souligner la naissance du petit
Jésus.

Un sapin assez imposant encombrait le salon depuis
le samedi précédent. Quelques présents posés à ses pieds
attiraient la convoitise.

— Voilà bien pourquoi je les recevrai dans mon bureau.
Je ne voudrais pas gâcher l'esprit de Noël.

Peu après, assis derrière sa table de travail, il les attendait. Les coups contre la porte extérieure retentirent à
l'heure convenue. Cette ponctualité rassura le médecin sur
le sérieux de ces collègues. Sur leur nombre, aussi. Il ne
manquerait qu'une chaise. Heureusement, la salle d'attente
en était pleine.

Quand tout le monde fut assis, Devries commença :

— Vous connaissez certains d'entre nous.

Il désigna deux échevins au visage familier, puis le président de la chambre de commerce, un entrepreneur important et un membre du bureau de direction de la Willcox & Gibbs. Chacun des participants utilisait la langue de son choix. Tant pis si certains ne pouvaient pas suivre.

Ce fut un échevin qui lança la séance :

— Vous avez eu des nouvelles de Marcil ?

La scène de la semaine précédente avait marqué les esprits. Et les sous-entendus du maire aussi.

— Vous n'allez pas croire ce que dit Pinsonneault ? Je ne suis pas un familier du secrétaire du conseil, je ne l'ai pas vu depuis la dernière réunion.

Ses propres paroles ennuyèrent Évariste. L'apôtre Pierre devait s'exprimer comme ça, pour renier Jésus.

— Mais sa femme, la mienne et la vôtre se réunissent très régulièrement, au gré des activités de l'association féminine de bienfaisance, intervint l'autre conseiller présent. Paraît que madame Marcil et votre épouse s'entendent bien.

L'homme ne se trompait pas : ses principales informations sur la vie de l'avocat venaient des confidences d'Euphémie à Délia. Ces gens avaient raison de vouloir clarifier cette situation, avant de lui donner leur appui.

— Les histoires qui transitent par trop d'oreilles finissent par s'embrouiller. Enfin, pour ce que j'en sais, il se terre chez lui depuis… les événements.

— Mais pourquoi a-t-il fait ça ? Bon, il ne roule pas sur l'or, mais tout de même, voler dans la caisse !

Le médecin hésita un moment. Comme ce qu'il allait dire ne résultait pas d'une consultation médicale – au contraire, Marcil avait nié ses allégations –, il se sentit autorisé à faire quelques révélations.

— J'insiste sur le fait qu'il s'agit de ouï-dire, alors ne répétez rien.

En même temps, il savait bien que faire des confidences à six personnes, c'était comme s'exprimer à haute voix sur le parvis de l'église.

— Depuis un moment, il consommerait de la drogue. Il s'agit d'une habitude très coûteuse, et dont on se débarrasse difficilement.

— *Good God*, murmura le banquier.

Ce personnage connaissait le détail de la situation financière de Marcil, il avait certainement examiné ses relevés de compte avant de venir. Il poursuivit :

— Pinsonneault devait le savoir. En lui mettant de l'argent liquide dans les mains, il lui tendait un piège.

Le maire maintenait des rapports étroits avec les marchands de la ville. Sans doute que l'un des pharmaciens lui avait parlé de la mauvaise habitude de Xavier Marcil.

— En même temps, il le poussait à se rapprocher de moi, expliqua le médecin. Officiellement, pour connaître mes intentions politiques. Aujourd'hui, je crois plutôt qu'il entendait le piéger, pour ensuite m'impliquer. Voyez-vous, si je me lie socialement à un drogué et un voleur, cela prouve que je n'ai pas assez de sens commun pour occuper une fonction de responsabilité.

— Seigneur ! s'exclama un conseiller, jamais je ne l'aurais cru aussi rusé.

Le commentaire contenait une admiration à peine déguisée. En voilà un qui resterait sans doute fidèle au maire actuel. Surtout, Évariste venait de leur donner la meilleure raison de ne pas s'engager en politique à ses côtés.

— Vous avez ici des gens disposés à vous appuyer, affirma Devries, alors, dites-nous si vous souhaitez vous présenter à la mairie.

— Après ce que je viens de vous dire, vous croyez encore que ce serait une bonne idée ?

Le banquier répondit d'abord par un sourire amusé, puis il expliqua :

— Pourquoi pas ? Au pire, vous semblerez naïf sur le choix de vos amis, au mieux, tolérant pour les faiblesses humaines des autres. Et personne n'hésitera à croire au côté machiavélique de Pinsonneault.

Comme le médecin restait coi, il insista :

— Allez-vous vous présenter ?

Évariste bougea la tête de haut en bas pour donner son assentiment.

— Dans ce cas, vous devez le dire publiquement, et présenter un programme dans les plus brefs délais. Le plus tôt sera le mieux, car vous le forcerez ainsi à critiquer vos idées, pas votre choix d'amis.

— Quand ?

— Ce soir ?

Tout le monde dans la pièce sursauta, l'un marmotta :

— Moi je ne peux pas, on est le 24 et j'ai de la visite.

Devries proposa encore, avec un sourire en coin :

— Demain alors ?

De nouveau, les supporters s'opposèrent à l'idée d'une assemblée politique un jour de fête.

— Bon, dans ce cas, après-demain, dans la salle à l'étage du marché. *Le Canada français* publiera le programme dans son intégralité dans son édition de jeudi.

La précipitation des événements déstabilisa le médecin. Cependant, son mentor avait bien raison : être un candidat pressenti l'exposait aux attaques basées sur de mauvais motifs. Quelques idées proposées à haute voix distrairaient les gens de l'examen de ses relations sociales.

Il donna son accord.

❊

Dans le bel appartement de Clotilde Serre, devenue Tilda Donahue lors de son premier mariage, puis Clotilde Deslauriers au second, un arbre abondamment chargé décorait tout un angle du salon. La femme partageait la même prudence que Délia Turgeon : des boules, des guirlandes, des anges en papier mâché, mais aucune bougie.

Quand Sophie se présenta dans la pièce, encore vêtue de son peignoir, des restes de sommeil dans les yeux, elle fut accueillie par des parents souriants.

— Regarde ce que le père Noël t'a apporté.

Le gros bonhomme avec sa hotte gagnait en popularité du côté américain, mais pour la jeune fille, il s'agissait d'une absolue nouveauté.

— Maman, j'ai dix-sept ans !

Au cours des dernières semaines, l'adolescente – ou plutôt la jeune femme déjà – avait cessé de buter sur le premier mot.

— Alors, fais semblant d'en avoir sept juste pour me faire plaisir. Moi, il y a dix ans, je n'étais pas avec toi.

Clotilde remettait régulièrement son histoire sur le tapis, et chaque fois, Alphonse ressentait un pincement au cœur. Les trois derniers mois lui en donnaient la preuve. Pour lui, ce temps perdu demeurerait irrécupérable. Cette pensée le navrait.

Pour incarner la gentille fille, mais aussi pour ne pas bouder son plaisir, Sophie rejoignit sa mère, assise au pied du sapin. Clotilde lui tendit un paquet enveloppé de papier de soie.

— Tu en avais tellement envie, l'autre jour.

Parcourir les grands magasins meublait une partie du temps de cette femme, et son enthousiasme à acheter des vêtements pour sa fille tenait de la manie. Elle cherchait à compenser ses années de frustration dans ce domaine aussi, sans doute. Sans surprise, l'adolescente découvrit un chemisier bleu pâle.

—J'ai un autre petit cadeau, mais celui-là, je te le donnerai en l'absence de ton père.

Donc, ce serait un sous-vêtement. Il y eut un échange de bises, une longue accolade.

— Celui-là est de la part d'Alphonse.

Lentement, elle prenait l'habitude d'utiliser ce prénom, plutôt que le diminutif Al. La jeune fille découvrit un roman français.

— Si tu me le permets, je le lirai aussi, intervint l'ancien curé. Cela me fera un sujet de conversation avec mes étudiantes. Je me sens un peu ridicule, quand je décris des endroits que je n'ai jamais vus.

Au moins, cette lacune dans sa conversation ne décourageait pas les femmes, ni les quelques hommes, à qui il dispensait des cours de français. Des étudiants ressentaient l'envie d'apprendre un peu de français pour se préparer à leur «grand tour européen». Dans les bonnes familles, un long voyage couronnait l'obtention du diplôme, avant le début de la carrière.

Sophie accepta son accolade, ses bises sur ses joues. Quand elle prit place sur le canapé près de son père, elle commença par mordre sa lèvre inférieure, puis murmura :

— Vous y avez pensé ?

Comme la réponse ne vint pas immédiatement, elle continua :

— Je peux voyager seule, vous savez. À mon âge, des filles travaillent en usine depuis cinq ans.

Elle avait entendu les enfants Turgeon utiliser cet argument. Après une hésitation, elle ajouta :

— Prenez Beata…

La bonne partageait quelques-uns de ses secrets avec la nouvelle venue. À Palerme, des parents l'avaient mise sur un navire à destination de l'Amérique, toute seule. Pareille situation avait dû entraîner des péripéties à faire rougir toutes les couventines de Douceville.

— Tu es certaine de vouloir faire ces dix heures de train toute seule ? s'inquiéta son père.

— Si tu veux m'accompagner, j'en serai heureuse. Il y a deux, trois hôtels à Douceville.

Le ton contenait un véritable défi. La jeune fille savait bien que de tous les endroits de la terre, celui-là demeurait inaccessible au curé en fuite.

— Je peux tout annuler pour aller avec toi, concéda Clotilde.

Heureuse de son nouveau statut de femme mariée, elle avait invité des connaissances et accepté des invitations.

— Vous ne me faites pas confiance ?

Dans tous les autres foyers de la rue, ou même de Medford, des parents lui auraient simplement dit non. Ces deux-là se sentaient un peu coupables d'avoir arraché cette jeune fille à sa vie pour l'entraîner dans un pays étranger.

— Ce n'est pas ça…

La tristesse du ton d'Alphonse indiquait une capitulation prochaine. Sophie commençait à savoir jouer de ses grands yeux bleus pour faire céder ses parents. Elle se faisait fort d'arriver à ses fins avant l'heure du dîner.

Euphémie Marcil se tenait debout au milieu de la pièce, son manteau sur le dos, ses couvre-chaussures aux pieds.

Denise et Anselme l'encadraient, le visage grave, comme devant une catastrophe. Et il s'agissait bien de cela.

— Tu sais que j'ai besoin d'argent pour me rendre à Québec, dit-elle. Je t'ai averti hier.

— Pourquoi veux-tu partir comme ça ?

— Tu me le demandes sérieusement ? Dans une semaine, tes enfants seront pointés du doigt dans les rues. Un secrétaire municipal qui vole son employeur, ça ne passe pas inaperçu.

Les conversations allaient bon train dans tous les endroits publics de la ville. Une simple visite au marché lui avait permis d'éventer le mensonge – ou plutôt l'omission – de son époux sur les motifs de son congédiement.

— Tu as besoin de parler de ça devant eux ?

Xavier était assis à la table, les cheveux ébouriffés, vêtu de son peignoir élimé. À onze heures, il n'était pas encore sorti de la maison, et sa tenue indiquait qu'il n'en avait pas l'intention.

— Tu préférerais qu'ils l'apprennent dans la cour d'école la semaine prochaine, par des paroles blessantes venues de leurs camarades ?

— Si le maire n'a pas encore demandé mon arrestation, c'est qu'il ne compte pas le faire. Il m'a embauché, il m'a confié des responsabilités financières.

Pinsonneault se targuait de pouvoir jauger les hommes, cette histoire ne servirait pas sa réputation. Xavier préférait ignorer que d'un autre côté, ce développement servirait sa campagne électorale.

— Écoute, je n'ai pas envie de discuter de ce que le maire fera ou non. Je veux rentrer chez mes parents, c'est tout. Pour ça, il me faut de l'argent.

— L'argent du ménage, c'est mon affaire. Je l'utilise comme bon me semble.

— Tu veux vraiment que j'aille de porte en porte raconter qu'il me faut quelques dollars pour aller à Québec? Si je leur raconte tout, les gens me prendront certainement en pitié.

Jamais Euphémie ne se livrerait à un exercice semblable, sa fierté en serait trop écorchée. Mais l'homme ne possédait plus l'énergie suffisante pour entamer une lutte avec elle. Il quitta sa chaise pour marcher vers son bureau. Dans un tiroir de son pupitre, il préleva quelques billets chiffonnés, des billets de un et de deux dollars.

— Je n'ai rien d'autre.

La femme les défroissa sur le bureau, puis les compta. Onze dollars. Cette somme devait couvrir les dépenses de la semaine, y compris les célébrations du Nouvel An. Ensuite, Xavier ne savait trop comment il se débrouillerait. Pourtant, il demanda :

— Vous serez de retour pour le 1er ?

— … Non, nous ne serons pas de retour.

— Alors, quand ?

— Je ne sais pas. Mon frère te donnera sans doute des nouvelles.

Celui-ci était un ancien camarade de classe de Xavier, avocat aussi. Marcil marqua le coup.

— Que veux-tu dire ?

— Tu le sais, je compte demander une séparation de corps.

Chacun vivrait dans son propre domicile. Même si Anselme ne comprenait pas ce qui se passait, une larme perlait à la commissure de chacune de ses paupières. Denise saisissait mieux de quoi il s'agissait, alors elle pleurait sans vergogne.

— Juste pour ça ?

— Ça, c'était la dernière goutte. Venez, les enfants.

La dernière goutte de quoi ? Xavier ne la battait ni ne la trompait. Quand il fut seul dans la pièce, il ouvrit le tiroir du bas, sortit une petite fiole et une seringue. Tant qu'à s'apitoyer sur son sort, autant le faire à fond.

❖

Le matin du 26 décembre, Xavier Marcil se réveilla dans une maison glaciale, assis dans son bureau. La seringue traînait au milieu du sous-main, l'aiguille tachée de sang. Une douleur au creux du bras lui rappela que son habileté à faire des injections n'allait pas en s'améliorant.

La veille, il avait passé le pire Noël de son existence. Le départ de sa femme et de ses enfants constituait le dernier acte d'une série de catastrophes dont il se savait le seul responsable. Comme il était déjà tout habillé – en réalité, il n'avait pas enlevé son pantalon, sa chemise et sa veste depuis le 24 décembre –, avec son manteau sur le dos pour se protéger du froid dans la maison, il se résolut à se rendre à la banque.

Il fit le trajet avec le col de son manteau relevé, son chapeau planté bas sur ses yeux pour éviter d'être reconnu, et en marchant d'un pas très vif. Toutefois, dans la Banque de Montréal, il ne pouvait pas dissimuler son identité. Deux clients le dévisagèrent, sans le saluer. Quand il se présenta au guichet à son tour, le commis l'accueillit cependant avec un « Bonjour, monsieur Marcil » goguenard.

— Je veux encaisser le solde de mon compte.

Il tendit son carnet. Après une minute, l'employé commenta :

— Hum ! Tout votre patrimoine.

Avec des gestes exagérément lents, il posa les billets un à un sur le comptoir, tout en comptant à haute voix.

— Quarante et un dollars et douze cents. Et maintenant, je le ferme ?

— Vous la fermez.

Le petit changement dans le pronom passa inaperçu. L'avocat rentra chez lui d'un pas machinal, omettant de s'arrêter au marché afin d'acheter quelques vivres. Pour ce jour, il avait encaissé une quantité suffisante de mépris.

Une fois de retour dans la rue Saint-Louis, il commença par faire du feu dans le poêle afin de réchauffer la maison. Puis, dans son bureau, il chercha les polices d'assurance, celle sur sa maison, et la plus importante, sur sa vie. Le renouvellement avait été effectué en septembre. À cette époque, ses mauvais penchants ne grugeaient pas encore toutes ses ressources.

Pendant un moment, Xavier Marcil rassembla ses aptitudes d'avocat pour procéder à une lecture attentive du contrat, y compris les tout petits caractères. On ne précisait aucune cause de décès entraînant un défaut de paiement. Du rhume suivi de complications jusqu'à la cuite mortelle, ses ayants droit recevraient une somme conséquente.

❧

Quand Évariste se rendit dans l'entrée afin de mettre son paletot et son chapeau, Délia le rejoignit très vite. En lui faisant la bise, elle demanda :

— Tu es certain de prendre la bonne décision ?

— Voilà cinq ans que je casse les oreilles des gens avec les questions d'hygiène. Maintenant je dois me taire et agir, non ?

— Alors, je jouerai le rôle de la parfaite épouse de monsieur le maire.

— Ne change rien à ton comportement. Je ne voudrais pas te voir devenir une seconde madame Pinsonneault.

En lui adressant un gros clin d'œil, il laissa sa main s'égarer sur son flanc.

— Tut, tut, tut. Ce soir, tu es au service de la république.

— Nous vivons dans une monarchie.

— Les religieuses appelaient cela une figure de style.

Son sourire lui laissa penser qu'une fois sa mission politique accomplie, elle le recevrait avec des égards.

— Notre saint homme t'a appelé de nouveau?

— Trois fois depuis hier. Et chaque fois, j'ai dû jurer de l'appeler à la seconde où sa princesse passerait la porte.

— Seigneur! Je sens que nous devrons lui rendre des comptes toutes les demi-heures.

Après un autre baiser plus appuyé que le précédent, il quitta la maison. Dehors, le froid rabattit un peu son enthousiasme. Le succès de la soirée – ou son insuccès – déciderait du cours de sa vie pendant l'année à venir. Le marché public l'attendait à quelques minutes de marche. À deux reprises, un passant lui lança:

— Pis, c'est bin vrai, m'sieur le docteur? Vous allez faire d'la politique?

— Ça, ce sont les électeurs qui en décideront.

En approchant, il croisa de plus en plus de personnes, seulement des hommes. Dans l'édifice en brique abritant les commerces permanents, Évariste monta à l'étage. Une grande salle servait à la tenue de réunions diverses, y compris celles liées aux campagnes électorales. Percy Devries vint vers lui, la main tendue.

— Vous voilà enfin…

— Suis-je en retard?

— Non, pas du tout. Mais je craignais de vous voir prendre la fuite.

L'humour ne dérida pas vraiment le nouveau candidat. Devries s'ajusta tout de suite à son humeur.

— Deux autres échevins sont là. La majorité du conseil est réunie.

— Des échevins de l'équipe actuelle. Combien seront réélus en février ?

Le médecin prit sur lui de mettre un sourire sur son visage et de parcourir la salle pour serrer des mains. Après tout, dans son cabinet, il avait vu une bonne partie des contribuables présents avec leurs pantalons sur les genoux, rien ne justifiait son trac. À huit heures, un collègue de langue française monta sur une petite estrade. Levant les mains, il annonça :

— Messieurs, messieurs, nous allons commencer maintenant. Nous avons tous des femmes et des enfants qui nous attendent à la maison. Monsieur Turgeon a décidé de se présenter à la mairie, alors nous allons l'écouter exposer son programme.

Si quelques hommes applaudirent, la plupart ne bougèrent pas, les yeux fixés sur lui. Il évalua leur nombre à une centaine, moins du dixième des électeurs de la ville. Wilfrid Laurier n'avait pas à craindre de perdre son statut de meilleur tribun du pays.

— Si vous lisez parfois *Le Canada français*, vous savez que j'ai proposé quelques mesures pour améliorer l'hygiène dans notre ville, sans grand succès.

— C'parce que vous voulez nous étouffer avec des taxes ! hurla un spectateur.

D'autres reprirent la même accusation, sur tous les tons, avec tous les synonymes d'étouffer.

— À combien évaluez-vous la vie de vos enfants ?

Un grand silence lui répondit. Après un moment, il continua :

— Parce que la vraie question, c'est ça. Combien d'entre vous ont déjà enterré un des leurs ?

Plusieurs firent mine de lever une main.

— Moi, je l'ai fait une fois. Une gastro…

Devant les regards intrigués, Évariste précisa :

— Il se vidait par les deux bouts.

Cette fois, chacun comprit.

— C'pas drôle, commenta quelqu'un, mais c'est pas une raison pour nous taxer.

— Toé, comment Pinsonneault t'paye pour nous faire chier, à soir ? lança un inconnu.

Si Turgeon n'avait pas pensé à une stratégie de ce genre, l'hypothèse ne le surprit pas.

— Parfois, la médecine ne peut rien faire. D'autres fois, ces morts seraient faciles à éviter. Les diarrhées sont le plus souvent dues à du lait gâté, de l'eau polluée, de la viande de mauvaise qualité. Ce sont des problèmes qu'une meilleure hygiène permet d'éviter.

À la lueur des trois ampoules accrochées au plafond, le médecin contemplait l'auditoire. Maintenant, il avait son attention.

— Je ne suis pas un politicien, je suis médecin. Je n'ai pas de vrai programme. Je veux juste faire passer quelques règlements pour débarrasser les arrière-cours des cochonneries qui les encombrent, pour relier le plus grand nombre de maisons à l'égout pour éliminer les bécosses, puis pour faire en sorte que le lait et la viande offerts sur le marché soient frais. Si je suis élu avec une majorité d'échevins, je vais faire adopter ces mesures, puis je retournerai à mes patients. Et si je ne suis pas élu, je passerai mes lundis soir à la maison, et je ne pleurerai pas sur mon sort. Ma carrière politique sera très courte, d'une façon ou d'une autre.

Les échevins venus l'appuyer parurent un peu déçus. Eux rêvaient peut-être déjà d'une domination du conseil municipal, puis d'un ministère à Québec ou à Ottawa.

— Ça va coûter combien ? Vous, vous êtes riche.

— Pensez-vous que je souhaite vous ruiner ?

Les auditeurs se regardèrent. Les campagnes électorales leur amenaient des émotions plus fortes, d'habitude. Les soirées se terminaient parfois par des batailles rangées. Ce soir-là, cela ressemblait plutôt à une conversation raisonnable. Après un silence pendant lequel tout le monde attendit la suite, l'échevin qui avait pris la parole au début revint sur la scène.

— Bon, comme vous le voyez, monsieur Turgeon n'a pas l'intention de nous saouler avec des promesses, ni avec de l'alcool d'élection. Sa brève allocution sera reproduite en entier dans la prochaine édition du *Canada français*. Maintenant, comme nous avons tous des gens qui nous attendent à la maison, rentrons.

Quelques personnes allèrent serrer la main du nouveau candidat, certaines en murmurant : « Bin mes sympathies, pour votre p'tit gars qui est mort. » Après toutes ces années, ces mots le touchèrent plus que de raison. Juste avant de partir, il remarqua à l'intention de ses collègues du conseil :

— Je ne me suis pas senti très brillant, comme politicien.

— Qui sait, peut-être que dire la vérité deviendra la mode, rétorqua Devries.

Son ton indiquait toutefois qu'il n'en était pas absolument convaincu.

Chapitre 26

Le couple arrivait à se donner des allures de deuil. Debout sur le quai de la gare, Alphonse multipliait les recommandations :

— Si des hommes t'abordent, tu ne réponds rien, tu joues la parfaite idiote.

— Puis s'ils veulent te serrer un peu, tu hurles à pleins poumons, enchaîna son épouse.

— Voyons, une fille de mon âge ne peut pas attirer ce genre d'attention.

Le père se priva de lui dire : « Si tu savais… » Toutes ses années à entendre des confessions lui laissaient une bien piètre image du genre humain. À la place, il continua avec ses conseils :

— En première classe, il n'y aura pas trop de monde…

— Plutôt, il y aura du monde, mais surtout des familles, des fils en route pour voir maman, des fiancés qui se languissent de leur chérie.

Clotilde n'alla pas jusqu'à dire : « Les gens qui ont de l'argent sont mieux élevés », même si elle le pensait.

— Essaie de t'asseoir dans un compartiment plein de femmes…

— Ou alors avec de jeunes familles…

Quand Sophie discutait de cette expédition avec Corinne et Georges, au gré des lettres échangées, l'aventure lui paraissait toute simple : changer de train dans une gare au nord de Boston, puis se laisser porter sur un trajet ininterrompu jusqu'à Douceville. Maintenant, ses parents suscitaient en elle des peurs qui ne l'avaient jamais effleurée jusque-là.

— Si tu as besoin d'aller vers les latrines, vas-y avec une autre femme.

Heureusement, le chef de gare leva son signal rouge en sifflant. Le « *All aboard* » résonnerait dans dix secondes.

— Maintenant, je dois y aller.

Sophie embrassa son père, puis sa mère. Elle mettait le pied sur la première des trois marches donnant accès à la voiture quand Clotilde la pria encore :

— Tu téléphones dès que tu arrives chez les Turgeon. Tu n'attends pas une minute.

— Je leur rembourserai l'appel, précisa son époux.

Elle promit de le faire immédiatement, puis disparut dans le wagon, maintenant terriblement inquiète. Pendant dix heures, elle verrait une menace en tous les hommes, même ceux portant une soutane… Quoiqu'à ce sujet, sa crainte s'avérait fondée.

Le couple demeura planté sur le quai jusqu'au départ du train. En partant, Clotilde admit :

— Si jamais il lui arrivait quelque chose, je ne me le pardonnerais jamais.

Alphonse ne dit rien. En plus de tous les dangers liés à de mauvaises rencontres, il craignait que sa fille ne subisse des interrogatoires sans fin sur son compte. Déjà, il imaginait Graziella multipliant les : « M'sieur l'curé, y est où ? » Sans doute que toute la confrérie des domestiques défilerait chez les Turgeon afin de la soumettre à la question, comme dans le bon vieux temps de l'Inquisition.

❋

Le jeudi 27 décembre, au moment de se rendre à l'hôpital, Évariste se pencha sur sa femme pour l'embrasser.

— Elle arrivera à quelle heure ? s'enquit-il.

— Neuf heures. Dans une demi-heure, nous formerons une petite procession pour aller l'accueillir. Même le prince de Galles n'a pas droit à autant d'égards.

— Peut-être, mais il est moins joli.

Délia lui appuya deux doigts dans les côtes.

— Elle a l'âge de ta fille.

— Plutôt de mon fils. Alors, tu sais, la solidarité masculine m'interdit de même penser à elle… J'espère juste que les gens ne la reconnaîtront pas.

— Nous la priverons de messe dimanche, mais dans les rues, nous ne pourrons rien y faire. Avec un peu de chance, elle n'aura pas envie de faire de trop longues promenades à l'extérieur.

Parce que dans ce cas, tout le monde demanderait à Sophie des nouvelles de son oncle. Son habileté à mentir était limitée.

Depuis l'arrivée du nouveau curé, les discussions sur le sort de l'abbé Grégoire allaient bon train dans la paroisse. Toutefois, personne ne supposait l'abandon de sa soutane et un mariage devant un juge de paix. Afin de ne pas créer de scandale, une absolue discrétion à ce sujet était favorisée par l'évêché. Évidemment, tôt ou tard, tout le monde saurait la vérité. Les Canadiens français formaient une trop petite communauté pour qu'une telle histoire ne soit pas ébruitée. Cependant, si deux ou trois ans s'écoulaient d'ici là, l'événement ferait moins de vagues.

— En réalité, continua Délia, je crains surtout les indiscrétions dans cette maison. Je passerai à la cuisine dans un instant.

Après un nouveau baiser, le médecin s'empressa de rejoindre ses malades.

❋

Dans la cuisine, la maîtresse de maison trouva Graziella penchée devant son fourneau, les cheveux en désordre.

— Je peux vous parler un instant ?

— Toute va êt' prête à l'heure, madame, j'vous assure.

Ce serait l'une de ces journées que la cuisinière redoutait de plus en plus : une réception en soirée, cela deux jours seulement après Noël.

— Ça, je le sais bien. Jamais vous ne nous faites faux bond. C'est autre chose.

Ces derniers mots n'avaient rien pour rassurer Graziella.

— Dois-je sortir ? proposa Aldée. Je peux aller faire les chambres.

La petite bonne avait les mains plongées dans l'eau de vaisselle. Cette corvée finissait par occuper la moitié de son temps.

— Non, au contraire, cela vous concerne aussi. Vous savez que tout à l'heure, mademoiselle Sophie se joindra à nous pour quelques jours. J'aimerais que vous ne lui posiez pas de questions sur l'état de son oncle.

— Bin, c'est not' curé.

— Il ne l'est plus depuis trois semaines. Mais je comprends que son état vous préoccupe, il a été notre pasteur pendant dix ans. Je lui ai parlé au téléphone, pour arranger la visite de Sophie. Il va relativement bien, même si son état l'empêche de travailler.

Ce genre de situation paraissait bien peu crédible à Graziella.

— C'est quoi qu'y a ? D'habitude, une personne guérit ou a crève.

— Vous savez bien que ce n'est pas toujours le cas. Prenez juste monsieur Couture, à deux maisons d'ici.

Délia regretta tout de suite d'avoir évoqué la situation d'un voisin, et surtout d'un patient de son mari.

— Alors, c'est entendu. Malgré vos inquiétudes légitimes, vous n'aborderez pas le sujet avec Sophie.

— Correct, madame.

Aldée se contenta de hocher la tête. De toute façon, sa collègue parlait toujours pour toutes les deux. Quand la patronne fut partie, Graziella grommela :

— Ouais ! Bin si tu m'le demandes, j'te dirai que Couture, y a le mal imaginaire. Y a la corde du cœur trop longue.

L'expression tira un sourire à la jeune domestique. Elle suggérait un manque de volonté, de courage. Quand une maladie ne portait pas un nom précis, reconnaissable par tous, les voisins devenaient volontiers soupçonneux.

❁

La petite expédition prit bien la forme prédite par Délia. Elle effectua le trajet vers la gare avec ses enfants de chaque côté, puis ils attendirent sur le quai, là où les wagons de première classe s'arrêtaient habituellement.

Le train en provenance de Boston n'avait pas une minute de retard. Quand il stoppa, une douzaine de voyageurs descendirent des voitures de deuxième classe, sans doute des émigrés aux États-Unis venus visiter leur famille. Des wagons de première, seule une jeune fille mit le pied au sol.

— Sophiiiie !

La voix de Corinne pouvait devenir très aiguë dans les moments d'excitation. Les deux adolescentes s'embrassèrent. Georges se tenait tout près.

— Bonjour, dit-il quand il eut l'attention de la jeune fille. Tu vas bien ?

Dans ce genre de retrouvailles, tout demeurait dans le ton.

— Oui, ça va bien, Georges.

Un silence embarrassé s'installa. Délia se décida à intervenir, sinon ces deux-là demeureraient les yeux dans les yeux jusqu'au soir.

— Bonjour, Sophie. Tu n'as que ce bagage ?

La visiteuse portait un sac de toile à la main.

— Pa… Mon oncle craignait que je ne puisse pas porter plus lourd. Je ne pourrai pas parader avec toutes mes nouvelles robes.

— Je te passerai les miennes, offrit Corinne.

— Elles seront un peu grandes.

— Trop grandes, ça va toujours. Mais trop petites, les coutures cèdent.

La remarque s'accompagna d'un petit ricanement moqueur. Évidemment, les charmes généreux de la fille du médecin n'entreraient jamais dans les vêtements de celle du curé.

— Viens ici, l'invita Délia en lui ouvrant les bras.

Sophie accepta l'accolade et les bises sur les joues.

— Je te trouve très audacieuse, de voyager ainsi toute seule.

La femme voulait dire : « Moi, jamais je ne laisserais ma fille s'engager dans une expédition semblable. »

— Moi aussi, je me suis trouvée audacieuse, mais je tenais à venir vous rendre visite.

— Alors, allons à la maison. De toute façon, ton oncle m'a demandé de l'appeler dès que tu mettrais le pied à Douceville.

La petite procession, augmentée d'une personne, fit le trajet jusqu'à la rue De Salaberry. Corinne tenait son amie par le bras, ne cessait de la saouler de paroles. Dans le lot, Georges paraissait tout à fait laissé pour compte.

❋

— Il l'a laissée faire le voyage seule ? s'étonnait Évariste en enlevant sa cravate.

Tous deux venaient de monter dans leur chambre. Délia revenait de la salle de bain.

— Oui. Et je vais le dire avant toi : je ne laisserais jamais Corinne prendre seule le train pour un si long trajet.

— Même pas pour un plus court. Mais tu sais, ce sont des Américains.

Le médecin voulait dire : « Ces gens-là ne sont pas comme nous. » Après tout, dans ce pays, des curés séduisaient des paroissiennes, puis les épousaient devant un juge de paix.

❋

La salle de bain se trouvait entre la chambre des maîtres et celle réservée aux invités. Alors, les conversations devaient se dérouler dans un murmure. Sophie était étendue de tout son long sur le côté, dans la pénombre. Ainsi, les yeux de Georges paraissaient tout noirs. Comme elle n'était pas encore devenue Américaine, même si elle abandonnait la main gauche à son ami, sa droite serrait son peignoir contre son cou.

— Là-bas, ils doivent être des centaines à te faire la cour.

Elle eut un petit rire bref :

— Là, je te trouve un peu blessant. Dis des milliers.

Le garçon serra les doigts fins posés dans sa paume.

— Tu sais bien ce que je veux dire.

Sophie se souvint des jeunes hommes dans le parc Mystic, ou sur le terrain du collège Tufts. Oui, bien des yeux se posaient sur elle, et quelques audacieux lui adressaient la parole.

— Je ne suis pas partie là-bas de mon plein gré, et je suis bien trop jeune pour m'intéresser à qui que ce soit. Puis, à cause de mes années de couvent sans doute, je pense me montrer suffisamment réservée pour chasser tout le monde.

Le garçon s'avança pour lui embrasser la joue.

— Ici, mes camarades d'école te diraient scrupuleuse.

Pourtant, elle était allongée dans un lit avec un garçon de son âge, dans l'obscurité. Georges comprit la contradiction.

— Alors, je souhaite que tu demeures scrupuleuse pour tous les autres.

— Maintenant, tu devrais retourner dans ta chambre. Si jamais tes parents nous surprenaient…

Même si les Turgeon montraient une certaine ouverture d'esprit, celle-ci avait certainement ses limites. Et si les choses allaient trop loin, la culpabilité retomberait sur Sophie. Ne disait-on pas: «La pomme ne tombe jamais loin de l'arbre»? La fille illégitime assumerait tous les torts.

Galant, Georges quitta la pièce après un chaste baiser.

❧

Dans le salon de la famille Turgeon, Corinne se tenait au milieu de la pièce, son manteau déjà sur le dos.

— Je suis vraiment désolée, mais je ne pouvais refuser, tu comprends.

La destinataire de ces excuses était assise sur le canapé, Georges à ses côtés. Depuis son arrivée, Sophie et Corinne ne s'étaient pas éloignées l'une de l'autre un seul instant. Que Corinne parte maintenant ressemblait à une trahison.

— Je t'assure que je saurai m'occuper de notre visiteuse pendant une heure, intervint Georges.

— Vous pourriez aussi nous accompagner.

— Jules ne nous a pas invités.

Évidemment, seul un très important motif pouvait expliquer cet abandon de ses devoirs d'hôtesse. Le fils du juge Nantel lui avait proposé une séance de patinage.

— Vous savez bien que votre présence ne poserait pas de difficulté.

— Nous croyons plutôt qu'une sortie en tête-à-tête s'impose, entre vous deux, intervint Sophie.

— Ce qui nous permet de bénéficier aussi d'un tête-à-tête, précisa Georges.

Cet argument déculpabilisa tout à fait sa sœur.

— Dans ce cas, je vous laisse.

Comme des coups retentissaient contre la porte, Corinne alla faire une bise à son amie en disant :

— Bon, maintenant je dois y aller.

— Tu devrais l'inviter à souper ensuite. Tu as mangé chez lui, déjà.

En sortant de la pièce, elle adressa un sourire à son frère pour le remercier de son excellente suggestion. Elle trouva Jules Nantel sur le pas de la porte. Grand et efflanqué, il avait une étrange allure, coiffé de son bonnet de laine. Sur l'épaule, il portait une paire de lames réunies par des courroies en cuir.

— Bonjour, Jules. Tu entres un instant ?

— Habillé comme je suis, j'aurai trop chaud rapidement.

— Alors, j'arrive.

La jeune fille referma la porte, le temps de prendre, elle aussi, un bonnet et de ramasser ses patins, puis elle sortit. Sur la galerie, ils demeurèrent un instant immobiles l'un devant l'autre. Elle répéta :

— Bonjour, Jules.

— Bonjour, Corinne.

Comme ça, à la vue de tous, se faire la bise les intimidait trop.

— Nous y allons?

Au moins, il lui offrit son bras.

Comme les années précédentes, la municipalité avait aménagé une patinoire dans le parc. Les plus téméraires allaient plutôt sur la rivière, mais Délia se montrait inflexible à ce sujet: c'était trop dangereux. Pourtant, le pont de glace portait des voitures depuis dix jours.

Quand le couple arriva à destination, Jules posa un genou sur le sol pour attacher les lames de Corinne. Cette dernière profita de ce moment pour proposer:

— Ce soir, accepterais-tu de venir souper à la maison?

— Je ne sais trop…

Elle pensa reprendre la phrase si souvent prononcée quand ils invitaient Félix: s'il y en a pour quatre, il y en aura pour cinq. Mais elle s'en abstint. Elle tenait à ne rien répéter de sa relation avec cet insignifiant.

— Je suis allée chez toi, j'aimerais te recevoir à mon tour.

— L'invitation vient de tes parents?

Lui tenait à ce que tout se fasse dans les règles.

— Si tu entres un instant tout à l'heure, ma mère t'invitera certainement.

Délia avait recommandé à ses enfants la plus grande discrétion sur la présence de Sophie, mais Jules comptait sans aucun doute au nombre des personnes fiables. Autant que l'était Corinne quand elle allait chez monsieur le juge.

Jamais Xavier Marcil ne se sentait aussi angoissé qu'au cœur de la nuit, les yeux ouverts dans l'obscurité, tournés vers le plafond sans vraiment le voir. Même le laudanum ne suffisait plus à le plonger dans une hébétude suffisante pour faciliter le sommeil.

Maintenant, il ne sentait plus la nécessité de laisser la petite bouteille dans son bureau. À quatre heures du matin, il fixa les yeux dessus et tendit la main avec la ferme intention d'en avaler le contenu d'une seule lampée. Cela lui permettrait certainement de dormir. Le risque de ne plus se réveiller ne l'inquiétait pas vraiment. Dans ce cas, Euphémie bénéficierait de l'assurance.

Pourtant, au moment d'enlever le bouchon de liège, l'avocat arrêta son geste.

— C'est certain qu'avec dix mille dollars, elle atteindrait enfin le bonheur.

Sa voix résonnait curieusement dans la maison vide.

— Je vaux beaucoup plus mort que vivant.

Il ne faisait pas ce constat pour la première fois. Plusieurs de ses concitoyens devaient faire le même. Compte tenu du fait que la maison coûtait annuellement le montant des taxes et un peu d'entretien, une femme avec deux enfants devait pouvoir vivre plutôt bien avec mille dollars par an. Lui-même ne récoltait pas un tel montant en honoraires. Évidemment, après dix ans, la veuve devrait imaginer une façon de subvenir à ses besoins. Le moyen le plus simple consisterait à dénicher un autre pourvoyeur. Peu importe de qui il s'agirait, il lui serait facile de s'avérer plus satisfaisant que Xavier ne l'avait été.

Quand le jour blanchit le rectangle de la fenêtre, Marcil rejeta la couverture. Le plancher se révéla glacial sous ses pieds. Les quelques bûches de bois jetées dans le poêle la veille étaient consumées depuis plus de trois heures, la température devait avoisiner le zéro. Il chercha ses chaussures pour les enfiler, puis se rendit dans la cuisine vêtu de sa seule combinaison rosâtre.

Faire du feu prit quelques minutes. Il ouvrit l'armoire pour la découvrir à peu près vide. Seul un bout de miche de pain restait de la dernière visite au marché, avec un morceau de beurre pas trop rance. Cela ferait un petit-déjeuner acceptable. Il revêtit son manteau pour regagner son bureau avec ce maigre repas. De nouveau, en mastiquant lentement, il se perdit dans une autre contemplation, cette fois celle de sa seringue et de sa fiole de morphine. Et encore une fois, il songea à s'injecter une forte dose, une dose suffisante pour le tuer.

Puis il secoua la tête de droite à gauche. Sa propre vie lui répugnait, mais pas la vie elle-même. Par la fenêtre, il regarda des voisins se diriger vers l'église pour la grand-messe. Disparaître. Oui, c'était possible. Comme le nouveau curé aimait s'entendre parler – un travers universel, dans cette profession –, cela lui laissait deux heures pour inventer une solution. Peut-être un peu moins.

❖

Les Turgeon rentrèrent de la messe un peu après onze heures. Devant les domestiques, leur invitée avait prétexté un début de grippe pour monter dans sa chambre. Ainsi, sa présence ne soulèverait pas la curiosité des paroissiens.

Du trottoir, Évariste aperçut une feuille de papier pliée en trois, piquée en plein milieu de la porte.

— Quel genre de zigoto livre son courrier de cette manière ? s'insurgea-t-il en la récupérant.

Il arracha le clou et le mit dans sa poche. Une fois dans la maison, il aida les femmes à enlever leur manteau et à l'accrocher dans la penderie. Corinne monta tout de suite à l'étage pour rejoindre son amie, et Délia alla directement vers la cuisine. Ce ne fut qu'à ce moment que le médecin lut la missive.

— Jésus-Christ, en voilà une histoire !

— Quelque chose ne va pas ? voulut savoir Georges en rangeant ses couvre-chaussures près du mur.

— Oui… enfin non. Je vais dans mon bureau, je voudrais lire ça attentivement.

Les yeux fixés sur le message, il se rendit dans son cabinet. Il posa la lettre sur le sous-main, pour la parcourir encore.

Monsieur Turgeon,
Quand vous trouverez cette lettre, je ne serai plus là.

Le médecin n'en était pas à sa première note de suicide, mais ce genre ne lui était pas familier pour autant.

Vous savez dans quel merdier je me trouve. Je serai sans doute radié du barreau, je ne me trouverai plus jamais d'emploi…

L'avocat parlait d'un emploi de col blanc, respectable et relativement bien payé. Sans doute les contremaîtres, dans les manufactures ou les chantiers, ne se montreraient-ils pas si regardants.

… et ma femme est partie se réfugier chez ses parents avec les enfants, dans la ferme intention de ne jamais me revoir.
Dans ces circonstances, je préfère en finir. Ainsi, au moins Denise et Anselme profiteront de ma police d'assurance. Je n'ai pas de pistolet, j'ai trop peur du sang pour me trancher la gorge avec mon rasoir, et je n'imagine pas me coucher sur un rail pour me faire couper en deux.

Cette énumération était bien étrange, dans un tel message.

Je vais me jeter dans la rivière. Avec un peu de chance, mon cœur lâchera en touchant l'eau. Toutefois, vous connaissez la loi : dans le cas d'une disparition, les héritiers doivent attendre pendant sept ans.

C'était le délai légal pour déclarer décédée une personne disparue. Ainsi, un homme parti sur un coup de tête, s'il réapparaissait cinq ans plus tard, ne risquait pas de trouver sa femme vivant avec un autre et tous ses biens dilapidés.

Alors, je vous demande comme une faveur de venir chez moi aujourd'hui, et de marcher de la lisière de mon terrain jusqu'à un trou que j'ai repéré dans la glace de la rivière.

Si Marcil était allé inspecter les lieux, c'était que l'idée d'en finir ne lui venait pas pour la première fois.

Je laisserai des traces suffisantes pour que vous puissiez témoigner de mon sort. De toute façon, vous devrez certainement vous présenter à la cour du coroner.

Dans le cas d'un décès suspect, un magistrat devait indiquer les causes probables et, le cas échéant, inviter les policiers à procéder à une enquête.

Désolé de vous imposer ça, mais les amis sont rares dans ma vie.
Xavier Marcil

L'écriture paraissait hésitante. Rien d'étonnant pour un homme ayant abusé de la drogue, et projetant de se lancer dans le Richelieu l'avant-dernier jour de décembre. Évariste tira l'un des tiroirs de son bureau pour y poser la missive, puis le referma, le verrouilla et glissa la clé dans sa poche. Il quitta ensuite le cabinet.

Dans l'embrasure de la porte du salon, il annonça :

— Je suis désolé, mais je vais m'absenter pendant un moment. Si Graziella veut bien laisser mon assiette dans le réchaud, je mangerai à mon retour.

— Un patient ? Celui de la lettre ?

Délia lui présenta un visage déçu. Pendant la période des fêtes, un dimanche en plus, elle aurait préféré garder son mari à la maison, mais la carrière de médecin avait ses exigences.

— Oui, en quelque sorte. Je te raconterai.

Georges occupait le canapé, en compagnie de Sophie. Après avoir suivi la conversation, il proposa :

— Je peux me rendre utile ?

Le souvenir du visage surpris de son père, quand il avait pris connaissance du message, lui demeurait en tête.

— Pourquoi pas ?

Quand l'adolescent quitta sa place, Sophie ne dissimula pas sa frustration. Elle apprenait à son tour les mauvais côtés de la vie d'un praticien. Deux minutes plus tard, le père et le fils sortaient dans la froidure.

Chapitre 27

— Que se passe-t-il ? interrogea Georges une fois sur le trottoir.

Le médecin prit une grande inspiration avant de demander :

— Tu te souviens de Marcil ?

Voilà qui ne nécessitait pas de réponse, aussi le garçon attendit.

— Il m'a envoyé un mot pour me dire son intention de se suicider. Là, nous allons chercher les preuves de son décès.

— Tu es sérieux ? Mais pourquoi ça ?

— Je suis le témoin parfait pour l'enquête du coroner. Il s'agit de mon patient…

Il s'interrompit quelques secondes avant de continuer :

— Je te parle comme à un collègue. De toute façon, s'il a bel et bien mis son projet à exécution, mercredi ou jeudi, cela figurera en première page du *Canada français*.

Dans une petite ville, une histoire comme celle-là ferait longtemps les manchettes, de quoi faire oublier le vol de la vaisselle sacrée survenu quelques années plus tôt, ou même l'agression de Chicoine, qui avait eu lieu en novembre.

— Le gars déprimait depuis des mois. Dès l'été dernier, je lui ai recommandé de voir un aliéniste, mais il a refusé.

— Cela aurait changé quelque chose ?

— Pas vraiment.

— Il paraissait en bonne santé. Triste, certainement, mais cela ne constitue pas une preuve de folie.

Georges posait un diagnostic sur la base d'une unique rencontre, lors de l'invitation à dîner du couple Marcil.

— Tu as raison. Pourtant, il consommait du vin de coca depuis des semaines, puis quelque chose de plus fort. Je suggérerai au coroner de visiter les pharmaciens de la ville, et de demander aux commis du bureau de poste s'il recevait des colis de la taille d'une bouteille.

— Pourquoi les gens consomment-ils cela ?

— Le vin de coca ? Je ne sais trop, je ne suis pas un amateur de ce genre de boisson. Je suppose que c'est comme porter des lunettes roses.

De quoi embellir la vie, même si cette illusion ne faisait qu'aggraver les choses, à la fin. Au point de devoir forcer la dose, et de recourir au vol afin de perpétuer cette mauvaise habitude.

Le trajet se poursuivit en silence. Il ne fallait que quelques minutes pour rejoindre la petite maison de la rue Saint-Louis. Turgeon commença par frapper très fort à la porte, en espérant une réponse. Devant le silence, il actionna le loquet, qui céda sans mal.

— Il y a quelqu'un ?

Le père et le fils entrèrent dans le bungalow. Tout de suite, ils remarquèrent la porte ouverte sur leur gauche. Elle donnait accès à un bureau en désordre. Évariste lança encore : «Il y a quelqu'un ?» En vain. Dans la cuisine, il se planta devant la fenêtre donnant sur la cour. Derrière des joncs et des arbustes dénudés en cette saison, il distinguait bien la rivière. Et surtout, les traces de pas traversant le petit terrain.

— Nous allons les suivre, décida-t-il.

L'instant d'après, tous deux se lancèrent sur la piste. Sept ou huit pouces de neige folle ne ralentissaient pas vraiment leur progression. Ils s'engagèrent sur la glace. Bientôt, la couverture de neige disparut tout à fait. La surface glacée paraissait noire sous le ciel couvert. À un demi-mille, ils apercevaient les petits conifères marquant le pont de glace. Ils distinguèrent un traîneau filant à vive allure. Juste une heure plus tôt, personne ne devait se trouver dehors. Les bons chrétiens fréquentaient la messe, les autres restaient à l'intérieur pour éviter de passer pour des mécréants.

Même si aucune trace de pas n'apparaissait sur la glace, la vue portait loin. À cent verges, un petit amas sombre attira leur attention. Bientôt, ils atteignirent un tas de vêtements. Et six pieds plus loin, la tache noire d'un trou dans l'eau. À cet endroit précis, un léger remous devait empêcher la congélation en surface.

— C'est son linge ? s'enquit l'adolescent.

— Je suppose. Attends.

Assis sur ses talons, le médecin saisit le premier vêtement pour le déplier. Quelque chose tomba. Un portefeuille. Georges se pencha pour le récupérer.

— Pas un sou, déclara-t-il en l'ouvrant.

— Aucun papier ?

— Un seul. On dirait une lettre.

Le garçon la déplia pour lire à haute voix :

— « Vous êtes renvoyé, pis la police vous rendra bientôt visite. »

— Cette jolie prose vient de Pinsonneault, j'en jurerais.

Ainsi, une missive avait suivi le petit esclandre en pleine réunion du conseil de ville.

— Tu reconnais bien son style.

Personne d'autre que Marcil ne possédait ce texte. En le laissant là, l'avocat donnait la preuve de sa présence à cet endroit une heure, en tout cas pas plus de deux heures plus tôt. Turgeon déplaça encore un veston, une chemise, des pantalons, et finalement une paire de souliers. Les bas étaient roulés à l'intérieur.

— Il s'est déshabillé pour se jeter dans la rivière, commenta Georges, un peu incrédule. Tu ferais ça, toi ?

— Me déshabiller ? Je suis trop pudique. Mais tu sais, il n'a pas eu plus froid.

— Tout de même, cela me paraît étrange.

— Déjà, se suicider est étrange. Alors, cette excentricité ne change rien.

Au contraire, ce détail apparaîtrait sans doute comme une preuve de plus de la folie de l'ancien secrétaire du conseil.

— Inscris bien les détails dans ta mémoire, tu auras sans doute à témoigner devant le coroner.

Un coup de vent glacial força Évariste à remonter le col de son manteau pour se protéger.

— Nous allons prendre tout ça pour le mettre dans la maison. La police préférerait sans doute que je ne touche à rien, mais quelqu'un pourrait ramasser ces vêtements, ou alors les pousser dans l'eau.

La première hypothèse semblait la plus probable. Un manteau, une veste ou un pantalon connaissaient généralement plus d'un propriétaire.

Quelques minutes plus tard, Évariste chercha un moyen de verrouiller la porte de la maison, sans succès. Deux crampes, l'une dans la porte, l'autre dans le châssis, se superposaient bien, mais aucune trace d'un cadenas.

— Bon, je suppose que personne n'est malchanceux au point de se faire cambrioler le jour de son suicide, grommela-t-il entre ses dents.

Puis à haute voix, il enjoignit à son fils :

— Ne raconte rien de tout cela aux filles.

— Elles vont insister.

— Mais plaider le secret professionnel à ton âge te donnera une auréole de mystère.

Le médecin posa son bras sur les épaules de son fils pendant les premiers pas. Tous deux forcèrent ensuite la marche pour retrouver les autres au plus tôt.

Quand le père et le fils revinrent au domicile de la rue De Salaberry, Évariste répéta à voix basse, tout en enlevant son manteau :

— J'insiste, ne dis pas un mot de ce que tu as vu. À personne.

— Bien sûr, je ne dirai rien.

Georges se sentit un peu vexé de se faire de nouveau prescrire le silence, tellement la discrétion allait de soi.

— Je vous rejoindrai dès que possible.

— Que vas-tu faire ?

— Dans un premier temps, téléphoner à madame Marcil pour lui apprendre la nouvelle. Ensuite, je parlerai au fin limier chargé de maintenir l'ordre de notre petite ville.

— Ça le changera des agressions de vicaire sur le terrain de l'église.

Le père n'esquissa pas le moindre sourire devant la moquerie.

— S'il décide de venir ici tout de suite, j'y passerai sans doute tout l'après-midi. Alors, je compte sur toi pour m'excuser de vous fausser ainsi compagnie.

Puis, débarrassé de son manteau, de son chapeau et de ses couvre-chaussures, le praticien regagna son cabinet.

Dans sa profession, il lui revenait souvent d'annoncer un décès. Si la mort était attendue, cela ne posait pas trop de difficultés. Les mots lui venaient naturellement. Dans le cas du décès de personnes en droit de s'attendre encore à plusieurs décennies de vie, la mention de la volonté de Dieu aidait à accepter l'inéluctable. La pire situation consistait à informer des parents que leur enfant rejoindrait, ou avait rejoint, le petit Jésus.

Toutefois, dans les circonstances actuelles, il lui était compliqué de trouver les bons mots, malgré son bagage d'expérience. Non seulement le suicide représentait toujours un choc, mais aucune évocation religieuse ne pouvait soulager les proches éplorés. Cela signifiait toujours une condamnation aux flammes éternelles.

Un moment, il réfléchit devant son bureau, le mot de Xavier posé sur son sous-main. Puis il tendit la main pour prendre le téléphone. L'employée le mit en contact avec un certain Aristide Gignac, à Québec. Un homme répondit bientôt d'une voix impatiente :

— Qu'est-ce que c'est ?

Celui-là considérait certainement que l'usage de cet appareil le jour du Seigneur représentait une faute grave.

— Monsieur, vous êtes bien le père d'Euphémie, l'épouse de Xavier Marcil ?

L'entrée en matière laissa un moment son interlocuteur interdit.

— … Oui, en effet. Pourquoi voulez-vous savoir ça ? Puis qui êtes-vous ?

— Docteur Turgeon. Je pratique à Douceville. Votre fille se trouve-t-elle près de vous ?

La mention de sa fonction, dans des moments pareils, semait le désarroi chez ses interlocuteurs. Évariste entendait des voix d'enfants. Denise et Anselme devaient avoir quelques cousins et cousines avec qui s'amuser.

— Non, elle aide sa mère à préparer le souper. Dois-je l'appeler ?

— Dans un instant. Je veux d'abord vous mettre au courant. J'ai le triste devoir de vous annoncer une mauvaise nouvelle. Tout indique que Xavier Marcil est décédé.

Après un moment de stupeur, l'autre murmura :

— Tout indique ?

— Il se serait noyé. Je n'ai pas vu le corps, mais j'ai une note de suicide devant moi.

— Le baptême !

Le beau-père ne portait manifestement pas son gendre dans son cœur. Ou peut-être mesurait-il d'emblée les difficultés dans lesquelles serait plongée sa fille.

— Maintenant, j'aimerais parler à madame Marcil, reprit Évariste pour éviter d'entendre le beau-père évoquer ses griefs contre son gendre.

— Je l'appelle.

Monsieur Gignac commença par ordonner aux enfants de regagner leur chambre. Il jugeait préférable de leur épargner de voir l'affolement de la nouvelle veuve. Puis, après un instant, une voix familière demanda :

— Docteur Turgeon, vous souhaitez me parler ?

— Je dois vous annoncer le décès probable de votre époux.

Dans ces circonstances, aucune parole ne permettait d'alléger le choc, alors le médecin préférait aller droit au but. Après un silence, la femme demanda :

— Que voulez-vous dire, exactement ?

— Tout indique que Xavier est tombé dans la rivière Richelieu.

De nouveau, la répartie vint après une pause.

— Que faisait-il sur la rivière, en cette saison ?

— Il m'a laissé une note me disant son intention d'en finir. J'ai marché sur la glace en suivant ses traces, jusqu'à un grand trou. Ses vêtements, et même son portefeuille, étaient posés tout à côté. Toutefois, aucune trace du corps.

Euphémie comprit la raison de l'usage du mot « probable ». D'une voix blanche, elle dit :

— Le lâche. Il a trouvé le moyen de nous décevoir une nouvelle fois.

Au cours des derniers mois, Xavier lui avait réellement donné de nombreuses raisons de se sentir trahie. Pourtant, Évariste murmura :

— Vous savez, il prenait des produits susceptibles d'affecter sa raison.

— Au point de l'amener à voler pour satisfaire… son vice.

En plus de la misère, il leur laissait la honte en héritage. Lors du départ d'un proche, beaucoup ressentaient une grande colère contre la personne les abandonnant ainsi. Une colère mêlée de tristesse, de regret, d'angoisse, d'empathie aussi pour le disparu. Dans le cas d'Euphémie, la rancœur prenait toute la place. Le médecin eut envie d'abréger la conversation.

— Madame, vous devrez revenir à Douceville pour régler les formalités.

— Quelles formalités ?

— Rencontrer le notaire pour connaître ses dernières volontés et réclamer le montant de l'assurance. Auparavant, un tribunal devra reconnaître le décès.

Ce n'était pas le moment de discuter de la veillée au corps et des funérailles. Turgeon se demanda si elle avait conscience de toutes les complications administratives résultant de l'absence du cadavre. Il remarqua un changement de ton quand elle s'enquit :

— Mes enfants n'auront pas besoin d'être là, n'est-ce pas ? Ils pourraient rester chez mes parents.

— Je pense aussi que manquer un peu d'école vaudrait mieux que de les exposer… à tous ces désagréments.

Le médecin doutait que ce soit vrai, mais il préférait dire ce que son interlocutrice voulait entendre. De toute façon, ne pas voir le corps de leur père rendrait aussi leur deuil difficile.

— Je rentrerai demain. Vous pourrez me dire quoi faire, n'est-ce pas ?

— Dans la mesure de mes compétences, je veux bien. Toutefois, si vous connaissez un avocat…

— Mon frère pourra peut-être m'accompagner.

Elle devait à ce frère, un camarade d'université de Xavier, la rencontre de ce prétendant. L'aider un peu maintenant compenserait peut-être pour le rôle d'entremetteur qu'il avait joué dans cette mauvaise union.

— Je vous remercie, docteur Turgeon. Saluez votre famille pour moi.

La femme fit une pause très brève, avant d'enchaîner :

— Vous pourrez aussi dire à Délia que je la remercie, et que je lui rendrai son petit… cadeau dès mon retour.

Les présents, on ne les rendait habituellement pas. Évariste devina une petite tractation entre elles.

— Je n'y manquerai pas.

Après un ultime échange de politesses, le médecin raccrocha. Puis, calé dans son fauteuil, il se laissa aller à ses pensées. Pour la première fois, il venait d'annoncer un décès sans jamais exprimer sa sympathie à la veuve. Après un soupir, il reprit l'appareil, cette fois pour entrer en contact avec le constable de la ville.

À Québec, après avoir mis fin à la conversation, Euphémie courut se réfugier dans sa chambre de jeune fille. Dans un moment, elle trouverait peut-être les mots pour parler à ses enfants. Dans le cas des adultes, son père avait sans doute déjà partagé la nouvelle.

❊

Chez les Gignac, à l'heure de passer à table, l'atmosphère était lourde. Décidément, Xavier avait le chic pour ruiner les fêtes de fin d'année. Des accusations de vol, la perte de son emploi… et maintenant le suicide.

Denise et Anselme présentaient des visages éplorés. Leurs yeux rougis et leurs paupières enflées témoignaient de pleurs récents. Alors que la grand-mère versait la soupe dans les bols, leur grand-père assura d'une voix bourrue, mais tout de même remplie de tendresse :

— J'vous laisserai pas tomber, ne vous inquiétez pas.

Euphémie et ses enfants sentirent un poids quitter leurs épaules. Même à huit et dix ans, Anselme et Denise connaissaient une panoplie de récits sur l'existence misérable des petits orphelins. Pour faire bonne mesure, l'oncle renchérit :

— Moi aussi, je serai là. Euphémie, demain, je monterai à Douceville avec toi. De toute façon, aucun client n'a sollicité de rendez-vous pour le 31 décembre.

Elle hocha la tête pour les remercier de cette belle solidarité. Dans de pareilles circonstances, les hommes du clan devaient se montrer disposés à aider leurs proches. Bien sûr, bénéficier de cette charité venait avec son lot de devoirs. La ~~veuve~~ devrait se montrer très généreuse de ses services pour ~~montrer~~ sa reconnaissance. Demeurer dans le logis de son ~~père~~ signifierait assumer un rôle bien semblable à celui d'une servante. Le rôle de bâton de vieillesse ne présentait pas que des avantages.

Après avoir joué avec sa nourriture pendant une trentaine de minutes, Euphémie murmura :

— Rien ne passe. Excusez-moi, je préfère regagner ma chambre.

Chacun y alla de paroles pleines de compassion. Avant de passer la porte de la salle à manger, elle s'arrêta pour déclarer :

— Auparavant, je vais passer un coup de fil.

C'était une façon de réclamer un peu de discrétion de la part de ses proches. Dans le salon, elle installa une chaise près de l'appareil mural, puis demanda la communication avec le domicile des Parent. Le chef de la maisonnée répondit, puis accepta d'appeler sa fille pour qu'elle prenne la communication, même si son ton exprimait combien un appel à l'heure du repas lui semblait inconvenant.

— Allô, fit la jolie blonde en approchant l'émetteur de sa bouche.

— Delphine ?

— Oui, c'est moi.

— Le salaud s'est jeté à l'eau.

Silence à l'autre bout du fil. Euphémie enchaîna :

— Vraiment, il ne m'aura rien épargné.

Puis elle déversa une nouvelle fois tous ses griefs, de la vie presque miséreuse à la honte de le voir chassé de l'hôtel de ville pour vol. Delphine répétait « hum hum », pour indiquer qu'elle était toujours à l'écoute. À la fin, elle murmura :

— Je suis vraiment désolée pour toi.

Elle devait se féliciter de son célibat, en ce moment précis. La suite la laissa pantoise.

— Écoute, je me disais… Maintenant que je suis seule, nous pourrions partager un logis. Un appartement ici, ou alors la petite maison de Douceville.

À cause du silence, Euphémie reprit, avec un peu de désespoir dans la voix :

— Vivre avec tes parents, ça ressemble à l'existence d'une servante, non ? En tout cas, pour moi ce serait le cas.

«J'aurais dû lui parler de ça de vive voix», regrettait la veuve. La difficulté avec le téléphone, c'était de deviner les pensées de l'autre. Là, elle avait l'impression d'avoir lancé une bombe.

— Nous en reparlerons. Xavier avait de bonnes assurances.

— Écoute, mon père se tient dans l'entrée de la pièce pour tout entendre. Le moment se prête mal à ce genre d'échanges. Je dois retourner à table. Nous pourrions peut-être nous parler plus tard. Tu crois que je pourrais venir chez toi, dans une heure ?

Euphémie eut l'impression d'une chaleur irradiant son ventre.

— Oui, bien sûr. Cela me ferait tellement plaisir.

— Normalement, mon père ne voudrait pas me voir dans les rues à huit heures du soir, mais il fera certainement une exception.

Son statut de vieille fille l'exposait à se voir infantilisée de la sorte. Déjà, Delphine imaginait qu'il accepterait sans doute qu'elle sorte en soirée, à condition de l'escorter. Elle murmura de nouveau :

— Je suis vraiment désolée pour toi. Là, je dois y aller.

— Oui, bien sûr. Tu pourrais rester ici pour la nuit… Ça t'éviterait de ressortir pour rentrer chez toi.

La veuve pensait plus à se voir réconfortée par son amie qu'à consoler ses propres enfants. Quand elles eurent raccroché, Euphémie gagna sa chambre, requinquée par un nouvel espoir.

❋

Une fois de plus, les Turgeon formèrent un cortège aux allures funèbres pour accompagner Sophie Deslauriers à la gare. Les jeunes marchaient devant, occupant toute la largeur du trottoir. Corinne et Georges se tenaient de part et d'autre de leur amie.

— Tu pourras revenir, n'est-ce pas ? l'interrogeait le garçon.

— Je suppose que oui. Mais vous aussi, vous pourriez faire ce voyage.

Sophie pensa aussitôt aux nombreux obstacles se dressant devant une visite de ses amis. D'abord, l'espace manquerait pour les loger. Évidemment, elle pourrait partager son lit avec Corinne, mais Georges… Juste à songer à la présence du garçon sous le même toit, le rose lui montait aux joues.

Derrière eux, Délia murmura pour son mari :

— Les amitiés à distance, tu y crois ?

— Les échanges de lettres sont réguliers entre eux, non ?

— Toutes les semaines. Tout de même, cela ne vaut pas une présence physique. Tu les as vus ces derniers jours, ils ne se sont pas quittés.

— Que pouvons-nous y faire ? Grégoire ne viendra pas acheter la maison à côté de la nôtre.

Bien sûr que non. L'arrivée du nouveau curé datait du début du mois de décembre. Dans tout Douceville, on discutait de la façon dont l'ecclésiastique avait expliqué sa venue : « Votre pasteur est dans l'impossibilité de reprendre son poste. » Par la suite, une douzaine de personnes avaient demandé au praticien : « Bin, c'était quoi, sa maladie ? Y va-tu mourir ? » Dans cinquante ans, le sujet occuperait encore les commères.

Le petit groupe arriva bientôt à la gare du Grand Tronc.

— Le train ne s'arrêtera pas plus de deux ou trois minutes, précisa Évariste.

C'était une façon de leur dire de se faire leurs adieux au plus vite, car le chauffeur de la locomotive n'attendrait pas. Les deux adolescentes se serrèrent dans les bras l'une de l'autre et se répétèrent des promesses d'une amitié éternelle. Devant Georges, Sophie eut un moment d'hésitation, puis elle répéta le même geste. Les parents échangèrent un regard.

L'énorme machine entra alors en gare, pour s'immobiliser dans un nuage de vapeur blanche. En même temps, un coup de vent rabattit la fumée noire vers le petit groupe, provoquant des toussotements.

— Voilà de quoi briser la magie du moment, se désola Délia.

— Madame, murmura Sophie en s'approchant, je vous remercie de m'avoir accueillie.

La vie de famille l'avait rendue un peu moins réservée. Elle se colla contre son hôtesse. À cet instant, les yeux d'Évariste se portèrent sur le petit bâtiment en brique de la gare. Dans un coin sombre, il aperçut une silhouette. Puis la jeune fille se colla contre lui. Le geste le surprit. À ses remerciements, il répondit :

— Ta présence nous a fait plaisir à tous. Nous nous reverrons. Je te souhaite une excellente année 1907.

Toutefois, son regard ne quittait pas la silhouette. Elle se détacha du mur pour courir vers un wagon de deuxième classe. « Marcil ? » s'interrogea Turgeon. Très rapidement, Sophie repassa dans les bras de ses amis pour une ultime bise, puis elle monta dans une voiture de première classe. Son mouvement paraissait synchronisé avec celui de l'inconnu.

Sur le chemin du retour, bras dessus, bras dessous, Corinne et Georges reniflaient de concert. Le médecin, quant à lui, se perdait dans ses pensées. Plus il ressassait la scène, plus il se convainquait d'avoir vu Xavier Marcil monter très discrètement dans un train en direction des États-Unis. Une fois la surprise passée, le scénario lui semblait plausible. Rien de plus facile que de piquer un mot contre sa porte, de marcher jusqu'à un trou dans la glace et d'abandonner ses vêtements à côté, pour se cacher ensuite jusqu'au soir et partir très loin se faire une nouvelle vie.

Pendant quelques minutes, Évariste fut tenté de laisser sa famille rentrer seule pour se diriger vers le poste de police. Puis l'envie lui passa. En disparaissant, cet homme rendait le meilleur service à sa famille. À la condition, bien sûr, que la compagnie honore la police d'assurance.

En entrant dans la maison, il enlaça ses enfants, puis les laissa monter dans leur chambre. Dans le salon, il ouvrit une petite armoire en proposant :

— Je te sers à boire ?

— Tu célèbres quelque chose ?

— Une renaissance.

Le sourire mi-figue, mi-raisin de son époux intrigua Délia.

— Pourtant, je me faisais l'impression de revenir du cimetière, tout à l'heure. Tu as vu l'air chagriné des enfants…

— Évidemment. Mais cette période de réjouissances souligne quand même la naissance du petit Jésus.

— Te voilà bien catholique. Mais justement, c'est une naissance. La renaissance, c'est Pâques.

— Fie-toi à moi, je prendrai un autre verre à Pâques.

Finalement, elle opta pour un sherry. Il la rejoignit sur le canapé. Jusqu'au moment de monter dans leur chambre, ils resteraient là, serrés l'un contre l'autre.

❋

Xavier Marcil ne respira normalement qu'après le passage de la frontière américaine, comme un autre fuyard quelques semaines plus tôt. La présence de la famille Turgeon sur le quai de la gare l'avait terrorisé. Il s'attendait à entendre : « Hé là ! Vous n'êtes donc pas mort ? » Pourtant, oui, le secrétaire de la municipalité de Douceville s'était évaporé de la surface de la terre. Qui il serait ensuite, il l'ignorait.

Comme pour se le prouver, il quitta sa banquette à peine rembourrée pour se diriger vers les toilettes. L'affluence du temps des fêtes en faisait un lieu très fréquenté, aussi l'odeur de pisse et de merde, sans compter les traces de ces déjections sur la toilette, lui soulevèrent le cœur. Heureusement, il réussit à éviter d'ajouter sa contribution à celle de tous les fêtards visitant leur famille à l'occasion du Nouvel An. Il prit la seringue dans la poche de son manteau. Pour éviter les accidents, il avait piqué l'aiguille dans un petit bouchon de liège. Il la cassa net en l'appuyant contre la porcelaine, puis jeta le tout. La chasse laissa tomber son attirail de drogué sur le sol, sous le train.

De retour sur son banc, il se cala de son mieux pour s'endormir bientôt. Avec un peu de chance, le laudanum ne lui serait plus nécessaire.

❋

Sophie Deslauriers avait parcouru le wagon de première classe jusqu'à dénicher un compartiment occupé par deux vieilles dames. Comme elle n'avait aucune envie d'entamer une conversation, à la première question des voyageuses, elle répondit : « Je ne parle pas anglais », le tout accompagné d'un sourire de couventine. Elle ressemblait tant à une gentille fille que ses interlocutrices lui pardonnèrent facilement son statut de papiste.

Le trajet d'une dizaine d'heures lui parut interminable. Heureusement, le sommeil lui permit de fuir son ennui. À l'approche de Boston, sa nervosité augmenta d'un cran. Trouver le bon train dans la gare extrêmement achalandée lui parut au-dessus de ses forces. Surtout, les hommes la regardaient avec insistance. Ce genre d'attention la mettait toujours terriblement mal à l'aise. Pourtant, quinze minutes plus tard, après avoir demandé son chemin à deux porteurs noirs, elle s'assoyait dans un nouveau compartiment, cette fois en compagnie d'une famille.

À Medford, elle rejoignit ses parents sur le quai. Tilda lui ouvrit les bras.

— Comme tu m'as manqué !

À la commissure de ses yeux perlaient des larmes, de soulagement, sans doute. Le retour de sa fille à Douceville lui avait fait craindre de la perdre une seconde fois.

— Moi aussi, affirma Sophie machinalement.

Puis elle ajouta, elle-même surprise de ses propres mots :

— Je suis contente de revenir à la maison.

Si l'accolade d'Alphonse se fit plus discrète, le plaisir sincère de son père ne faisait pas de doute. Il saisit son sac de voyage, puis lui offrit son bras, et Tilda se plaça de l'autre côté. C'est ainsi escortée que Sophie quitta la gare pour retrouver Medford et, un peu plus loin, la rivière Mystic.

Encore un mot

Si vous désirez garder le contact entre deux romans, vous pouvez le faire sur Facebook à l'adresse suivante :

Jean-Pierre Charland auteur

Au plaisir de vous y voir.

Jean-Pierre Charland

Suivez-nous

Achevé d'imprimer en mars 2017
sur les presses de l'imprimerie Marquis-Gagné
Louiseville, Québec